A
Bíblia
DA Vida
Após A
Morte

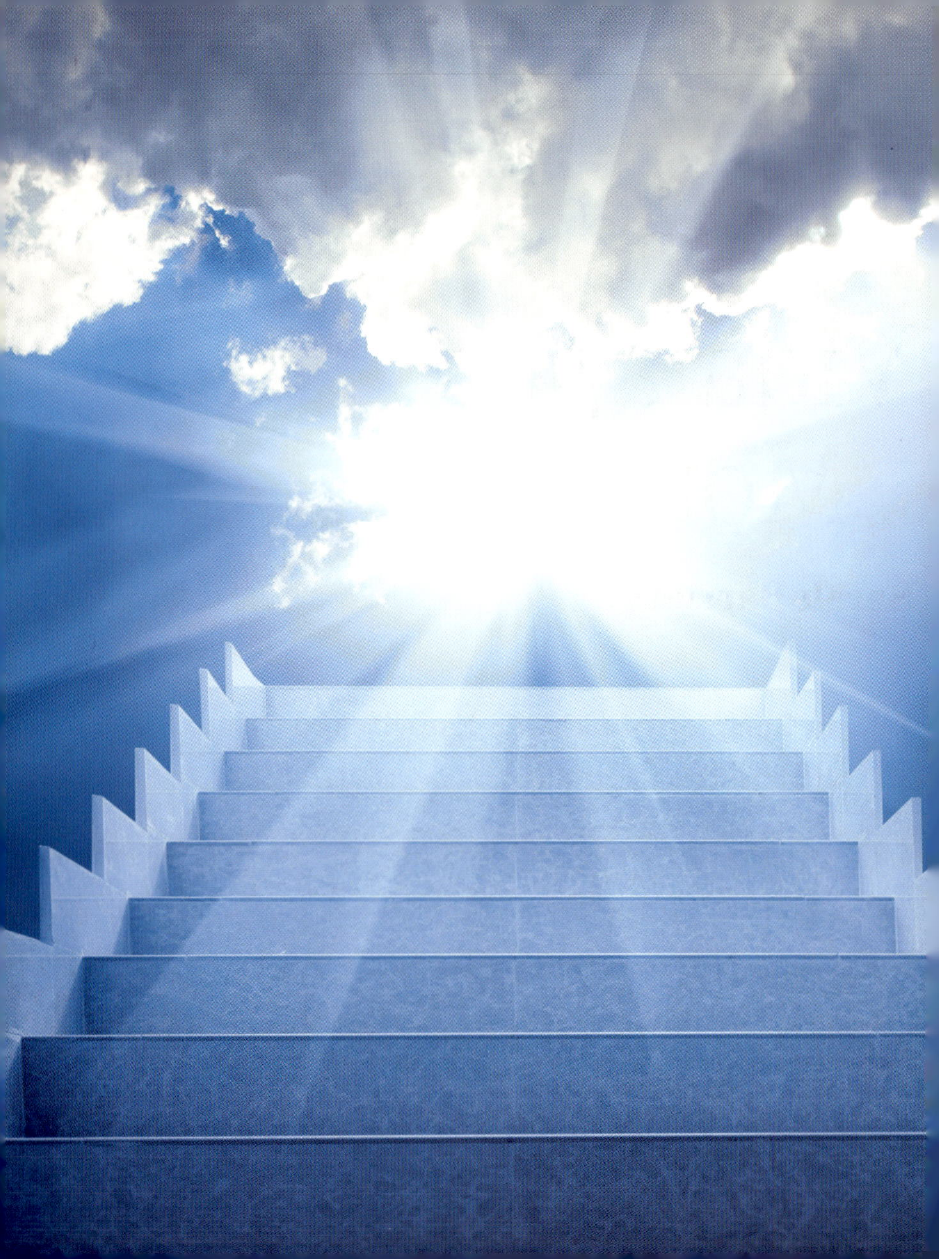

A Bíblia da Vida após a Morte

Sarah Bartlett

O Guia Completo do Mundo Espiritual e dos Fenômenos Paranormais

Tradução
Denise de Carvalho Rocha

Editora Pensamento
SÃO PAULO

Título original: *The Afterlife Bible*.
Copyright © 2015 Octopus Publishing Group
Copyright do texto © 2015 Sarah Bartlett
Copyright da edição brasileira © 2017 Editora Pensamento-Cultrix Ltda.
Publicado pela primeira vez na Grã-Bretanha em 2015 por Godsfield Books, uma divisão da Octopus Publishing Group Ltd, Carmelite House, 50 Victoria Embankment, London EC4Y 0DZ
www.octopusbooks.co.uk
Texto de acordo com as novas regras ortográficas da língua portuguesa.
1ª edição 2017.

Esta obra não tem a intenção de ser uma alternativa a uma consulta médica. O leitor deve consultar um médico quanto aos assuntos relativos à saúde, especialmente sobre qualquer sintoma que possa exigir diagnóstico ou tratamento. Embora os conselhos e informações sejam corretos e verdadeiros à época da publicação, nem a autora nem os editores aceitam qualquer responsabilidade legal por erros ou omissões que possam ter ocorrido.

Todos os direitos reservados. Nenhuma parte deste livro pode ser reproduzida ou usada de qualquer forma ou por qualquer meio, eletrônico ou mecânico, inclusive fotocópias, gravações ou sistema de armazenamento em banco de dados, sem permissão por escrito, exceto nos casos de trechos curtos citados em resenhas críticas ou artigos de revista.

A Editora Pensamento não se responsabiliza por eventuais mudanças ocorridas nos endereços convencionais ou eletrônicos citados neste livro.

Editor: Adilson Silva Ramachandra
Editora de texto: Denise de Carvalho Rocha
Coordenação editorial: Roseli de S. Ferraz
Produção editorial: Indiara Faria Kayo
Editoração eletrônica: Join Bureau
Revisão: Nilza Agua

Dados Internacionais de Catalogação na Publicação (CIP)
(Câmara Brasileira do Livro, SP, Brasil)

Bartlett, Sarah
A Bíblia da vida após a morte: o guia completo do mundo espiritual e dos fenômenos paranormais / Sarah Bartlett ; tradução Denise de Carvalho Rocha. – São Paulo: Pensamento, 2017.

Título original: The afterlife bible.
ISBN 978-85-315-1954-3

1. Morte 2. Vida futura I. Título.

16.07384   CDD133.9013

Índices para catálogo sistemático:
1. Vida após a morte: Espiritismo   133.9013

Direitos de tradução para o Brasil adquiridos com exclusividade pela
EDITORA PENSAMENTO-CULTRIX LTDA., que se reserva a
propriedade literária desta tradução.
Rua Dr. Mário Vicente, 368 – 04270-000 – São Paulo – SP
Fone: (11) 2066-9000 – Fax: (11) 2066-9008
http://www.editorapensamento.com.br
E-mail: atendimento@editorapensamento.com.br
Foi feito o depósito legal.

SUMÁRIO

Introdução   6

PARTE 1: *Crença e Verdade*   8

Capítulo 1: **A busca por provas**   10
Capítulo 2: **A crença**   62
Capítulo 3: **A natureza da alma**   114
Capítulo 4: **Seres e lugares da vida após a morte**   172

PARTE 2: *Encontros e Experiências*   228

Capítulo 5: **Contatos com a vida após a morte**   230
Capítulo 6: **Experiência e cura**   292

Glossário   386
Índice remissivo   390
Agradecimentos   399

INTRODUÇÃO

Há mais coisas entre o céu e a terra, Horácio, do que sonha a nossa vã filosofia.

Shakespeare, *Hamlet*

Um renovado fascínio por investigar o mundo espiritual tem criado controvérsia, curiosidade e uma nova credibilidade com relação a todos os aspectos da vida após a morte. Muitos afirmam que não apenas se comunicam com esse plano divino, mas que também voltam a cruzar suas fronteiras e retornam de lá para contar o que viram. Até mesmo os céticos ficam aturdidos diante dos poderes de cura que parecem proceder desse reino espiritual, fascinados com os relatos daqueles que passaram por algum tipo de experiência transcendental.

Mas o que é exatamente a vida após a morte? Se você está lendo este livro, é porque quer acreditar em sua existência e saber mais a respeito dela, ou está curioso e pronto para dar um salto em direção à luz. Ao longo da História, a maioria das civilizações e culturas desenvolveu mitos e crenças sobre a vida após a morte. Alguns povos reconheciam a existência de guias espirituais e falavam com espíritos da natureza ou faziam relatos de viagens à dimensões espirituais ou de contatos com antepassados. Seja de um ponto de vista religioso, esotérico ou filosófico, cada vez mais pessoas estão começando a reavivar a crença na reencarnação, a dar crédito a regressões a vidas passadas e a viver experiências fora do corpo.

Este livro descreve muitas dessas crenças, desde mitos e religiões milenares até grupos espirituais contemporâneos. Há também um capítulo que mostra como a comunidade científica tem empreendido a busca por provas da existência da vida após a morte, além de informações sobre o papel das práticas espirituais contemporâneas.

Se você está interessado em seu próprio desenvolvimento espiritual, é essencial que saiba mais sobre a vida após a morte. Com trabalhos práticos e exercícios passo a passo para a cura e o contato espiritual, este livro lhe dá as ferramentas de que precisa para desvendar os segredos do mundo da paranormalidade.

Direita: Muitas pessoas tiveram experiências em reinos celestiais e infernais, ou em reinos além do mundo material, onde se sentiram em comunhão com a divindade.

INTRODUÇÃO

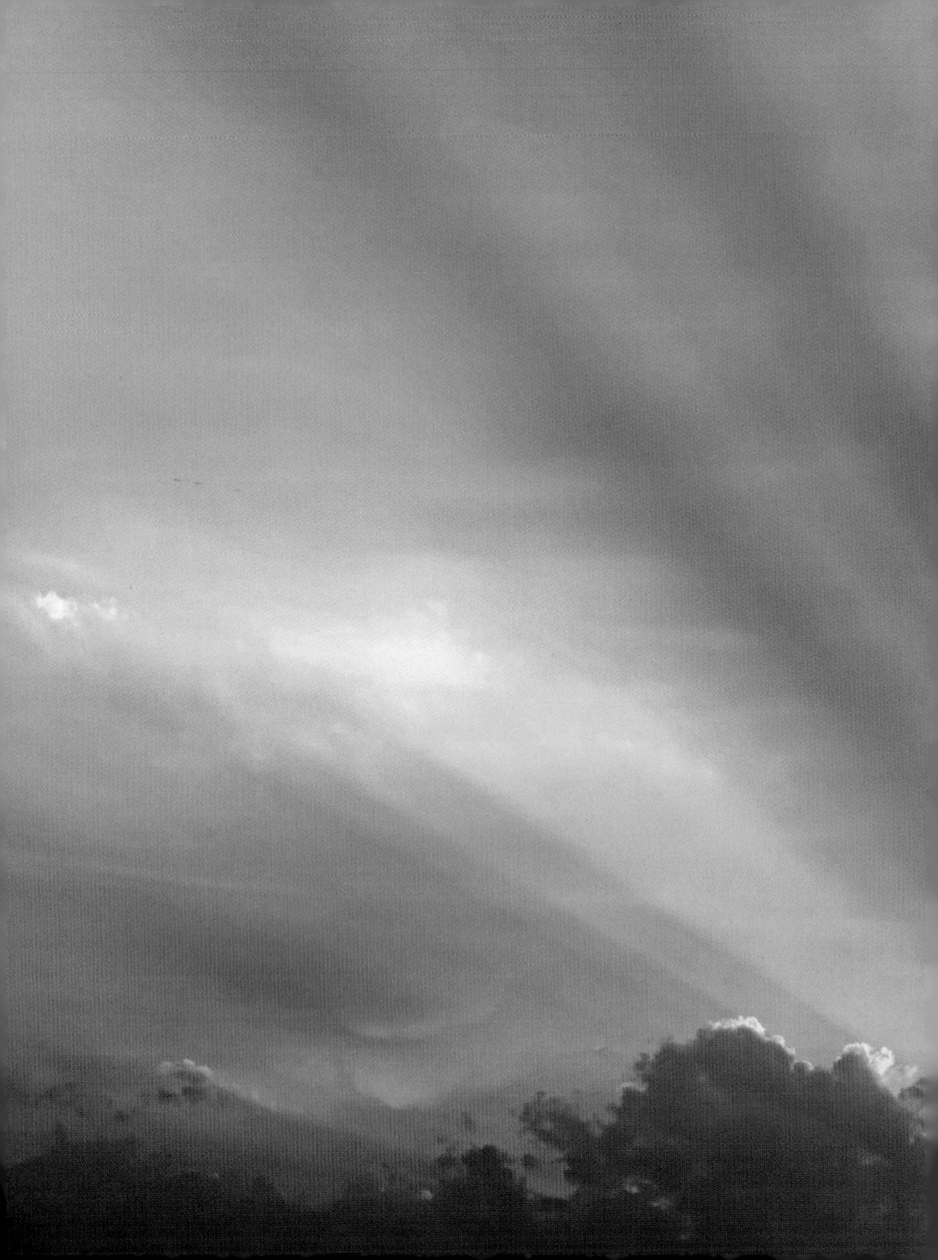

PARTE 1

Crença e Verdade

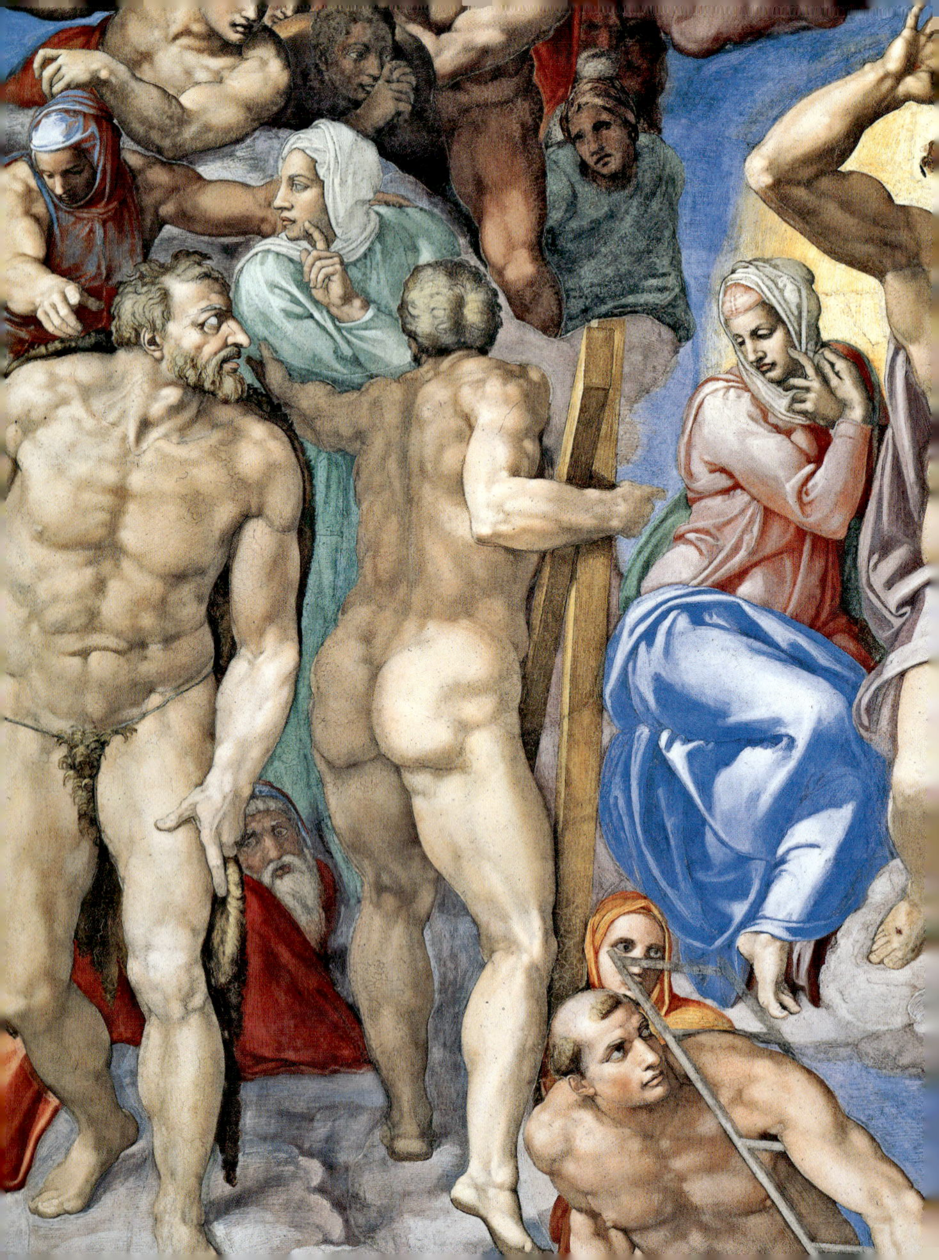

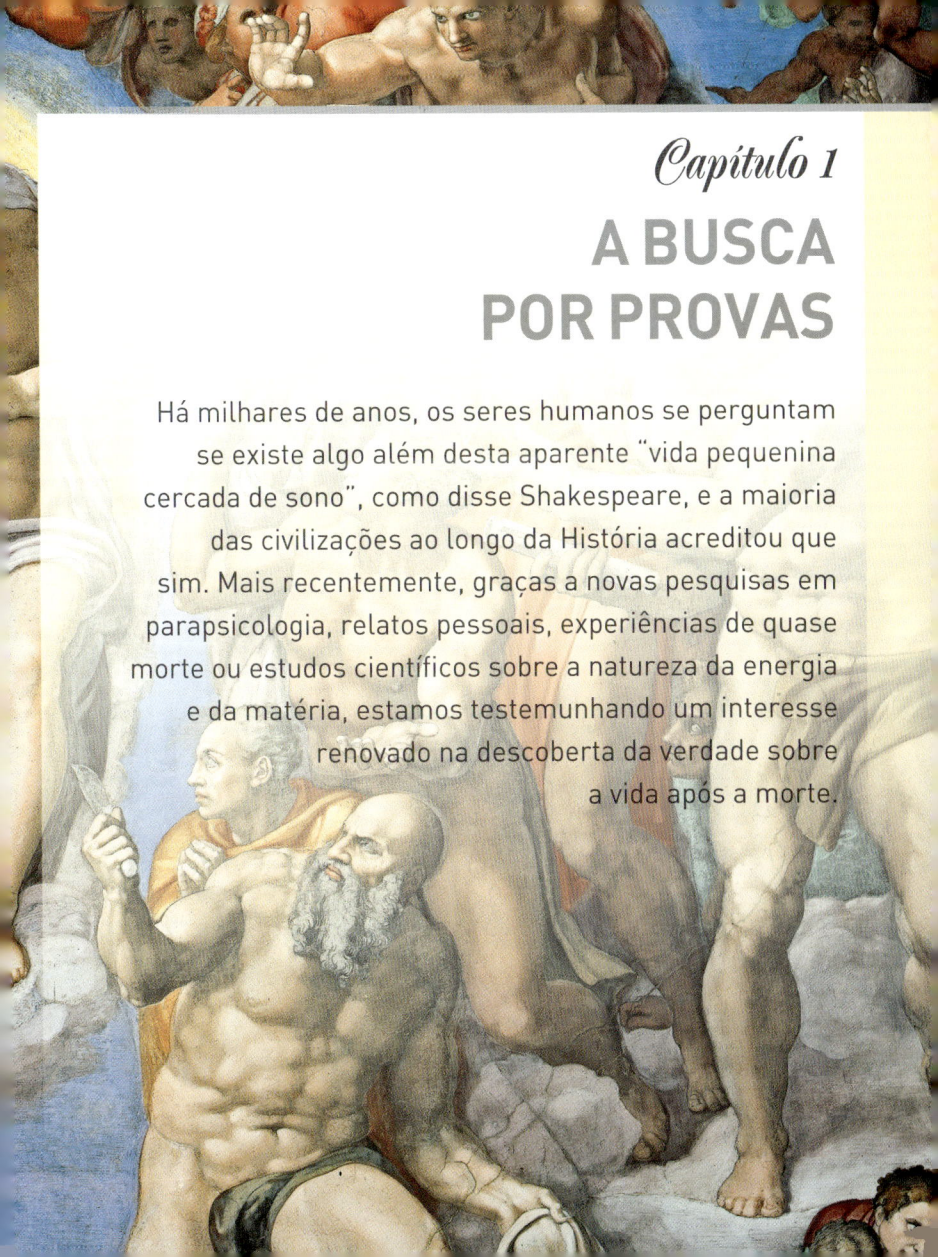

Capítulo 1
A BUSCA POR PROVAS

Há milhares de anos, os seres humanos se perguntam se existe algo além desta aparente "vida pequenina cercada de sono", como disse Shakespeare, e a maioria das civilizações ao longo da História acreditou que sim. Mais recentemente, graças a novas pesquisas em parapsicologia, relatos pessoais, experiências de quase morte ou estudos científicos sobre a natureza da energia e da matéria, estamos testemunhando um interesse renovado na descoberta da verdade sobre a vida após a morte.

CAPÍTULO 1: A BUSCA POR PROVAS

POR QUE INVESTIGAR A VIDA APÓS A MORTE?

O antigo mito de Orfeu conta sua jornada ao mundo dos mortos em busca da sua amada Eurídice e o seu retorno ao mundo dos vivos.

Depois de fazer um acordo com Hades, o deus do Mundo Inferior, Orfeu retorna para a luz através de cavernas e túneis, com Eurídice seguindo atrás. Hades tinha concordado que ele levasse Eurídice de volta com a condição de que não olhasse para ela enquanto ainda estivessem no Mundo Inferior. Um olhar e Eurídice desapareceria para sempre. Quando não ouve os passos dela, Orfeu entra em pânico e olha para trás, à procura da

POR QUE INVESTIGAR A VIDA APÓS A MORTE?

amada. Ao fazer isso, ela volta a ser um diáfano fantasma. Em desespero, Orfeu renuncia ao amor das mulheres e acaba sendo despedaçado e atirado no rio Hebro por ninfas furiosas, depois de serem desprezadas. Sua cabeça e sua lira flutuam até o mar e acabam nas praias da ilha de Lesbos, onde se iniciou um culto a Orfeu.

Esse mito é uma linda metáfora de como podemos perder as pessoas que amamos por não confiar que estejam sempre ao nosso lado. Na época em que esse mito foi escrito, a população pessimista da Antiga Grécia ainda acreditava que o mundo dos mortos era um lugar terrível, um reino frio e desolado de danação eterna, do qual ninguém, nem mesmo Eurídice, podia escapar.

Se, como Orfeu, não confiarmos que esse lugar de fato existe ou precisarmos buscar provas o tempo todo para acreditar nele, isso só poderá nos trazer desilusão. Se vivermos atrás de provas físicas da nossa alma (ou, para voltar à metáfora, buscando a própria Eurídice), acabaremos perdendo contato com ela. A alma não existe para satisfazer as exigências de provas físicas do ego, pois ela é divina.

Mas, se olharmos essa história de uma perspectiva mais positiva e fortalecedora, poderemos vislumbrar a luz. Se, ao contrário de Orfeu, conseguirmos confiar no desconhecido, poderemos caminhar em meio à escuridão do Mundo Inferior (paradoxalmente, um símbolo da própria vida) sabendo que, ao chegarmos aos umbrais que nos levam à

Acima: Se acreditamos na vida após a morte, mesmo que a princípio só enxerguemos escuridão, em breve vamos vislumbrar a luz.

Esquerda: Quando Orfeu fugiu do mundo dos mortos, ele se sentiu tentado a olhar para trás, para garantir que a mão que segurava era a de sua amada Eurídice e não de algum demônio.

CAPÍTULO 1: A BUSCA POR PROVAS

luz, Eurídice (nossa alma) estará conosco. Portanto, nesse contexto, o que a vida após a morte significa para nós? Ela nos dá conforto, paz e a constatação de que a morte não é o fim, levando esperança não apenas para nós mesmos, mas para aqueles que amamos e perdemos.

Todos nós nos perguntamos: o que acontecerá depois que eu morrer? Alguns de nós, os cientistas racionais, acreditam que não existe nada além da vida física, e, quando a morte chega, ela nos conduz ao esquecimento – as luzes se apagam para sempre.

O objetivo deste livro não é só ajudar você encontrar um sentido para a sua existência, mas encorajá-lo a descobrir que a crença na vida após a morte anda de mãos dadas com a crença na essência eterna da sua própria alma. Sua alma é apenas uma pequena parte da grande Alma do Mundo, que liga tudo no universo. Na verdade, você é uma manifestação dessa alma universal. Sua própria alma veio desse mundo desconhecido e, ao morrermos, voltará novamente para lá.

Durante milhares e milhares de anos, em todas as civilizações, sejam grandes, efêmeras, tribais ou tirânicas, sempre se acreditou que a alma é eterna, assim como acreditamos que, sem o Sol, não existiria vida no nosso planeta. Se acreditamos na nossa

Direita: Se confiarmos que a nossa alma nos acompanhará na vida após a morte, podemos trilhar o nosso caminho para a luz sabendo que não estamos sozinhos.

POR QUE INVESTIGAR A VIDA APÓS A MORTE?

alma e na vida após a morte, então nesta vida podemos vencer desafios, curar nossas feridas emocionais, sanar as nossas dúvidas e nossos medos, e viver uma vida plena, cultivando a nossa alma, em vez de negar sua existência.

A crença na vida após a morte nos ajuda a chegar a um acordo com o "mundo inferior" que enfrentamos em vida. Podemos, então, trilhar o nosso caminho para a luz, sabendo que não estaremos sozinhos, pois confiamos que nossa alma sobreviverá à morte.

A busca por provas científicas

Algumas pessoas não precisam de nenhuma prova para acreditar que a alma e a vida após a morte existem, enquanto outras podem se sentir confortadas e intrigadas com as descobertas científicas de fenômenos paranormais e ao tomar conhecimento de experiências de outras pessoas cujos olhos foram abertos para a vida espiritual. As pesquisas parapsíquicas e as afirmações de espiritualistas, canalizadores, médiuns, xamãs e agentes de cura espiritual são consideradas tendenciosas, pois as pessoas que reúnem as evidências de casos, encontros ou relatos espirituais da vida real geralmente são aquelas que acreditam em fenômenos paranormais. Portanto, neste capítulo eu procuro mostrar como muitas pessoas, céticas ou não, estão tentando chegar à verdade com relação a essa questão.

As provas científicas nos ajudam a enfrentar nossa vida no plano material. No

CAPÍTULO 1: A BUSCA POR PROVAS

entanto, devido à própria natureza da "vida após a morte" e da "alma", ambos de cunho espiritual e, portanto, além do mundo da matéria, provas científicas da vida após a morte são difíceis de encontrar.

Existem, no entanto, áreas dentro da pesquisa científica que fizeram algumas tentativas bem-sucedidas para provar que existe algum tipo de vida após a morte. Entre essas áreas estão a pesquisa da parapsicologia

POR QUE INVESTIGAR A VIDA APÓS A MORTE?

sobre o sobrenatural ou o paranormal e, mais recentemente (ver página 170), os estudos da psicologia sobre as pessoas que afirmaram ter passado por experiências de quase morte (ver página 21) ou fora do corpo (ver página 30). Esse rico arsenal de experiências pessoais, embora controverso, provou ser mais verossímil do que a reiterada afirmação da comunidade científica de que todas as respostas podem ser encontradas no funcionamento neurológico do cérebro.

O dr. Sam Parnia, da Stony Brook University, em Nova York, está atualmente trabalhando com vários hospitais em todo o mundo num projeto para investigar as experiências de quase morte e fora do corpo. Ele constatou que pessoas de todo o mundo descrevem a mesma experiência universal, mas a interpretação do que veem depende das suas próprias crenças. Estudos recentes realizados pelo dr. Pim van Lommel (ver página 57) e pesquisadores do Rijnstate Hospital, na Holanda, indicam que a mente continua a existir após a morte do corpo.

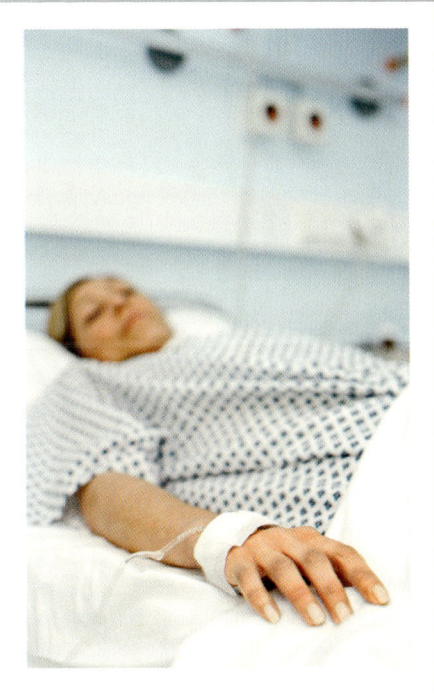

Acima: Investigações científicas sobre o fenômeno da experiência de quase morte estão sendo realizadas em hospitais do mundo todo.

Esquerda: Muitas pessoas já tiveram experiências espirituais ou presenciaram algo sobrenatural.

CAPÍTULO 1: A BUSCA POR PROVAS

RELATOS HISTÓRICOS

Desde o sucesso do livro Life after Life, escrito na década de 1970 por Raymond Moody, outras publicações e a mídia trazem inúmeros relatos de experiências de vida após a morte ou de quase morte (ver página 21).

Não se trata de uma nova forma de fazer sensacionalismo com relação a uma experiência, embora o livro de Raymond Moody tenha feito muito para reavivar a ideia na consciência popular. Acontece simplesmente que a nossa capacidade para nos comunicar com a mídia e com o mundo é um pouco mais fácil do que era 50 anos atrás.

Há relatos que remontam ao século IV a.C., quando Platão recontou a história do mito de Er (ver a página 204), sobre um soldado que morreu no campo de batalha e voltou à vida para contar as suas experiências. Um conto do historiador Plutarco, do século I d.C., revela que um homem de má reputação caiu de um precipício e morreu, voltando à vida três dias depois, em seu funeral. O reverendo Bede, monge do século VIII d.C., relatou a *Visão de Drythelm* em sua *Ecclesiastical History of the English People*. Bede conta a história de um piedoso pai de família do Norte, Drythelm, que morreu uma noite de uma doença grave, mas reviveu no dia seguinte ao amanhecer, aterrorizando os que o pranteavam ao se sentar de repente em seu leito de morte. Ele relatou o que tinha visto no Outro Mundo à esposa e mais tarde a um monge, que repetiu a história para Bede.

No século VI, o papa Gregório, o Grande, em seus *Diálogos*, contou sobre um eremita que ressuscitou e relatou sua passagem pelo inferno, onde viu homens dependurados sobre o fogo. Justo quando ele também seria arrastado para as chamas, um anjo veio em seu socorro e mandou-o de volta para a vida com as palavras "vá e pense bem em como vai viver a partir de agora".

Segundo relatos do século XIX, uma médium, a sra. Conant, revelou que, ao morrer de uma overdose de morfina, ela encontrou sua mãe no céu e voltou para contar a história. O geólogo e alpinista suíço Albert Heim sobreviveu a um acidente quase fatal e depois disso reuniu trinta relatos em primeira mão de outros sobreviventes, com experiências de quase morte semelhantes.

Direita: Existem inúmeros relatos de pessoas que receberam "uma mãozinha" para voltar à vida depois de passar pela morte física.

RELATOS HISTÓRICOS

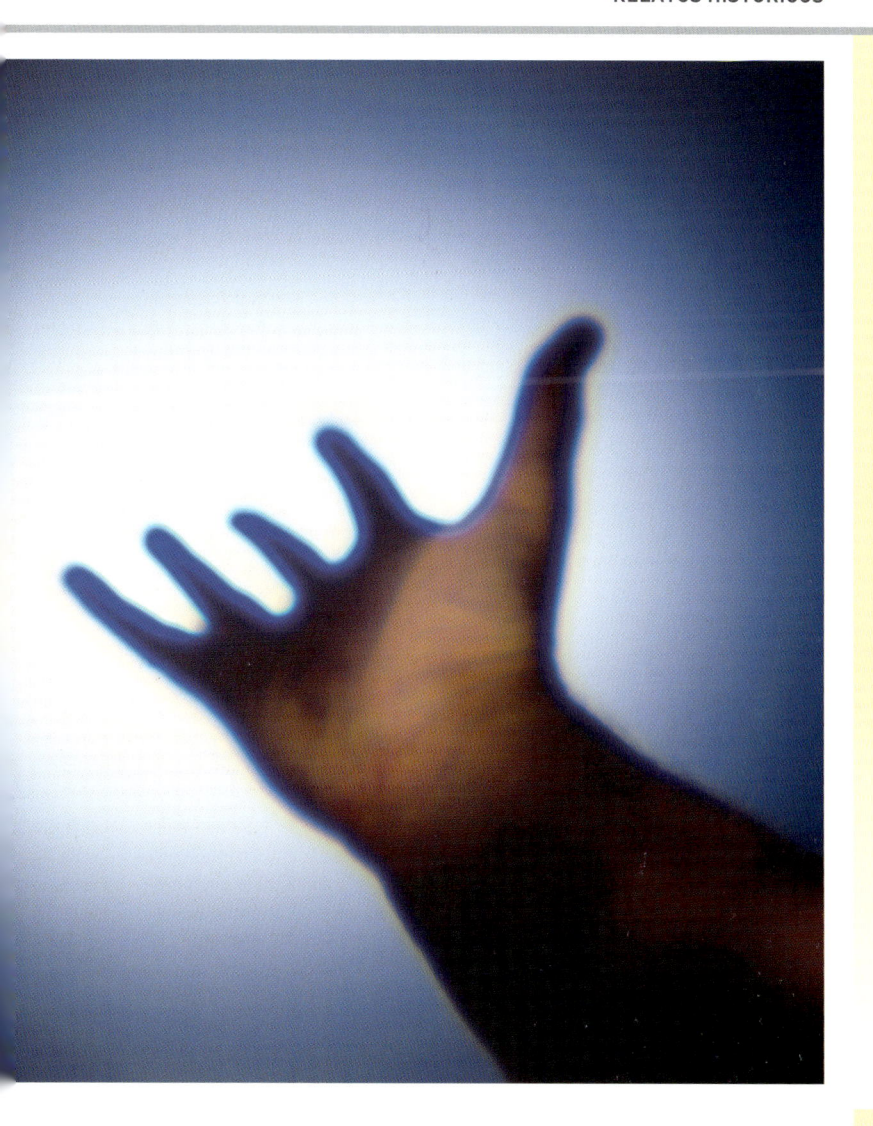

CAPÍTULO 1: A BUSCA POR PROVAS

EXPERIÊNCIA HUMANA EXCEPCIONAL

Faça-me imortal com um beijo.

Christopher Marlowe, *A Trágica História do Doutor Fausto*

Nos últimos 40 anos, talvez tenham sido as investigações sobre as experiências de quase morte (EQM) e as experiências fora do corpo (EFC) que chegaram mais perto de comprovar a existência de outros mundos e/ou de presenças espirituais. Cunhada por Rhea A. White, um ex-pesquisador do laboratório de parapsicologia da Duke University, na Carolina do Norte (EUA), a experiência humana excepcional (EHE) é um

EXPERIÊNCIA HUMANA EXCEPCIONAL

termo genérico para experiências fora do normal que geralmente envolve o contato espiritual ou sobrenatural.

Essa experiência é, até o momento, inexplicável pela ciência. Ela inclui níveis superiores de consciência ou percepção; experiências transcendentais ou fora do corpo; sentimento de interconexão com outra dimensão fora deste universo; separação de todas as dimensões; e uma sensação de estar totalmente em harmonia com o universo. Existe a impressão de se estar numa realidade diferente ou em algum lugar sem fronteiras. Depois de tal experiência, a vida pode adquirir outro significado, e os sujeitos relatam que já não temem mais a morte. Uma das EHEs mais controvertidas é a experiência de quase morte.

Experiências de quase morte

A maioria dos sujeitos relata ter uma EQM durante uma cirurgia de porte ou em acontecimentos traumáticos como acidentes de carro ou ataques do coração. As pessoas que afirmaram ter passado por uma delas normalmente relatam a sensação de que, durante a EQM, ainda tinham um "corpo", mas de natureza diferente do que deixaram para trás. Elas vislumbram o espírito de parentes e amigos que já morreram e podem encontrar algum tipo de barreira ou fronteira que represente o limite entre a vida terrena e mundo espiritual. São muitas vezes dominadas por intensos sentimentos de alegria, amor e paz. E, apesar de tudo isso, voltam para o corpo físico e continuam a viver.

A psicóloga clínica Edith Fiore apresentou vários relatos de EQMs em sua pesquisa,

Esquerda: Experiências humanas excepcionais incluem aquelas em que as pessoas se sentem completamente separadas de qualquer dimensão.

Direita: Passar por uma EQM é como se aproximar da fronteira entre a vida terrena e o mundo espiritual.

CAPÍTULO 1: A BUSCA POR PROVAS

CARACTERÍSTICAS CLÁSSICAS DAS EQMS

- O sujeito passa através de um túnel de luz.
- Um ser amoroso surge, irradiando luz.
- Parentes falecidos podem aparecer.
- O sujeito é infundido com um profundo sentimento de paz.
- Uma música bonita e lugares maravilhosos são vistos e ouvidos.
- A alma passa por uma revisão de vida.
- O sujeito identifica lições de vida em curso.
- A escolha de retornar ou permanecer pode ser oferecida, ou o sujeito é enviado de volta para esta vida.

EXPERIÊNCIA HUMANA EXCEPCIONAL

durante a década de 1980. Ela observou que a maioria dos indivíduos relatou ter flutuado ou se elevado no ar e visto a cena de cima. A princípio, os sujeitos parecem estar sozinhos, mas logo sentem a presença de "guias espirituais", veem orbes (ver página 29) ou encontram parentes falecidos. Um dos casos que ela relatou foi o de "Roger" que "morreu" enquanto praticava um esporte a cavalo na França. Ele descreveu uma sensação de calor se espalhando por todo o seu corpo, depois da qual viu uma luz branca, que aos poucos foi sumindo a distância. E ele era capaz de ver tudo, tanto esta dimensão quanto as outras. Antes, ele acreditava na vida após a morte, mas durante a experiência o pensamento de voltar ao corpo era quase repulsivo e ele não tinha dúvida de um estado espiritual da existência.

Controvérsia

Rick Strassman, um psiquiatra que supervisiona a Cottonwood Research Foundation, no Novo México (EUA), acredita que uma droga alucinógena produzida pelo corpo humano e conhecida como DMT (dimetiltriptamina) ajuda a consciência a deixar o corpo. Segundo suas teorias, quando uma pessoa está à beira da morte ou, talvez, quando está sonhando, a glândula pineal libera DMT, responsável por grande parte das imagens relatadas por sobreviventes de EQMs. No entanto, o dr. Strassman também observou que a glândula pineal torna-se visível pela primeira vez aproximadamente no 49º dia do desenvolvimento fetal, que é o mesmo período de tempo que, segundo o *Livro Tibetano dos Mortos*, a alma leva para reencarnar. Esse poderia ser um sinal de que a glândula pineal

Esquerda: Durante a EQM, os sujeitos muitas vezes relatam que viram um ente querido banhado numa luz cálida.

Direita: A glândula pineal libera uma substância alucinógena, a DMT, que pode ser a causa da EQM.

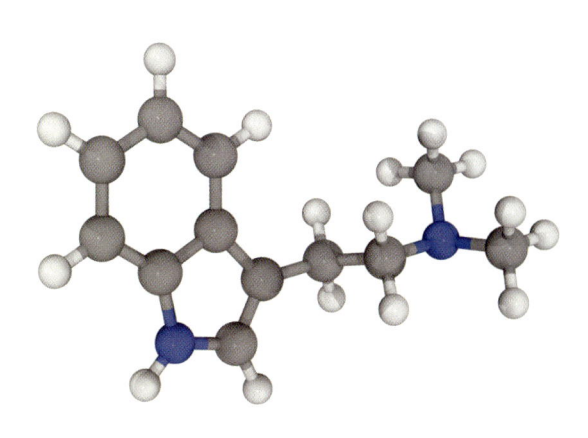

CAPÍTULO 1: A BUSCA POR PROVAS

e a alma estão de alguma forma interligadas? Poderia o aparecimento da glândula pineal ser de fato um sinal de que a alma reencarnou no seu novo corpo?

O dr. Peter Fenwick, um respeitado neuropsiquiatra britânico, pesquisou trezentos relatos de EQMs. Criticado por afirmar que a consciência humana pode sobreviver à morte do corpo, ele argumenta que ela pode ser mais do que uma função do cérebro, e que o cérebro e a mente são coisas distintas. Ele admite que ninguém ainda entende as experiências místicas, mas sobreviventes de EQMs sempre reinterpretam suas crenças à luz dessa experiência. Ele e a esposa, Elizabeth Fenwick, relataram em seus estudos que experiências de quase morte são quase sempre de natureza positiva. Os Fenwicks argumentam que as práticas médicas modernas desvalorizam as experiências do fim da vida e o casal defende uma abordagem mais holística à morte e ao morrer. (Ver Capítulo 5 para relatos de EQMs).

Comunicação pós-morte

Outro fenômeno considerado uma experiência humana excepcional envolve a comunicação direta de um membro da família ou amigo falecido. Os pesquisadores Bill e Judy Guggenheim recolheram mais de 3.000 relatos em primeira mão de pessoas que acreditam ter tido contato com um ente querido que partiu para o mundo espiritual. O livro deles sobre o mundo espiritual documenta muitas dessas experiências que

Acima: O contato com um ente querido recém-falecido é uma das experiências mais comuns de comunicação pós-morte.

Direita: Relatos de comunicação pós-morte muitas vezes incluem a sensação de que um ente querido está por perto.

EXPERIÊNCIA HUMANA EXCEPCIONAL

eles passam a chamar de comunicação pós-morte (CPM).

As CPMs envolvem uma repentina sensação de que um ente querido falecido está nas proximidades, embora ele não possa ser visto ou ouvido. As CPMs são geralmente sentidas durante os dias e semanas imediatamente após a morte, mas as pessoas podem tê-las meses e até mesmo anos depois.

Características das CPMs

Algumas pessoas relatam ouvir uma voz, muitas vezes a voz do ente querido, mas a experiência é geralmente não audível para outros. Outro tipo de CPM é a de ser tocado por um ente querido com uma carícia, tapinha, afago, beijo ou mesmo abraço, que são considerados uma expressão de afeto e conforto.

Às vezes a CPM ocorre com uma repentina lufada do perfume favorito, da loção pós-barba, das flores, do óleo de banho, do tabaco e dos alimentos preferidos do ser amado.

Uma grande variedade de experiências visuais pode ocorrer, variando desde a

CAPÍTULO 1: A BUSCA POR PROVAS

TIPOS DE FREQUÊNCIA DAS ONDAS CEREBRAIS

O neurologista Hans Berger (1873-1941) descobriu na década de 1920 que a frequência das ondas cerebrais se divide em quatro tipos principais. O primeiro são as ondas alfa, que correspondem a estados oníricos, hipnose e meditação. O segundo tipo, conhecido como Beta, corresponde à nossa mente racional consciente em estado de vigília. As ondas Teta correspondem ao nosso estado de espírito emocional e sentimental. Finalmente, as ondas delta representam a inconsciência total. As ondas alfa parecem mais propícias para a CPM.

Acima: Quatro tipos de frequência de ondas cerebrais foram descobertos pelo neurologista Hans Berger, na década de 1920.

silhueta fina e enevoada da pessoa amada até a imagem de um corpo sólido. A visão pode ser apenas da cabeça e dos ombros, ou de um corpo inteiro. O falecido normalmente expressa amor e confiança com um sorriso radiante, e está geralmente rodeado por uma luz intensa. Aqueles que morreram de doenças ou acidentes graves sempre parecem curados e íntegros, independentemente de como morreram. A comunicação verbal entre o experimentador e o falecido também pode ocorrer, mas não sempre. Visões do ente querido falecido também incluem visões fotográficas ou semelhantes a hologramas. Experiências conhecidas como CPMs crepusculares ocorrem enquanto o experimentador está em alfa, geralmente quando acorda, prestes a dormir ou meditando. As CPMs crepusculares podem ter algumas ou todas as características – som, toque, experiências visuais – das CPMs descritas anteriormente.

Direita: Hologramas, sombras, imagens distorcidas e paisagens estranhas são exemplos de CPMs crepusculares.

EXPERIÊNCIA HUMANA EXCEPCIONAL

CAPÍTULO 1: A BUSCA POR PROVAS

CPMs de estado onírico

As CPMs de estado onírico são lúcidas, vívidas e coloridas. Elas ocorrem durante o sono e são às vezes tão intensas que chegam a acordar a pessoa. Muitas vezes envolvem uma dramática experiência fora do corpo (ver página 30), durante a qual ela visita um ente querido na vida após a morte. O ambiente normalmente contém uma bela luz, paisagens e representações etéreas da natureza, além de serem repletas de amor, alegria e felicidade.

CPMs por telefone também são relatadas. O telefone toca, a pessoa atende, seja num sonho ou durante a vigília, e ouve um ente querido falecido transmitindo-lhe uma mensagem. Há muitos relatos que abrangem uma ampla variedade de outros sinais físicos de entes queridos falecidos, incluindo luzes ligando e desligando, objetos mecânicos zumbindo e objetos mudando de lugar ou sendo revirados. Isso é chamado de atividade poltergeist. Muitas pessoas pedem a "Deus" ou aos entes queridos para que mandem um sinal de que eles ainda existem. Muitos relatam que recebem esses sinais, embora possa levar algum tempo para que isso aconteça. Às vezes, esses sinais são tão sutis que podem passar despercebidos ou considerados mera coincidência.

Orbes

Os orbes são as lindas bolas de luz capturadas em fotografias digitais. Eles podem aparecer como finíssimas esferas de luz branca e brilhante. Um número crescente de pessoas está vivenciando o fenômeno dos orbes como um evento espiritual ou sobrenatural que ocorre após a morte de um ente querido. Quando fotografado pelo membro de uma família de luto, essas esferas podem dar uma sensação de conforto durante um momento de perda e de crise.

Orbes já foram avistados durante EFCs (ver página 30) e EQMs (ver página 21), sendo o mais divulgado o "brilhante orbe de luz" do livro do dr. Eben Alexander *Proof of Heaven: A Neurosurgeon's Journey into the Afterlife*. O dr. Alexander conta que, durante a sua EQM, ele encontrou uma jovem, que o acompanhava. Ela não só apareceu em forma humana, mas como uma esfera brilhante de luz. E foi mais tarde identificada como a irmã do médico, que tinha morrido dez anos antes e era alguém que Alexander nunca tinha conhecido.

Os orbes aparentemente emanam da alma e são considerados veículos da consciência na vida após a morte.

Esquerda: Muitos indivíduos têm relatado CPMs em que um ente querido falecido fala ou deixa uma mensagem pelo telefone.

CAPÍTULO 1: A BUSCA POR PROVAS

EXPERIÊNCIAS FORA DO CORPO

Conhecidas pela sigla EFCs, as experiências fora do corpo são caracterizadas pela sensação de que a consciência está fora do próprio corpo. Em muitos casos, a pessoa é capaz de ver o corpo físico a partir de outro lugar.

As EFCs são geralmente espontâneas, mas podem ser induzidas por meios mentais ou mecânicos e são extremamente perturbadoras ou profundamente comoventes. A explicação mais simples é que as EFCs são exatamente o que o termo sugere: a consciência humana separando-se do corpo humano e viajando no mundo da matéria, sem o impedimento de qualquer forma física. As pessoas que dizem ter EFCs ou desejaram estar fora de seus corpos, ou foram arrastadas para fora por alguma força desconhecida ou repentina, ou perceberam que estavam fora do seu corpo. Alguns pesquisadores acreditam que sejam alucinações, mas isso requer uma explicação de por que tantas pessoas relatam a mesma experiência. Muitos cientistas consideram a EFC como um fenômeno natural decorrente de processos neurológicos.

EFCs induzidas

Há muitas maneiras diferentes de se passar conscientemente por uma EFC. Num exemplo, a mente fica acordada, mas o corpo dorme. Vários métodos incluem o truque do antebraço, da pioneira em EFC Sylvan Muldoon, em que a pessoa mantém o antebraço na perpendicular enquanto está deitada na cama. Quando cair no sono, o braço cai, despertando sua mente. Essa tentativa deliberada de ficar no limiar entre a vigília e o sono induz um efeito de transe que pode ajudar a desencadear a sensação de EFC.

Outros métodos para induzir a EFC incluem a prática do sonho lúcido e do transe profundo e o trabalho de visualização. Isso inclui imaginar um cabo puxando a mente para fora do próprio corpo, visualizar o próprio corpo num local diferente ou projetar a mente no ar, como na conhecida Técnica do Corpo de Luz da Golden Dawn (ver página 378).

Psicólogos e cientistas utilizaram e pesquisaram extensivamente muitas outras induções mecânicas da EFC, como a estimulação magnética do cérebro, a privação sensorial, a sobrecarga sensorial e a

Direita: As EFCs são muitas vezes relatadas como um estado em que a pessoa parece estar olhando para si mesma a partir de cima.

sincronização de ondas cerebrais. As EFCs podem também ser induzidas por meio de drogas alucinógenas como a quetamina.

A pesquisa da EFC

A maior parte das investigações sobre a EFC foi realizada no campo da psicologia científica e experimental. O primeiro grande estudo foi feito por Celia Green em 1968. Ela recolheu relatos em primeira mão das EFCs nos meios de comunicação tradicionais. Acreditando que as experiências eram alucinatórias, ela questionava se os relatos de EFC seriam experiências sobrenaturais genuínas.

Pesquisas no campo da neurologia sugerem, entre outras teorias, que as EFCs são simplesmente a estimulação de várias partes do cérebro. De acordo com a psicóloga inglesa Susan Blackmore, durante a EFC a experiência sensorial não é mais

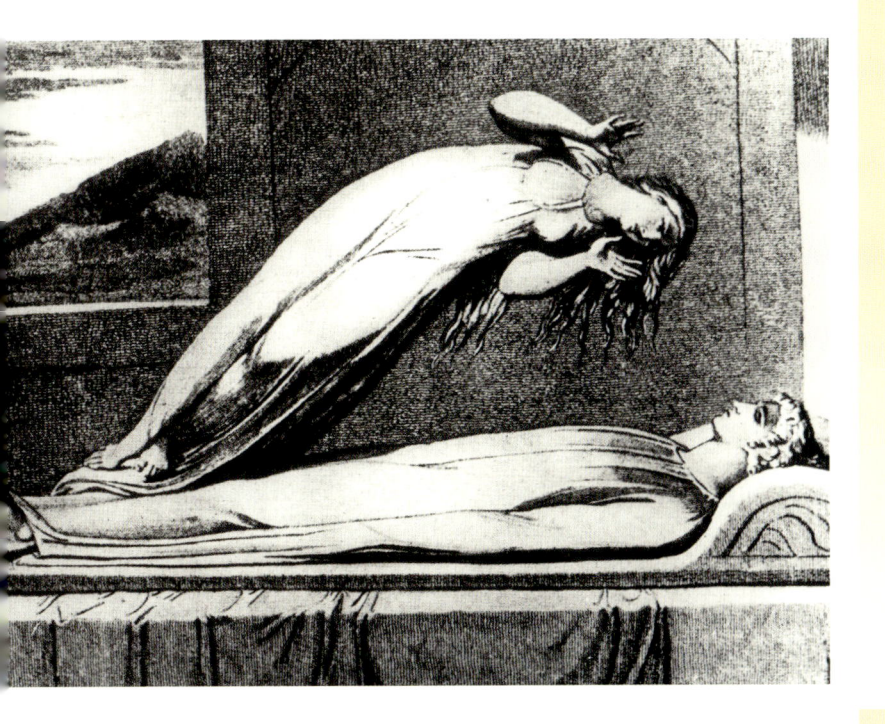

CAPÍTULO 1: A BUSCA POR PROVAS

transmitida. Nós percebemos o mundo a partir apenas de réplicas produzidas no cérebro. Isso é como as informações processadas do mundo físico que foram reunidas durante o dia e que reaparecem nos nossos sonhos.

O neurologista Olaf Blanke, o neurocientista Michael Persinger e, mais recentemente, o neurologista Henrik Ehrsson fizeram todos eles estudos e experimentos para tentar provar que existem razões neurológicas normais para que os indivíduos tenham EFCs, pois acreditam que a experiência é desencadeada por uma discrepância entre os sinais visuais e táteis. No entanto, os cientistas ainda não concluíram se as EFCs são experiências genuínas ou imaginárias.

Muitas pessoas acreditam que a EFC é uma espécie de sonho. No entanto, é preciso ressaltar que o sonho comum não tem as características importantes da EFC, como o sujeito parecendo deixar o corpo e mantendo a consciência das coisas à medida que ocorrem. Nesse sentido, as EFCs se parecem mais com sonhos lúcidos, em que a pessoa adormecida sabe, em tempo real, que está sonhando.

Nos círculos espirituais, as EFCs decorrem da capacidade da alma de deixar o corpo a bel-prazer ou durante o sono e visitar reinos espirituais ou irreais. No Ocidente,

Direita: Os cientistas ainda não concluíram se as EFCs são experiências reais ou imaginárias.

EXPERIÊNCIAS FORA DO CORPO

CAPÍTULO 1: A BUSCA POR PROVAS

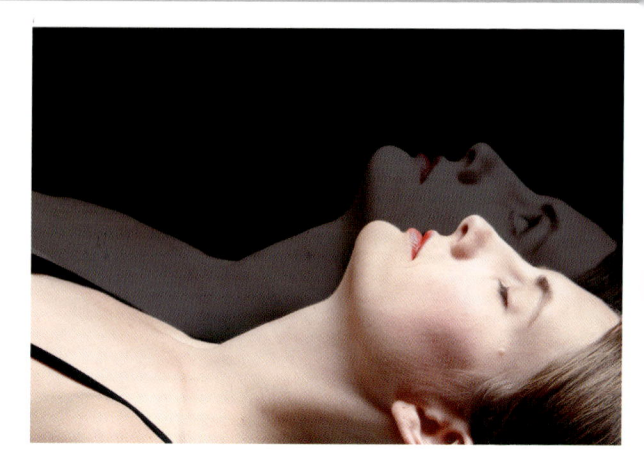

Direita: As viagens da alma ocorrem quando a alma deixa o corpo durante o sono para visitar o plano espiritual.

O cientista e místico sueco Emanuel Swedenborg (ver página 102) foi um dos primeiros praticantes a escrever extensivamente sobre as EFCs como viagens da alma, em seu *Spiritual Diary* (1747-65). Desde então, o autor e roteirista Michael Crichton (1942-2008), que é provavelmente mais conhecido pelo seu filme *Jurassic Park*, também contou em sua autobiografia, *Travels*, de 1988, que sua alma viajou separada do corpo.

Nas tradições orientais, a viagem da alma é aceita como parte de uma prática de iniciação. Por exemplo, o mestre espiritual Kirpal Singh (1894-1974) fundou a Ruhani Satsang (Escola de Espiritualidade ou Ciência da Alma) em 1948, onde ensinava a prática da viagem da alma, na maioria das vezes por meio de técnicas de meditação e mantra. Essa é a prática básica de vários movimentos contemporâneos do Surat Sabd Yoga, como ensinado por mestres ainda vivos, tais como o americano Sri Gary Olsen.

O americano Harold Klemp, atual líder espiritual do Eckankar, pratica e ensina a viagem da alma através de técnicas contemplativas conhecidas como Exercícios Espirituais de ECK (Espírito Divino).

SONHOS

Muitas culturas antigas, incluindo a egípcia e a grega, acreditavam que os sonhos possibilitavam a comunicação com o plano espiritual e que as mensagens enviadas desse mundo por meio dos sonhos só podiam ser interpretadas por quem tivesse poderes especiais, como os oráculos e xamãs.

Os templos de cura, tais como os encontrados na ilha de Kos, eram dedicados ao deus grego da medicina, Asclépio, e chamados de "asclepieion". Eles eram organizados de forma que os peregrinos pudessem passar a noite no templo e, depois, recontar seus sonhos ao sacerdote no dia seguinte. O sacerdote, então, recomendava um tratamento com base no sonho.

Abaixo: Neste templo grego antigo, os sonhos eram interpretados por sacerdotes para curar a doença.

CAPÍTULO 1: A BUSCA POR PROVAS

Esquerda: O psicanalista Sigmund Freud acreditava que os sonhos revelavam os desejos mais profundos do indivíduo.

Direita: Carl Jung continuou a defender a interpretação do simbolismo dos sonhos, mas ligando-os ao mundo dos arquétipos e do inconsciente coletivo, e não aos desejos do indivíduo, como fazia Freud.

Segundo a antiga tradição chinesa, é a alma que cria os sonhos e deixa o corpo para viajar a outros reinos e conhecer outras almas durante esses sonhos. Os sábios chineses acreditavam que no estado onírico estamos mais despertos que no aparente estado de vigília. Uma antiga história fala de um monge, Chuang Chou, que sonhou ser uma borboleta. Ele voou de flor em flor, consciente apenas de que era uma borboleta, e não de ser Chuang Chou. Quando acordou ele era Chuang Chou, mas não podia ter certeza se era uma borboleta sonhando ser Chuang Chou, ou se era Chuang Chou sonhando ser uma borboleta.

O pai da psicanálise, Sigmund Freud (1856-1939), escreveu *Interpretação dos*

SONHOS

Sonhos, publicado por volta de 1900, que foi um divisor de águas na psicologia. Freud dava enorme importância à interpretação dos sonhos. Para ele, essa era a maneira de compreender os processos inconscientes, pois os sonhos revelavam as mais profundas vontades e desejos do indivíduo.

O psicanalista C. G. Jung (1865-1961) dizia que os sonhos são "a principal fonte de todo o nosso conhecimento sobre o simbolismo". Isso significa que as mensagens nos sonhos são expressas simbolicamente e devem ser interpretadas para que seu verdadeiro significado venha à tona.

CAPÍTULO 1: A BUSCA POR PROVAS

O famoso médium americano do século XX Edgar Cayce era capaz de surpreender as pessoas ao interpretar seus sonhos e lhes dar uma visão da sua *psique*, da sua vida presente e até mesmo das passadas. Cayce acreditava que os sonhos são, na verdade, jornadas para o mundo espiritual. Ele concluiu que os sonhos são vias de expressão da alma, que conhece tanto o seu passado quanto seu potencial como ser espiritual. Cayce acreditava que as experiências visionárias de João, o Evangelista, estavam no cerne do livro do Apocalipse. Esse livro não só revelava os sonhos dele, mas que a prece e a reflexão impulsionaram seu crescimento espiritual, de modo que ele acabou por testemunhar o Espírito Santo na forma física.

Hoje em dia, espiritualistas e analistas de sonhos veem os sonhos como um canal através do qual o universo fornece orientações sobre questões relacionadas à vida de quem sonha. Embora alguns sonhos sirvam para nos ajudar a expressar pensamentos e emoções, outros podem ter significados mais profundos do ponto de vista psicológico ou espiritual.

YOGA DOS SONHOS

O Yoga dos Sonhos é um tipo de sonho lúcido praticado pelos budistas tibetanos como meio de aumentar a consciência no caminho para a iluminação. Ele ajuda o praticante a atingir a iluminação durante o sono, de modo que, na hora da morte, ele não fique aprisionado nas projeções da mente, e portanto se torne iluminado, sem a necessidade de voltar a nascer. Depois que o iniciado dominou a prática do sonho lúcido, ele deve então cumprir tarefas, como visitar outros reinos e planos de existência, comunicando-se com seres iluminados ou ascensionados, encontrando seres de outros reinos e metamorfoseando-se em outras formas ou criaturas.

Abaixo: Os sonhos hoje são interpretados tanto da perspectiva espiritual quanto psicológica.

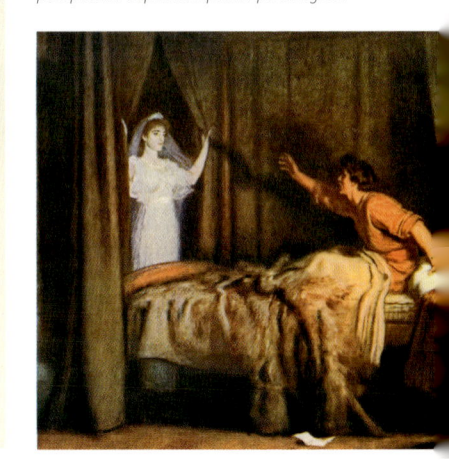

ENERGIA DO CORPO SUTIL

Acredita-se que uma energia universal invisível permeie todas as coisas e possa ser usada para a cura. Quando entramos em contato com esse campo de força, podemos nos comunicar com o mundo espiritual, ou vida após a morte.

A energia sutil também é chamada de força vital, *chi* ou *mana* em várias religiões orientais. Foi chamada de força ódica pelo químico, geólogo, metalúrgico e filósofo Baron von Reichenbach (1788-1869), e é a energia básica do campo áurico humano revelado pela fotografia Kirlian.

Embora a energia sutil invisível esteja fora de nós e fluindo também através de nós, essa energia do corpo sutil faz parte do sistema do corpo em si. Temos uma estrutura física e uma estrutura espiritual. Nosso ser espiritual, o corpo sutil, é constituído por energias invisíveis, tais como meridianos, aura e sistemas de chakras.

Essas energias entram em sintonia com as frequências vibratórias do universo. Acredita-se que, quando trabalhamos a nossa própria energia para sintonizá-la com a energia universal, podemos entrar em contato com o mundo espiritual (ver páginas 312-15 para técnicas úteis de meditação e visualização).

No hinduísmo vedântico (o ramo do hinduísmo com base nos Upanishads), o corpo

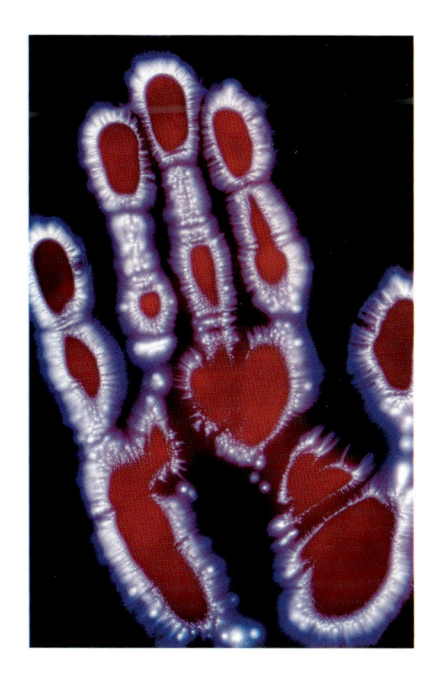

Acima: O nosso ser espiritual é composto de energias invisíveis que entram em sintonia com as vibrações do universo.

CAPÍTULO 1: A BUSCA POR PROVAS

sutil é o veículo da consciência com que a pessoa passa através das vidas. Membros da Sociedade Teosófica, fundada por H.P. Blavatsky no século XIX, adotaram o conceito dos *koshas* ou energias vedânticas, combinando-o com as crenças ocidentais para estabelecer quatro "corpos" – etérico, astral, mental e causal –, que são o veículo da própria alma.

O corpo sutil e a ciência

O filósofo da ciência húngaro Ervin László usou o termo sânscrito para "espaço" (Akasha) para descrever um campo que ele chama de "campo akáshico" e, segundo ele, conecta tudo no nível subquântico. Comparado à matéria escura da astrofísica, esse campo transmite e conserva todas as informações, ligando a energia do corpo sutil com as forças eletromagnéticas invisíveis do universo.

Esquerda: Partículas subatômicas, similares à matéria escura da astrofísica, carregam dados parapsíquicos invisíveis.

FENÔMENO DAS VOZES ELETRÔNICAS

O Fenômeno das Vozes Eletrônicas, ou FVEs, consiste em sons supostamente de origem paranormal, que surgem em gravações e lembram vozes humanas. Usado como prova de que o contato com os espíritos é real, assim como a vida após a morte, o FVE é um recurso muito usado nas pesquisas da parapsicologia.

Graças a um interesse global e sempre crescente por esse movimento progressista, o Espiritualismo foi proeminente em toda a Europa e nos Estados Unidos a partir de meados do século XIX até a década de 1930. Com a necessidade de provar que o contato com os espíritos era genuíno, novas tecnologias da época, incluindo a fotografia e gravações de voz, foram testadas para demonstrar a comunicação com o mundo espiritual. Inventor das primeiras versões de lâmpadas, Thomas Edison (1847-1931) foi solicitado pela revista americana *Scientific American* a comentar sobre o uso de suas próprias invenções na comunicação com os espíritos. Ele respondeu que, se os espíritos fossem capazes de exercer influências sutis, um dispositivo de gravação sensível proporcionaria uma chance melhor para a comunicação espiritual do que as tábuas Ouija utilizadas na época. No início da década de 1920, médiuns começaram a usar dispositivos de som para gravar o contato espiritual. O Espiritualismo declinou no final do século XX, mas dispositivos de gravação portáteis e tecnologias digitais modernas ainda são utilizados na tentativa de comunicar ou registrar fenômenos espirituais.

Segundo a National Spiritualist Association of Churches, o FVE é um importante avanço moderno na comunicação espiritual. Uma pesquisa informal realizada pelo departamento de fenômenos dessa organização afirma que um terço das igrejas espiritualistas realiza sessões em que os participantes tentam se comunicar com entidades espirituais por meio do FVE.

Pesquisas sobre o FVE

O investigador paranormal Alexander MacRae publicou um relatório sobre o FVE em 2005, no *Journal of the Society for Psychical Research*. MacRae realizou sessões de gravação usando um dispositivo que ele próprio projetou. Numa tentativa de demonstrar que diferentes indivíduos interpretariam o FVE nas gravações da mesma maneira, MacRae pediu que sete pessoas comparassem algu-

CAPÍTULO 1: A BUSCA POR PROVAS

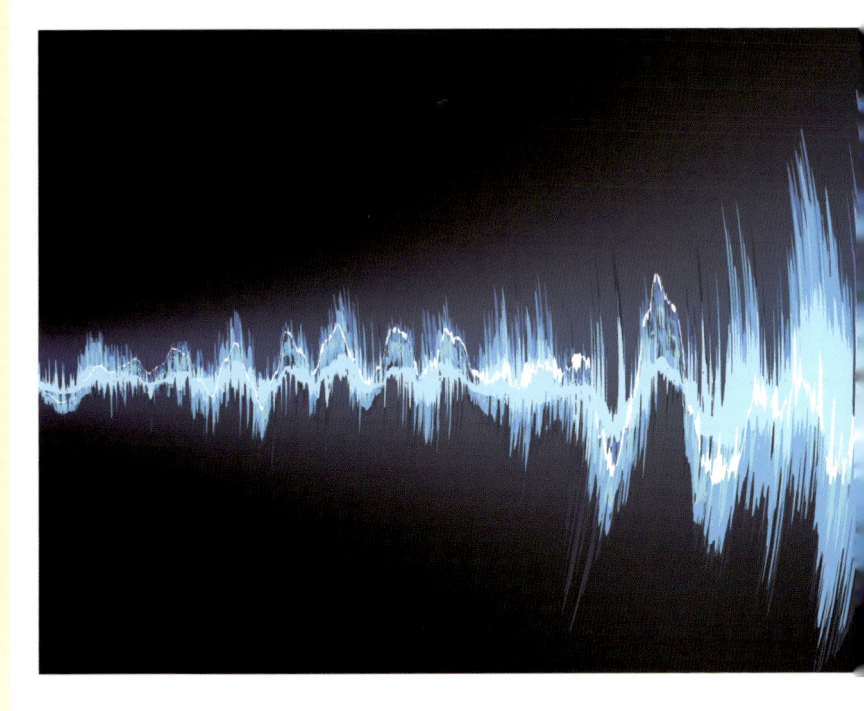

mas seleções com uma lista de cinco frases e escolhessem a que mais se parecia com a da gravação. McRae disse que os resultados indicaram que as seleções eram de origem paranormal. Gravadores de voz digitais portáteis são atualmente a tecnologia usada pelos investigadores do FVE. Os praticantes acreditam que ouvir e entender as palavras gravadas do FVE assemelha-se a aprender um novo idioma.

Acima: Técnicas como o FVE ainda são utilizadas na tentativa de comunicar ou gravar fenômenos espirituais.

VIDAS PASSADAS

Todos os rios vão para o mar, e contudo o mar não se enche; ao lugar para onde os rios vão, para ali tornam eles a correr.

Ecclesiastes 1:4–7

Todos nós já tivemos a estranha sensação de que fomos uma pessoa famosa ou outra coisa qualquer numa vida passada. Temos lembranças fugazes que não parecem ter nada a ver com a nossa vida atual. Se você está aberto à ideia de reencarnação (ver página 68), ou seja, que talvez tenha vivido outras vidas antes desta e viverá outras, então é provável que você tenha lembranças ou sensações ligadas a vidas passadas.

A reencarnação é um dos elementos-chave da crença na vida após a morte, embora a crença na reencarnação não seja essencial para a crença na vida após a morte. O atual ressurgimento da ideia de reencarnação também inspirou a imaginação popular

Esquerda: Muitas pessoas acreditam em reencarnação, especialmente quando recordam quem eram em outra vida.

CAPÍTULO 1: A BUSCA POR PROVAS

VIDAS PASSADAS

DR. IAN STEVENSON

O dr. Ian Stevenson (1918-2007) foi um renomado pesquisador e professor de psiquiatria norte-americano que investigava fenômenos tais como reencarnação e a Experiência Humana Excepcional (ver páginas 20-29). Reconhecido internacionalmente por seu trabalho, ele descobriu evidências de que lembranças e lesões físicas podiam ser transferidas de uma vida para outra.

Viajando pelo mundo ao longo de um período de 40 anos, ele investigou 3.000 casos de crianças de todo o mundo e suas lembranças de vidas passadas. Sua meticulosa investigação apresentou provas de que as crianças tinham habilidades, doenças, fobias e desejos por comida ou drogas que não eram comuns à sua cultura. Nenhum deles podia ser explicado pelo seu meio ambiente ou hereditariedade. O dr. Stevenson dizia que essa era a melhor explicação para alguns dos casos mais interessantes de experiência de vidas passadas que sua equipe de pesquisa já investigou.

como a melhor forma de abordar o assunto. Se acreditamos na reencarnação, então devemos acreditar em vidas passadas, vidas futuras e talvez em algum tipo de vida intermediária, também?

Terapias de vidas passadas

Existem maneiras benéficas, do ponto de vista psicológico, de curarmos nossos traumas de vidas passadas e nos prepararmos para enfrentar vidas futuras também. A terapia de vidas passadas baseia-se na crença na reencarnação e no conceito de que já vivemos outras vidas. Com o conhecimento das vidas passadas e a ajuda de um especialista, as pessoas podem começar a entender seu propósito ou papel "nesta vida" ou mesmo perceber por que estão presas a alguns problemas, têm medos específicos ou repetem os mesmos padrões negativos em alguma área da vida.

Esquerda: Embora os ensinamentos budistas sejam sobre a libertação do ciclo de vida e morte, até mesmo o Buda se lembrou de suas vidas passadas quando ainda estava sob a ilusão do "eu".

CAPÍTULO 1: A BUSCA POR PROVAS

RUDOLF STEINER

Rudolf Steiner (1861-1925), o fundador da antroposofia, derivada da teosofia, acreditava que a alma ganha uma nova visão e experiência a cada encarnação, e não se limita a uma cultura ou raça. Ele acreditava que o futuro e o passado estão constantemente em conflito e que é essa tensão que cria o presente. Entre os acontecimentos do passado e aqueles que estão por vir existe o espaço para o livre-arbítrio, de modo que o indivíduo possa fazer as suas escolhas e, assim, criar o seu próprio destino.

Em suma, Steiner acreditava que, após a morte, nós nos expandimos para as esferas planetárias. Caímos no sono e as forças cósmicas atuam diretamente sobre nós, preparando-nos para a próxima experiência terrena. Nosso sono cósmico nos regenera. Até que chega um momento em que o desejo de reencarnar começa a atuar em nós. Quando isso acontece, começamos o processo de voltar através das esferas planetárias, absorvendo o que precisamos para atender ao nosso propósito na próxima vida na Terra. O "germe" da alma é levado para o embrião, esquece toda a viagem pelas esferas cósmicas e nasce de novo na Terra.

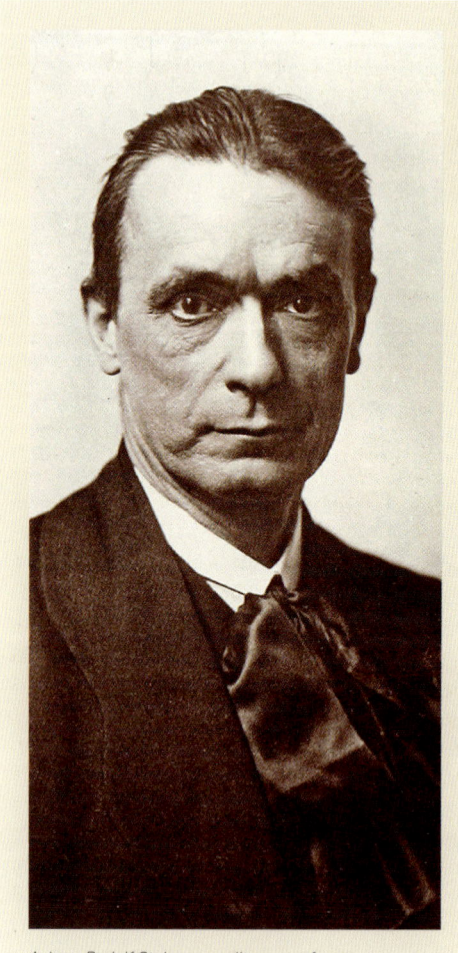

Acima: Rudolf Steiner acreditava que forças cósmicas agem diretamente sobre nós entre as vidas.

VIDAS PASSADAS

Esquerda: Técnicas de imagética e visualização orientadas são utilizadas na regressão a vidas passadas para levar a pessoa a regredir no tempo, até uma outra vida.

Novas abordagens à RVP

Atualmente um número crescente de terapias de vidas passadas está ao nosso alcance. Os três principais tipos são a Regressão a Vidas Passadas (RVP), a Regressão à Vida entre Vidas (VEV) e a Leitura de Vidas Passadas (LVP). Um dos primeiros pioneiros da LVP foi o hipnoterapeuta americano Michael Newton, na década de 1980. Desde o início dos anos de 1950, a terapia de RVP tem passado por desenvolvimentos extensivos e sido tema de livros de autores importantes, como a psicóloga e hipnoterapeuta Helen Wambach, o psiquiatra Brian Weiss e o psicólogo e psicoterapeuta Andy Tomlinson.

Regressão a vidas passadas

A RVP é uma técnica em que os terapeutas usam imagens orientadas ou um leve estado de hipnose para ativar lembranças da vida passada do cliente. A RVP é muitas vezes usada para resolver problemas emocionais ou psicológicos ou desencadear o despertar espiritual através de um conhecimento adquirido nessa vida passada, ou a simples lembrança dela. Muitos terapeutas afirmam que a RVP traz grandes benefícios psicológicos ou espirituais, independentemente da autenticidade da memória. A maioria dos clientes tem histórias de vidas passadas que fornecem pistas para os problemas da vida atual. Por exemplo, o medo do compromisso ou de intimidade em relacionamentos românticos na vida atual poderia ser resultado de uma traição numa vida passada. A fobia do mar ou da água poderia indicar uma tragédia numa vida passada envolvendo afogamento.

Assim, terapeutas que usam essa técnica afirmam que questões não resolvidas de uma vida passada (o karma da alma) são os causadores dos problemas psicológicos do presente, mas podem ser curados quando a lembrança desses problemas é "reestruturada" por meio da RVP e de vários outros métodos clínicos.

Regressão vida entre vidas

Na regressão à VEV, os terapeutas usam a hipnose para regredir o indivíduo ao período entre duas vidas, reconectando-o à alma, espírito ou essência divina no chamado "entre vidas". Essa técnica também é chamada de regressão espiritual.

Muitos clientes desse tipo de regressão parecem ter experiências ou "memórias" semelhantes, tais como lembranças da morte numa vida passada e da passagem para o mundo espiritual. Durante a regressão para o período entre vidas, os indivíduos podem rever uma vida passada enquanto são assistidos por guias espirituais ou almas evoluídas, planejar sua próxima vida e resgatar pontos fortes de vidas passadas para ajudá-los a melhorar a sua vida atual.

A dra. Helen Wambach (1925-1986) foi psicóloga e autora de *Reliving Past Lives* e *Life Before Life*. Inicialmente cética, em 1975 ela realizou um grande estudo sobre regressões a vidas passadas, a fim de descobrir se havia alguma verdade no conceito de reencarnação. Com uma análise científica sobre vidas passadas relatadas a ela por mais de dez mil voluntários, ela descobriu algumas provas surpreendentes em favor da reencarnação. Um dos seus achados mais controversos foi o de que as pessoas têm poder de escolha em sua vida atual e que a consciência ou alma desencarnada só entra no corpo quando o nascimento já está bem próximo. Entre outras provas, ela descobriu que a lembrança dos sujeitos em relação a vestuário, alimentação, habitação, calçado etc., de vidas anteriores é muito mais precisa do que registram os livros de História. Seus sujeitos tinham informações detalhadas da época em que viveram. Mesmo quando ela verificava informações desconhecidas de especialistas obscuros, seus sujeitos estavam invariavelmente corretos. A conclusão dela foi: "Eu não acredito em reencarnação. Eu *sei* que ela existe!"

Leituras de vidas passadas

Muitos psicólogos oferecem agora leituras de vidas passadas, nais quais, sob hipnose, o sujeito se concentra numa vida passada ou numa determinada época dessa vida. Alternativamente, ele regride através de anos ou décadas, detendo-se em determinados intervalos de tempo e concentrando-se em acontecimentos importantes. Problemas emocionais não resolvidos que são levados de uma vida para outra podem ser vistos como um guia útil para viver nesta vida ou como os próprios bloqueios que estão prejudicando o indivíduo em sua vida atual.

VIDAS PASSADAS

À esquerda e acima: A crença em vidas passadas se tornou popular na década de 1970, quando John Lennon estava convencido de que, em sua vida anterior, ele era Napoleão e Yoko Ono, Josephine.

VIDAS PASSADAS DE CELEBRIDADES

Muitas pessoas famosas acreditavam em vidas passadas. Henry Ford (1863-1947) estava convencido de que tinha sido um soldado morto na batalha de Gettysburg; o general George S. Patton (1885-1945) acreditava ser a reencarnação do grande conquistador Aníbal, enquanto John Lennon (1940-1980), o ex-Beatle, declarou que ele era a reencarnação de Napoleão e que Yoko Ono tinha sido a esposa de Napoleão, Josephine.

CAPÍTULO 1: A BUSCA POR PROVAS

O ESPAÇO/TEMPO E OS MÍSTICOS/FÍSICOS

O atual quadro científico do nosso universo é de interconexão, de interações mente-matéria e de comunicação instantânea através de longas distâncias. Os físicos estão descobrindo que, no âmago de toda a matéria, existe energia, consciência e algo bastante notável que o místico sempre soube: que tudo no universo está conectado e que o mundo como o vemos é uma ilusão.

O ESPAÇO/TEMPO E OS MÍSTICOS/FÍSICOS

Até mesmo o espaço, que pensávamos ser totalmente vazio de átomos e de moléculas, contém uma rede de energias quânticas que transmitem informações. Isso foi chamado de campo do ponto zero pelo físico Hal Puthoff, que atualmente está tentando usar essa energia como base para revelar a verdade sobre os fenômenos parapsíquicos. No nível subatômico, tudo está interligado, o que é conhecido como *entrelaçamento quântico*, e a informação viaja instantaneamente por grandes distâncias. Isso aparentemente explica como os fenômenos parapsíquicos acontecem, e como as pessoas têm experiências de "conhecimento direto".

Mecânica quântica

O jargão complexo da mecânica quântica parece confuso, e pode ser um campo minado para os não iniciados, mas consiste simplesmente no estudo da matéria e da energia pelos físicos. A pesquisa atual indica que o comportamento da matéria e o da energia estão interligados e que o efeito do observador sobre o sistema físico observado é parte desse sistema. Isso coincide com a crença mística e esotérica de que temos uma grande interligação com o universo. Nós todos fazemos parte do Uno, conectados pela luz vibrante do *chi* universal, ou força vital – ou talvez, como os cientistas a chamam, energia quântica.

Sempre existe energia dentro da ação, e ela está sempre mudando de forma. Acredita-se

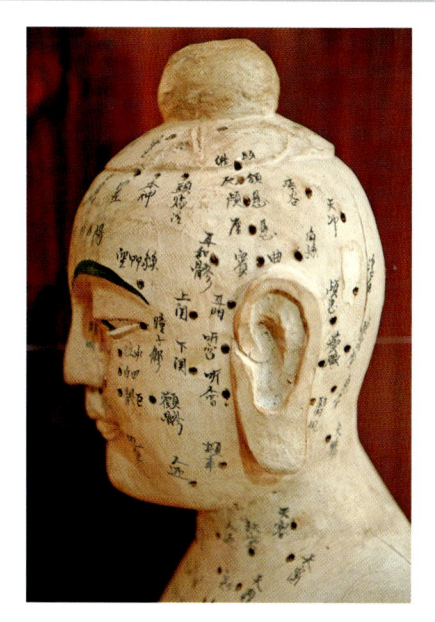

Acima: Os antigos sábios chineses usavam a acupuntura para curar doenças, com base na crença de que o "chi", ou energia universal, flui através de determinados meridianos do corpo.

Esquerda: O entrelaçamento quântico se move instantaneamente através de grandes distâncias.

que a ação humana crie um movimento de força quântica invisível, e essas ações e reações positivas e negativas fluam através do nosso mundo consciente e inconsciente.

CAPÍTULO 1: A BUSCA POR PROVAS

Acima: Os físicos quânticos agora acreditam que existem outras realidades, ou mesmo universos paralelos que não somos capazes de perceber ou mensurar.

O ESPAÇO/TEMPO E OS MÍSTICOS/FÍSICOS

O nível subatômico

A energia quântica também é definida como uma força vital que se conecta a tudo que existe no universo, desde estrelas e galáxias distantes até átomos microscópicos dentro do nosso corpo. Estamos todos conectados no que é chamado nível subatômico. Muito semelhante ao conceito de alma, esse é um campo de energia instintivo composto por ondas de luz e matéria subatômicas.

Visto que, segundo se descobriu, essas partículas, ou pacotes de energia, aparecem e desaparecem da nossa realidade, para onde elas vão quando não estão aqui? A física quântica sugere que, quando não estão em nossa realidade, eles existem em universos paralelos que somos incapazes de perceber ou mensurar. Na verdade, é essa "outra realidade" que médiuns e paranormais e qualquer pessoa que tenha feito contato com o mundo espiritual conhecem e experienciam.

O poder da luz

Quando se fala de experiências de quase morte (ver página 21), as pessoas normalmente mencionam uma fonte de luz acolhedora, amorosa e revigorante. Do ponto de vista da física, a luz foi o início do Big Bang e se prevê que ainda exista quando o universo acabar, e que todas as formas de luz são atemporais.

O TEMPO É UMA ILUSÃO

O físico Julian Barbour acredita que o tempo seja uma ilusão. No seu modo de ver, ele não é uma substância, um campo ou uma partícula, e não pode ser mensurado. Pelo contrário, foi inventado pela humanidade. O universo de Barbour consiste num número infinito de "eternos agoras" que se estendem desde o Big Bang até o fim do universo. O tempo é meramente uma ilusão criada pela consciência humana, que só vê um "agora" por vez, à medida que avança através dos "agoras" que compõem a sua vida. Em algum lugar no universo de Barbour, que ele chama de Platônia, você está nascendo, encontrando o seu primeiro amor, tendo o seu primeiro filho e agonizando em seu leito de morte. Mas neste "agora" você está apenas consciente de que está lendo este livro. Barbour, então, teoriza que, se o tempo é uma ilusão, a questão da "vida após a morte" é totalmente inadequada. Sem o conceito de tempo, os termos "antes" e "depois" não fazem sentido. Contudo, no que diz respeito ao mundo ilusório de Barbour, talvez ele esteja enganado, inclusive sobre a "vida após a morte", que é, na verdade, outra dimensão em que o tempo não existe. Esse é o lugar, justamente, que místicos, paranormais, físicos quânticos e muitas pessoas que têm EQMs (ver página 21) e EFCs (ver página 30) afirmam que existe de uma forma desconhecida para nós.

Abaixo: Se, de acordo com o físico Julian Barbour, o nosso conceito de tempo é uma ilusão, então, logicamente, a "vida após a morte" não pode existir.

FENÔMENOS PARAPSÍQUICOS

A Sociedade de Pesquisas Psíquicas, fundada em 1882, tinha a intenção expressa de investigar o Espiritualismo e a vida após a morte, e fenômenos parapsíquicos em geral estudados, como o contato com os espíritos, as aparições, as visões clarividentes e a mediunidade.

Os membros dessa sociedade incluíam cientistas notáveis tais como William Crookes e filósofos como Henry Sidgwick e William James, os quais contribuíram todos para a crença crescente no poder parapsíquico, mais tarde conhecido como "psi" pelos parapsicólogos. Muitas investigações sobre a PES, a telepatia e a intuição foram realizadas por cientistas e psicólogos durante o século XX. Em 1930, o botânico J. B. Reno (1895-1980) e sua esposa Louisa desenvolveram a investigação parapsíquica, tornando-a uma forma de psicologia experimental. Para evitar associações com médiuns, fantasmas e espíritos, eles a chamaram de parapsicologia.

De acordo com místicos contemporâneos, físicos quânticos e parapsicólogos, parece haver um consenso pelo menos quanto à existência de um campo de energia invisível e imanente, que flui através de todas as coisas e está acessível a qualquer momento. Conhecido nos círculos espiritualistas como "consciência cósmica", ele é considerado pela comunidade espiritual como a fonte de todos os fenômenos parapsíquicos.

Parapsicologia

Na década de 1970, a parapsicologia tornou-se um estudo científico popular. O influxo de filosofias orientais e mestres espirituais da Ásia e as capacidades que, segundo eles, a prática da meditação produzia, conduziram à pesquisa sobre estados alterados de consciência do psicólogo americano dr. Charles Tart. A Sociedade Americana de Pesquisas Psíquicas conduzia experimentos sobre experiências fora do corpo (ver página 30), enquanto o físico Russell Targ cunhou o termo "visão remota" em 1974, um fenômeno pelo qual um indivíduo pode conscientemente observar qualquer outra pessoa ou objeto, em qualquer parte do mundo, através da projeção astral.

Enquanto o psicólogo e cético Richard Wiseman, do Reino Unido, criticava os parapsicólogos pelos erros generalizados em seus métodos de pesquisa, o astrofísico Carl Sagan (1934-1996) sugeria que existem três reivindicações no campo da parapsicologia que têm pelo menos algum apoio experimental, merecendo estudos sérios pela

CAPÍTULO 1: A BUSCA POR PROVAS

FENÔMENOS PARAPSÍQUICOS

possibilidade de serem "verdadeiros". Uma delas é o fenômeno das crianças que relatam informações de vidas passadas com detalhes que elas não teriam condição de saber se não fosse pela reencarnação.

Embora a maioria dos cientistas do Reino Unido considere a parapsicologia uma pseudociência, os parapsicólogos da Europa e dos Estados Unidos, tais como Gary Schwartz, estão realizando novas pesquisas. O físico britânico Brian David Josephson e alguns outros proponentes da parapsicologia têm falado de "ataques irracionais à parapsicologia", que decorrem da dificuldade em "colocar esses fenômenos em nosso atual sistema do universo".

O botânico e cientista J. B. Reno (1895-1980), considerado um dos pais da parapsicologia, estava empenhado em encontrar provas científicas para a existência espiritual dos seres humanos. Ele ganhou fama pelo seu trabalho em percepção extrassensorial e outros fenômenos parapsíquicos na década de 1940 e 1950. Desde então, muitos outros cientistas e psicólogos pesquisaram a vida após a morte, entre eles o médico e psicólogo Raymond Moody, o psicólogo e parapsicólogo Charles Tart, o neurocientista Michael Persinger e o cardiologista e cientista Pim van Lommel. Em 1974, até mesmo Persinger propôs que as ondas electromagnéticas transportam informações clarividentes.

Esquerda: Alguns parapsicólogos estão agora trabalhando com cientistas e outros pesquisadores para estabelecer qual é a verdade por trás dos fenômenos parapsíquicos.

CAPÍTULO 1: A BUSCA POR PROVAS

PROVAS PARAPSÍQUICAS FORENSES

Existe um grande número de provas forenses para fenômenos parapsíquicos, acumuladas por médiuns que trabalham com a polícia em investigações sobre pessoas desaparecidas e vítimas de assassinato. Será que os médiuns estão realmente se comunicando com os espíritos?

Poucas pesquisas têm sido feitas nessa área, mas existe um fluxo de relatórios nos registros policiais comprovando que esse trabalho é inexplicavelmente preciso. Será que a ciência está precisando de uma sacudida para acordar?

Os médiuns hesitam em falar sobre o seu trabalho por várias razões:

- Eles muitas vezes experimentam a mesma dor ou medo da vítima, e não querem passar esses sentimentos para os outros.
- A comunicação com o espírito da vítima pode se prolongar por algum tempo, enquanto resolvem o caso. Os médiuns não querem que as informações caiam em mãos erradas.
- A precisão nem sempre é possível. A informação pode ser desarticulada, e eles têm de interpretar símbolos e palavras, e podem achar essa tarefa complexa, o que os leva a não querer partilhar descobertas imprecisas.
- Em alguns casos, eles são acusados de cometer o crime ou podem ser ameaçados pelos criminosos.

Existem muitos casos registrados em que médiuns e paranormais talentosos deram à polícia informações sobre crimes. Em muitos desses casos, alega-se que as informações foram transmitidas por clarividência, telepatia, visão remota ou precognição. Mas, na maioria dos casos, a informação vem, aparentemente, direto do espírito da vítima. É esse contato surpreendente com a vida após a morte que desconcerta a polícia e fascina e surpreende a comunidade científica.

Veja a seguir estudos de caso verídicos de alguns dos mais conhecidos médiuns

Direita: Médiuns forenses são muitas vezes requisitados pela polícia para detectar criminosos e fornecer informações valiosas sobre a cena do crime.

PROVAS PARAPSÍQUICAS FORENSES

CAPÍTULO 1: A BUSCA POR PROVAS

forenses que trabalham atualmente nos Estados Unidos. Seus nomes foram alterados para proteger as suas identidades. Diante desses casos, é difícil imaginar que não se trate de uma verdadeira interação e contato com o mundo espiritual.

Doreen é uma conhecida médium forense nos Estados Unidos. Um caso que remonta a 1987 envolveu duas adolescentes que haviam sido estupradas e assassinadas. Doreen forneceu provas de grande precisão, descrevendo como as vítimas foram assassinadas, incluindo a descrição da letra R usada pelo assassino numa parte da roupa, e dizendo à polícia para prender um homem de bigode de 32 anos. Toda a informação foi confirmada pelo departamento de polícia da Filadélfia.

Outro caso envolveu uma atleta desaparecida. Vanessa, uma médium americana, foi recomendada ao FBI. Ela rapidamente se conectou com os sentimentos da vítima desaparecida e afirmou que ela estava com muito medo. Também falou sobre a escuridão, uma árvore, sapatos e uma jaqueta perdida. Mencionou que a vítima tinha sido enterrada numa cova rasa, perto de uma estátua religiosa ou fonte. Havia um trauma na cabeça e o agressor conhecia a vítima. Com Vanessa em estado de transe, a vítima perguntou à sua própria mãe "Onde você me colocou?" Pouco tempo depois, a mãe confessou que atirou na cabeça da filha e foi considerada culpada do assassinato e enviada para a prisão. Mais uma vez, a polícia confirmou a veracidade das revelações da médium.

A médium Eleanor surpreendeu a polícia pela sua precisão ao trabalhar no caso de uma pessoa desaparecida. Sua prova foi canalizada do espírito do próprio homem assassinado, Darrell, que disse que tinha sido baleado várias vezes. Ele disse que havia uma corda em volta do seu pescoço e ele estava deitado de costas num pântano. Eleanor disse que o espírito ficava repetindo a palavra "inconstante". O capitão Smith, que estava trabalhando no caso, comentou mais tarde que não poderia explicar como a médium tinha obtido informações tão precisas. Os detalhes eram exatamente como Eleanor havia descrito e o corpo estava exatamente onde ela dissera que estaria – numa das extremidades de um dos lagos de Ohio. Para o capitão Smith, o momento mais arrepiante foi quando eles prenderam um suspeito e descobriu-se que o sobrenome dele tinha uma grafia muito parecia com a palavra "inconstante".

Na Pensilvânia, a médium e psicoterapeuta Elizabeth Bell disse ao detetive da polícia local que ele logo estaria trabalhando num antigo crime, ainda sem solução. Seis meses depois o detetive Banner recebeu o arquivo de uma mulher não identificada que tinha sido estrangulada, em seguida, enrolada num cobertor e jogada num aterro numa pequena comunidade.

Direita: A revelação de um médium muitas vezes vem diretamente do espírito da vítima assassinada, e ele pode sentir o medo ou a dor que a vítima sentiu.

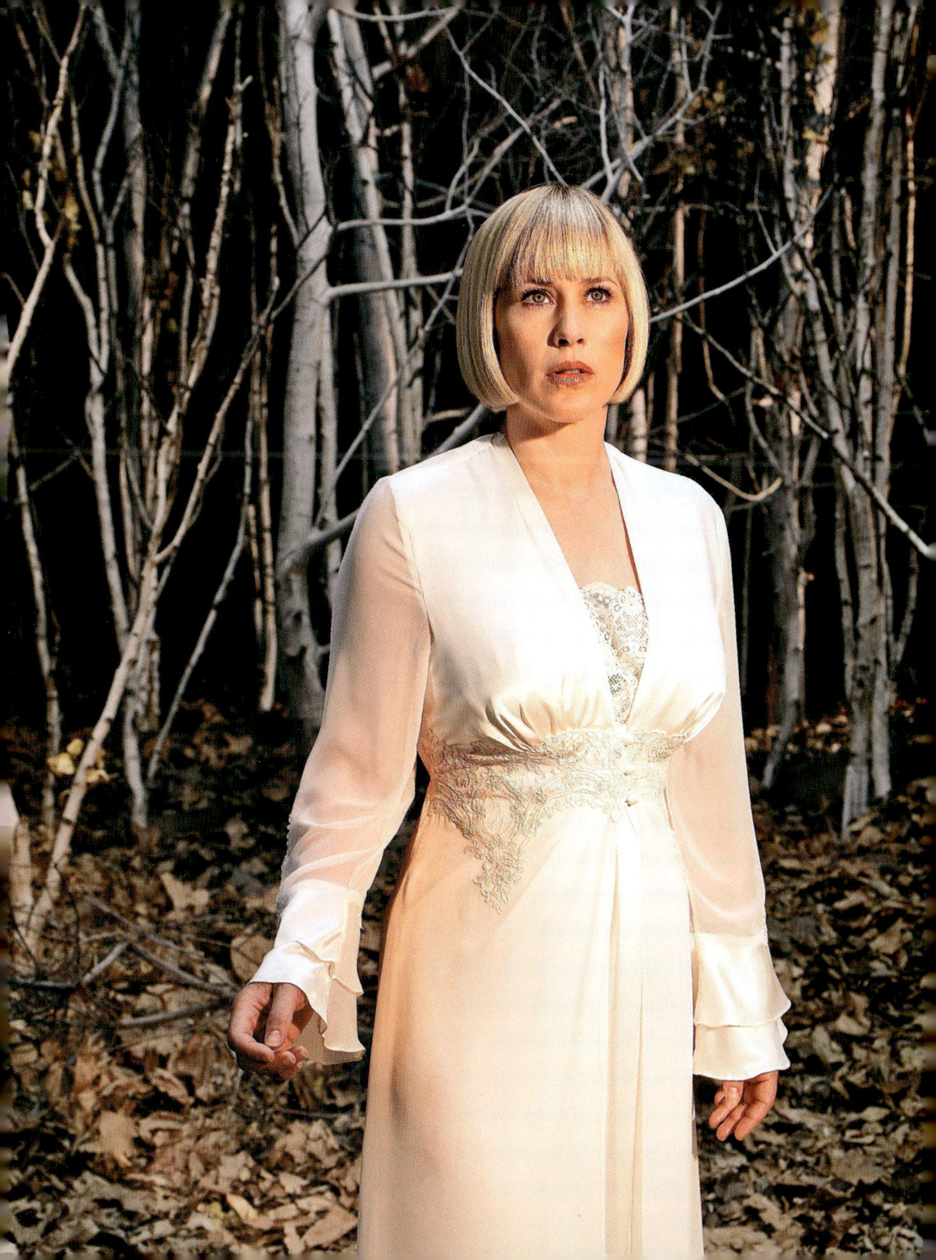

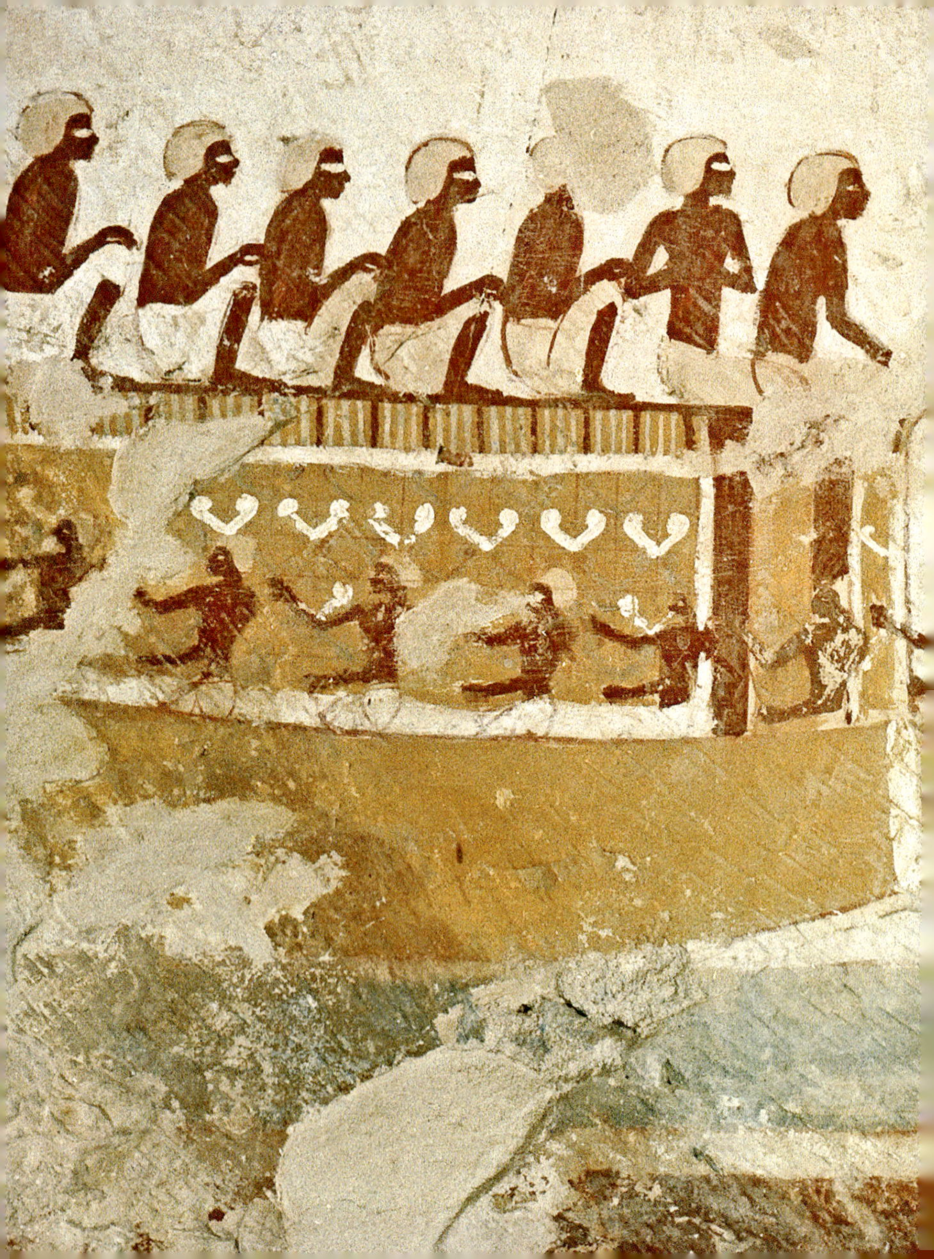

Capítulo 2
A CRENÇA

O que é uma crença? Por que ela é importante? Este capítulo trata de uma ampla gama de crenças na vida após a morte que moldaram as civilizações. Seja uma religião ortodoxa, uma filosofia ou uma tradição de mistério, todas têm sua raiz em cultos e culturas que veem a vida após a morte como um outro plano ou um lugar onde a alma pode descansar eternamente em paz. Desde a crença pagã em muitos deuses até a crença num só Deus, investigaremos as ideias de vários povos nativos sobre o mundo espiritual, a prática xamânica e o pensamento contemporâneo, como o do Espiritualismo e da Wicca.

CAPÍTULO 2: A CRENÇA

CRENÇA CULTURAL NA VIDA APÓS A MORTE

A crença é importante em todas as culturas e civilizações. É o que mantém a sociedade coesa. A crença em algo espiritual, num propósito para a vida e a morte, era um dos alicerces mais importantes sobre os quais grandes civilizações foram construídas e se desenvolveram.

Muitos povos antigos, como os inuits norte-americanos, acreditavam que os xamãs viajavam entre este mundo e o espiritual para ajudar a curar ou libertar seu povo do sofrimento. Outros, como os povos bantu da África, acreditam que, ao entrar em contato com nossos antepassados e reverenciá-los, somos curados e abençoados nesta vida, preparando-nos para a próxima.

Ao longo da história, a crença em "outro" plano de existência tem sido a cola que mantém tais comunidades unidas. Se uma sociedade tem uma crença coletiva numa vida após a morte ou na ideia de que a alma continua vivendo no mundo espiritual, isso se torna uma espécie de consolo para quem está no plano terreno.

Animismo

Muitas culturas antigas e a maioria dos grupos neopagãos contemporâneos fundamentam-se no animismo, ou na crença de que tudo é imbuído de espírito.

Tudo, desde uma rocha, árvore ou animal até o ser humano, é animado com o poder

Acima: Os povos inuit da América do Norte acreditavam que a alma do xamã poderia sair do seu corpo e entrar em contato com o mundo espiritual.

CRENÇA CULTURAL NA VIDA APÓS A MORTE

Acima: Animismo é a crença de que tudo é imbuído de energia divina, seja animal ou vegetal.

divino. Todos aqueles que morrem passam a viver no plano espiritual ou se reúnem com o Divino. Nesses sistemas de crenças, o mundo espiritual é apenas um outro lado da vida e cada indivíduo deve descobrir a verdade por si mesmo. O animismo foi suprimido pelas religiões patriarcais, mas ressurgiu no século XX e agora foi adotado pelos grupos pagãos da Nova Era, como os seguidores da Grande Deusa, os wiccanos, os druidas e o xamanismo. As crenças neopagãs no mundo espiritual não são fundamentadas na fé ortodoxa, mas na crença individual e na busca pessoal pela verdade espiritual.

Quem olha para fora sonha. Quem olha para dentro desperta.

Carl Jung

CAPÍTULO 2: A CRENÇA

DO POLITEÍSMO AO MONOTEÍSMO

Desde a antiga crença num mundo de espíritos seguida por uma legião de diferentes deuses, não demorou muito até que um Deus assumisse o comando.

Múltiplos deuses

À medida que as civilizações surgiam da vida tribal, o politeísmo, ou a adoração de muitos deuses, tornou-se comum. Por exemplo, a crença celta num panteão de deuses está enraizada nas primeiras culturas tribais indo-europeias que se espalharam pela Europa. Os guerreiros celtas eram destemidos porque acreditavam que o espírito ou a alma era imortal e nasceria novamente. O Outro Mundo existia paralelamente a este. E era considerado um lugar de felicidade eterna e imortalidade, que os mortais poderiam visitar em determinadas épocas do ano, através de portais especiais encontrados no alto de montanhas, em grutas, cachoeiras e outros lugares sagrados.

Esquerda: A figura deste vaso vermelho mostra o Mundo Inferior. Hades e Perséfone, no centro, regem um tribunal.

Direita: Zoroastro foi o primeiro profeta a promover a crença num Deus bondoso e na sua batalha contra o mal.

DO POLITEÍSMO AO MONOTEÍSMO

O Outro Mundo no mito

Os contadores de história transmitiam oralmente ideias sobre o que acontece depois que morremos. A maioria imaginava o deus do Mundo Inferior como uma figura sombria e enganadora que regia as almas dos mortos. Algumas tradições acreditavam que esse reino ficava abaixo ou acima de nós, ou que estava repleto das almas das pessoas mortas à espera de voltar para o mundo "real".

Na mitologia védica, o Mundo Inferior era simplesmente um espelho do mundo que acreditamos ser real. Ambos não seriam nada mais do que uma ilusão. E na crença hindu, Brahma sonha que o universo passa a existir enquanto ele dorme. Então, tudo e todos são apenas uma ilusão e, quando Brahma acorda, o universo desaparece.

Na mitologia grega, a própria morte era algo ao qual os deuses eram imunes. Eles eram oniscientes e imortais, e, apesar de nos terem permitido acesso à sua sabedoria e nos ensinado habilidades para sobreviver, negaram aos mortais o dom da vida eterna. A morte tornou-se um sofrimento humano e os deuses tinham pouco interesse em nós.

Para os maoris da Nova Zelândia, a morte é um retorno ao ventre da Grande Mãe; para os budistas, ao eterno agora; e para os egípcios, a morte é o julgamento final.

Uma divindade única, e sua poderosa lei sobre o Céu e a Terra, assumiria depois dos panteões anteriores, tais como o deus Marduk da Mesopotâmia e posteriormente o deus único e suas hostes angélicas do profeta do Oriente Médio Zoroastro. Mas foram os cristãos e os muçulmanos que guerrearam até a morte para provar que seu Deus era o único.

CAPÍTULO 2: A CRENÇA

REENCARNAÇÃO E KARMA

Reencarnação significa literalmente "reentrar na carne". Se uma cultura acredita na alma e na vida após a morte, então é bem provável que também acredite em alguma forma de reencarnação.

Embora a vida após a morte seja muitas vezes vista como um lugar específico, como veremos no Capítulo 4, também existem muitas crenças segundo as quais a alma acaba por fim ocupando outra entidade viva. A alma errante precisa ir para algum lugar. Por outro lado, alguns acreditam que uma nova alma surja a cada vida, que então se desvanece no ar e é reabsorvida pelo cosmos.

A reencarnação é um conceito antigo. Ninguém sabe ao certo de onde veio. Ela está no cerne de muitas tradições orientais, mas não faz parte das crenças budistas ou do Egito antigo. Embora os antigos egípcios acreditassem na vida após a morte, eles não acreditavam que alguém voltasse de lá. Estavam mais interessados na transmigração da alma, em outras palavras, na evolução espiritual da alma no Outro Mundo. Se acreditamos que algo tem uma "alma", o que isso normalmente significa é que acreditamos que exista algo encarnado dentro de nós, uma essência do Divino que é eterno e universal. E se também acreditamos que vivemos uma vida antes da presente, então temos também que acreditar em algum tipo de vida intermediária após a nossa encarnação anterior. Isso significa que, depois da nossa encarnação atual, vamos nascer de novo, geralmente após a nossa alma ou espírito ter percorrido os domínios da vida após a morte. O conceito de reencarnação nos dá não só esperança, como também uma sensação de possibilidades inacreditáveis quanto ao que fomos e o que podemos nos tornar.

Evolução da alma

Tanto as crenças religiosas quanto as filosóficas sobre reencarnação fundamentam-se na ideia de que a alma sobrevive após a morte do corpo. A alma, então, começa uma nova vida num novo corpo. Se você também acredita no conceito de karma, então essa nova carne pode ser humana, animal ou até mesmo espiritual, dependendo da qualidade moral das ações do indivíduo na vida anterior.

Muitos sistemas de crenças afirmam que a alma passa a residir em outro corpo e, quando esse corpo morre, ela acaba renascendo em outro, razão pela qual muitas pessoas estão convencidas de que podem se lembrar de suas vidas passadas. Algumas culturas, tais como certas tradições e

REENCARNAÇÃO E KARMA

Acima: Muitas religiões, como o hinduísmo, acreditam que o karma ou a ação moral em uma vida dita como você vai reencarnar na próxima.

seguidores africanos de filosofias esotéricas e místicas, acreditam que a alma deva passar por algum plano espiritual que lhe permita viajar de uma vida para a próxima. É por isso que a crença numa "vida futura" baseia-se nas vidas passadas; para reencarnar em outra vida precisamos primeiro ter uma vida passada.

Existem várias maneiras alternativas de definir a reencarnação. Para os gregos antigos, a transmigração da alma estava relacionada com sua evolução na outra vida e era conhecida como "metempsicose". No entanto, um termo semelhante ao conceito de reencarnação era a palavra "palingenesia", que era bem mais usada nos tempos de Homero.

Na Índia, a reencarnação era um elemento essencial nos textos sagrados chamados Upanishads, de cerca de 800 a.C. Muitas outras culturas, incluindo os filósofos gregos, a mitologia nórdica, os inuits e outras tradições nativo-americanas, o sufismo, as religiões baseadas no hinduísmo e o Espiritualismo

CAPÍTULO 2: A CRENÇA

Acima: O ciclo de morte e renascimento é conhecido como samsara ou "errante" nos sistemas de crenças budista e baseados nos Vedas.

REENCARNAÇÃO E KARMA

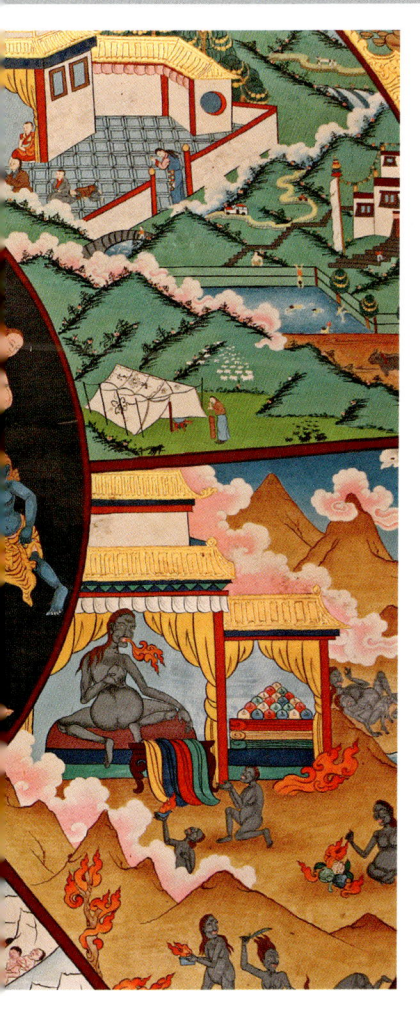

moderno, todos abraçam a ideia de que a essência de um indivíduo encarna em outro corpo humano. Essa essência pode ser chamada de alma, espírito, essência divina e assim por diante.

Nas religiões védica e hindu, embora haja um ciclo de morte e renascimento, ele faz parte de todo o processo universal intitulado *samsara*, significando "errante", e regido pela lei do karma. O *atman* da filosofia hindu, por exemplo, é o eu interior, mas não um eu que podemos chamar de nosso, é um eu de consciência universal. O *atman* impessoal encarna em outro ser vivo, cuja vida é ditada pela herança kármica da última encarnação.

Karma

O karma (ação) é definido como o registro e consequente resultado espiritual de ações moralmente certas ou erradas executadas em vida e que determinam o destino da pessoa após a morte. No entanto, a crença na reencarnação pode não incluir a crença no karma.

O karma é um conceito simples. Segundo essa doutrina, o modo como agimos numa vida tem um efeito sobre a próxima vida. Portanto, se na sua vida passada você fez coisas "más" ou teve maus pensamentos, agora você vai arcar com as consequências. Assim, nesta vida, se você está passando por uma maré de azar, desemprego, relacionamentos ruins, então é devido a débitos kármicos da sua alma ou, em outras palavras, experiências ou ações da pessoa que você era em sua vida anterior. De acordo com a maioria

CAPÍTULO 2: A CRENÇA

dos agentes de cura, psicoterapeutas e outros conselheiros espirituais, agora é nossa chance de compensar isso.

Deuses também podem reencarnar e encarnar na Terra como avatares, como Vishnu e suas dez encarnações, conhecidos como os Dashavatara. Muitos grupos cristãos consideram Jesus como uma encarnação divina que voltará novamente.

Reencarnação budista

A crença budista na reencarnação é bastante diferente da de muitas outras religiões.

No budismo, não existe nenhuma entidade duradoura que reencarne. O pensamento budista aspira ao "não eu" em vez de ser uma entidade, e é o fluxo de energia, ou um conjunto de elementos kármicos que avança de encarnação em encarnação, o que é rotulado de renascimento. Essa noção implica que existe apenas um "fluxo de consciência" ligando uma vida a outra.

Esquerda: O budismo ensina que a libertação do ciclo de vida e morte é possível quando se aspira ao que é conhecido como "não eu".

Direita: No antigo Egito, depois que o corpo era mumificado, símbolos protetores ajudavam a alma na sua jornada para o Reino dos Mortos.

CRENÇAS DO ANTIGO EGITO

Os egípcios foram os primeiros a criar um esplêndido cerimonial em torno da jornada para a vida após a morte, que se tornou um tema-chave para todas as culturas que se seguiram.

Os egípcios mumificavam seus mortos e cobriam o esquife com sinais, símbolos e imagens para proteger o corpo em sua jornada. Colocavam estatuetas, objetos da pessoa falecida e seus animais de estimação mumificados no túmulo, para garantir que ela teria acesso aos seus prazeres favoritos na vida após a morte, também.

Os egípcios tinham um conceito complexo de alma, que era composta de cinco ou seis partes, dependendo do período da história egípcia. Para representar o trajeto dos mortos para a vida futura, a parte da alma conhecida como *ba* era muitas vezes retratada com cabeça humana e corpo de pássaro, voando para *Duat*, o Reino dos Mortos. Para chegar

CAPÍTULO 2: A CRENÇA

a *Aaru*, uma morada mais celestial, era preciso uma dedicação maior, um coração livre de pecado e a capacidade de recitar certos feitiços e encantamentos. Apenas se o cadáver estivesse devidamente embalsamado e vestido ele seria capaz de viver em *Aaru*, o Campo de Juncos, onde ele acompanharia o Sol em sua trajetória diária.

Passando pela Sala das Duas Verdades, o coração do falecido era pesado contra a Pena da Verdade, símbolo da deusa da justiça, Ma'at. Se o coração tivesse o mesmo peso que a pena, a pessoa poderia passar, mas se fosse muito leve ou muito pesado, o coração seria devorado pelo demônio Ammit e a alma seria lançada na escuridão. Se os pratos da balança ficassem equilibrados, o falecido passaria no teste e seria levado diante de Osíris, que o acolheria na vida após a morte. Aqueles que temiam o teste

CRENÇAS DO ANTIGO EGITO

poderiam recitar o Encantamento 30B do Livro dos Mortos, inscrito num amuleto em forma de escaravelho depositado no mesmo lugar do coração da múmia, para evitar que o seu coração os "traísse".

Aaru, o Campo dos Juncos

Aaru ficava no Oriente, perto do sol nascente, e era descrito como uma série de ilhas cobertas de juncos. Era um lugar perfeito para se caçar e pescar, onde, após o julgamento, os mortos podiam viver por toda a eternidade.

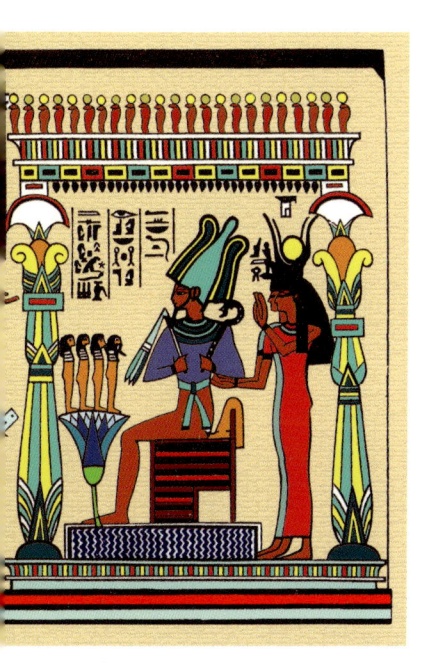

Antes de chegar a Aaru, o falecido tinha de passar através de uma série de portas, alguns dizem 15, outros 21. Todas eram guardadas por ferozes demônios. O falecido tinha de enfrentar o calvário de passar por esses demônios sem olhar nos olhos deles.

Depois que chegava ao Campo dos Juncos, a vida era um reflexo ideal do mundo terreno, com céu azul, rios e barcos. Essa era uma pós-vida perfeita, com deuses e deusas para adorar e colheitas para se usufruir. Na verdade, a vida após a morte era quase uma imagem espelhada da vida que o falecido tinha. Quanto mais rica a pessoa em vida, melhor sua situação na vida após a morte. A maioria dos negociantes e membros da realeza era enterrada com a estátua de um servo para servi-lo na vida após a morte.

A classe social era a mesma na vida após a morte, especialmente quando se tratava dos faraós. Assim, quando um faraó era sucedido por seu rival, este último muitas vezes tentava desfigurar o túmulo de seu antecessor, numa tentativa de impedi-lo de chegar a Aaru.

O Livro dos Mortos

A prática de incluir o Livro dos Mortos no túmulo da pessoa falecida data de cerca de

Esquerda: A deusa Ma'at pesa a alma dos mortos contra a Pena da Verdade.

CAPÍTULO 2: A CRENÇA

1550 a.C. Esse costume se desenvolveu a partir de textos funerários inscritos em paredes e túmulos do Antigo Reino dos faraós, mil anos antes. Os faraós acreditavam que esses textos os ajudariam a encontrar os deuses e, em particular, o deus criador, Rá. Ao longo do período dinástico seguinte, esses textos não eram preparados exclusivamente para os faraós, mas inscritos nos caixões e túmulos de outros membros da família real, de altos funcionários e dignitários. Os textos começaram a incluir feitiços e magia talismânicas para ajudar o morto na sua jornada através de Duat (ver página 73) e para a vida futura. Não demorou muito tempo até que indivíduos ricos encomendassem seus próprios textos e escolhessem encantamentos que se adequassem às suas próprias necessidades pessoais.

Escrito em hieróglifos sobre um papiro, o livro também era ilustrado com cenas da jornada do falecido após a morte. Destinado a propiciar conhecimento místico ao falecido na outra vida, ele incluía feitiços e encantamentos para controlar o mundo desconhecido em torno dele.

Abaixo: A alma recitava orações do Livro dos Mortos para chegar mais facilmente ao reino celestial.

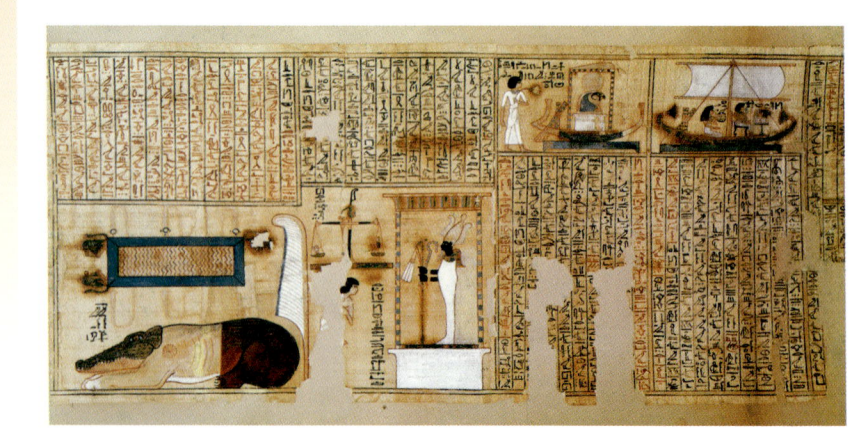

CRENÇAS DO ANTIGO EGITO

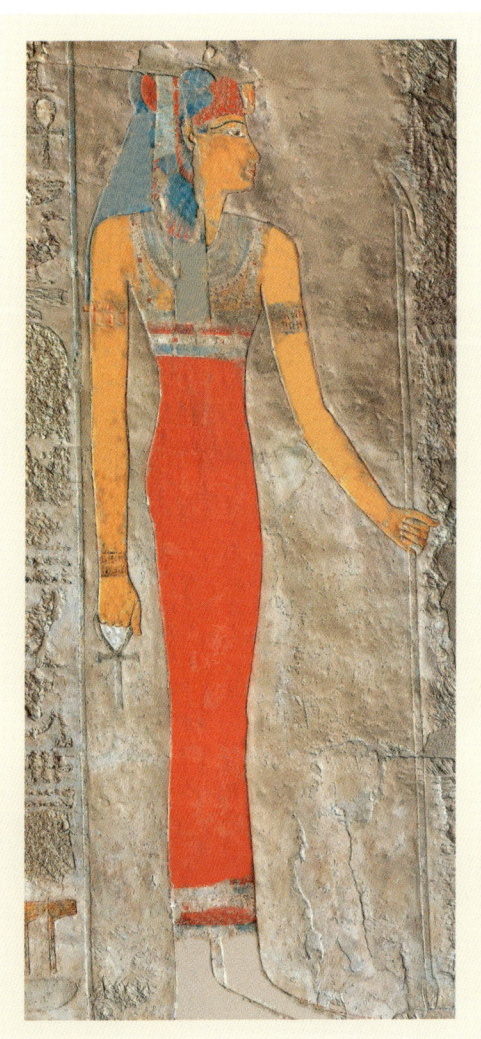

A PORTA PARA A VIDA APÓS A MORTE

Tutmés III era apenas um bebê quando se tornou faraó, depois da morte do pai, por isso a esposa de seu pai, Hatshepsut, que não era sua mãe, tornou-se a regente. Poderosa e controladora, ela governou sozinha, não dando a Tutmés nenhuma autoridade, mesmo quando ele ficou mais velho. Quando ela morreu, por vingança ele mandou retirar o nome dela de todos os monumentos, destruiu suas estátuas e profanou seu túmulo. Pensava que amaldiçoando o túmulo de um faraó, a alma não seria capaz de chegar a Aaru e permaneceria para sempre presa no perigoso território de Duat. Mas, em 2010, o Ministério da Cultura egípcio anunciou ter descoberto uma grande porta de granito vermelho em Luxor, com inscrições mágicas escritas por um conselheiro poderoso da rainha Hatshepsut. A falsa porta era supostamente uma passagem para a vida após a morte, talvez a mesma que a rainha fechou atrás de si para que nenhum faraó pudesse impedi-la de alcançar Aaru!

Esquerda: Acreditava-se que a rainha Hatshepsut tenha providenciado uma porta secreta para a vida após a morte, de modo que pudesse escapar da maldição de seu sucessor.

CAPÍTULO 2: A CRENÇA

ANTIGAS CRENÇAS GREGAS

O antigo conceito de vida após a morte e as cerimônias associadas ao funeral eram uma tradição popular já estabelecida no sexto século a.C.

A visão grega mais popular da vida após a morte era a de um reino sombrio de penosa labuta, não muito melhor do que a vida terrena e normalmente tão sem graça que havia uma crença generalizada de que os mortos só desejavam poder voltar à Terra para assombrar os vivos como fantasmas. Os entes queridos rezavam para que seus mortos retornassem como bons fantasmas e não como espíritos malévolos. Teoricamente, qualquer um que morresse de uma causa que não fosse doença ou velhice poderia se tornar um fantasma inquieto, amargo e ressentido, como aqueles que morriam jovens ou de um trágico acidente, aqueles que eram assassinados, cometiam suicídio ou morriam em batalha, ou aqueles que não tinham se casado ou não tinham sido agraciados com a maternidade. Esses estavam todos propensos a se tornar espectros inquietos e mal-intencionados. Mas fossem quais fossem as circunstâncias da morte, um fantasma nunca iria conseguir verdadeiro descanso sem um funeral apropriado, de modo que, para assegurar essa proteção extra, rituais funerários rigorosos eram seguidos à risca.

ANTIGAS CRENÇAS GREGAS

Isso tudo mudou quando os grandes escritores épicos Hesíodo e Homero subiram ao palco e transformaram esse sistema tradicional grego muitíssimo deprimente num drama impressionante. Com licença literária e poética, Homero e suas visões poéticas conquistaram o mundo grego. A vida após a morte foi reformulada, tanto no que diz respeito ao céu quanto ao inferno. Homero trouxe os mortos à vida, dando-lhes espírito, alma, corpo e mente, enquanto Hesíodo dotou de caráter os deuses que governavam o Mundo Inferior.

Acima: Psiquê, deusa da alma, é resgatada por Eros de um sono eterno, depois de ser testada por uma Afrodite ciumenta.

Esquerda: Homero transforma a visão sombria da vida após a morte num mundo teatral próprio.

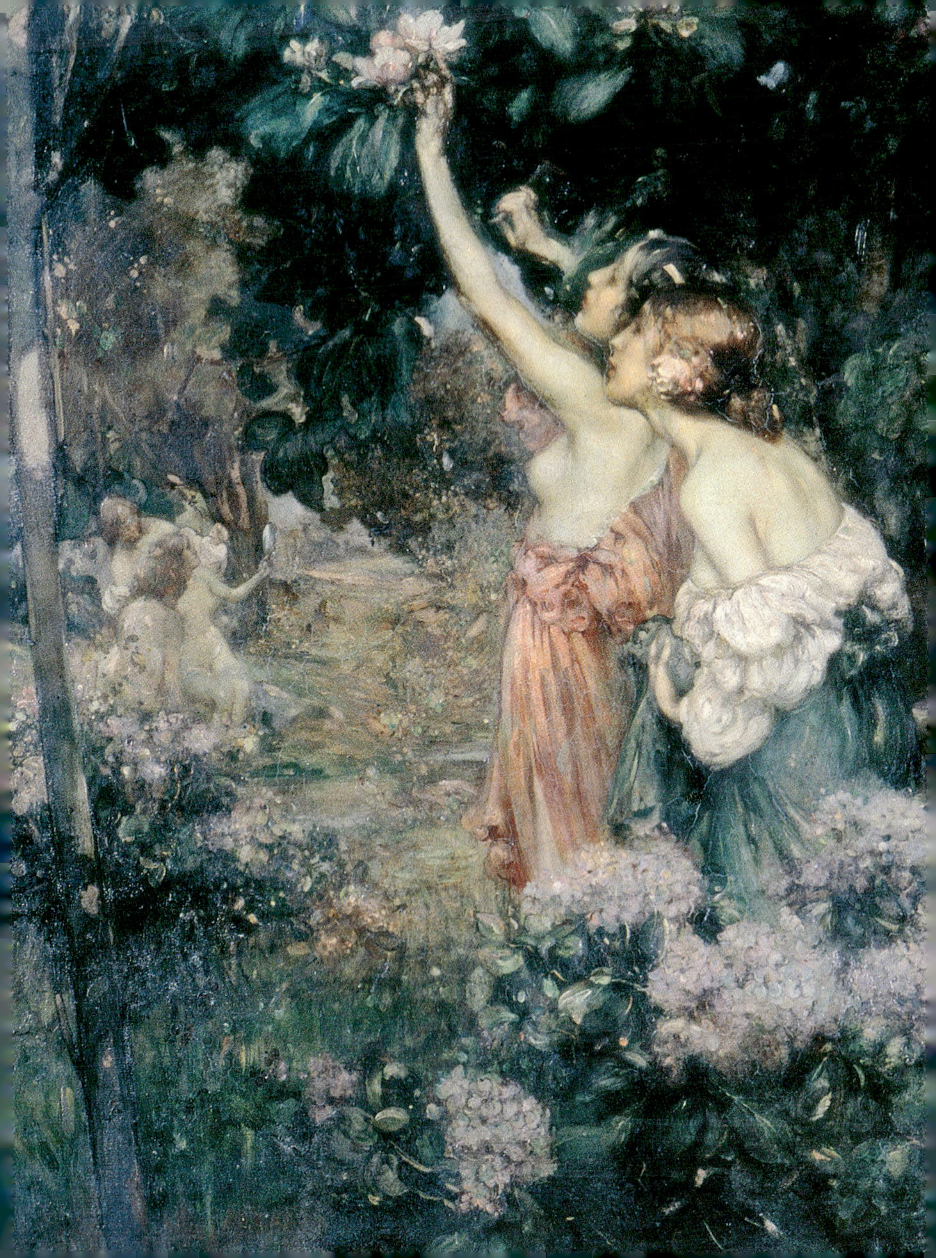

ANTIGAS CRENÇAS GREGAS

Segundo muitos estudiosos, Homero e Hesíodo viveram quase na mesma época, nos séculos VIII-VII a.C. Quando o herói de Homero, Odisseu, visita o Hades, vemos a visão popular de um deprimente submundo robótico transformado num lugar onde as almas têm intelecto e podem ajudar um herói a escapar de seu aparente destino. A representação feita por Hesíodo da deusa Nêmesis, um dia uma deusa capaz de atribuir sorte ou azar, aparece mergulhando como um abutre no Mundo Inferior, como uma deusa do castigo divino, tomando o que lhe é devido das almas dos homens.

Psiquê, que significa "sopro", era a personificação da alma e pensava-se que ela deixava o corpo como uma lufada de vento e entrava na casa de Ais, depois chamado de Hades, a Casa da Invisibilidade. Imaginava-se que ela penetrava nesse Mundo Inferior por entradas na superfície da terra, perto de rochas e cavernas. Ele era repleto de rios, fogo, riachos, profundos desfiladeiros, lagos e portais. Na Odisseia, Hades e Perséfone reinavam sobre hordas infinitas de "sombras" à deriva, figuras sombrias daqueles que tinham morrido. O poema épico não mostrava o Mundo Inferior como um lugar particularmente feliz, para além dos Campos Elíseos, mas era certamente uma representação teatral dele, e isso fazia as pessoas pensarem sobre o seu futuro após a morte, em vez de meramente aceitar um final infeliz.

O Mundo Inferior oferecia punição para os maus e bem-aventurança para os bons.

Acima: Tântalo foi punido com o castigo de ser eternamente tentado pelo fruto de uma árvore que ele nunca poderia alcançar.

Esquerda: Os Campos Elíseos eram vistos como um lugar de felicidade eterna, cheio de toda a beleza e bondade do mundo terreno.

Os Campos Elíseos eram um paraíso ensolarado, morada daqueles que tinham vivido no bem. Os outros eram condenados a um recorrente pesadelo num lugar de eterno tormento. Tântalo, semideus de mente

CAPÍTULO 2: A CRENÇA

malévola (mais famoso por servir a carne do próprio filho, Pélope, num banquete como sacrifício aos deuses) foi sentenciado a viver eternamente com sede e com fome, embora cercado de água e frutos que estavam sempre fora do seu alcance. O astuto rei Sísifo foi condenado a empurrar uma rocha montanha acima, de onde ela sempre voltava a rolar, para que ele recomeçasse a tarefa mais uma vez – pela eternidade. Esse lugar sombrio era um limbo, onde pecados ou falhas se repetiam indefinidamente.

Nas obras de Homero e Hesíodo, o Tártaro tornou-se a parte mais sombria do Mundo Inferior, e foi descrito com detalhes ainda mais terríveis por escritores clássicos posteriores. Platão o via como um calabouço de tormento e dor para os maus. O Tártaro de Virgílio era habitado pelos fantasmas aprisionados dos Titãs e, por trás dos sinistros portões de ferro, ouvia-se o tilintar de correntes.

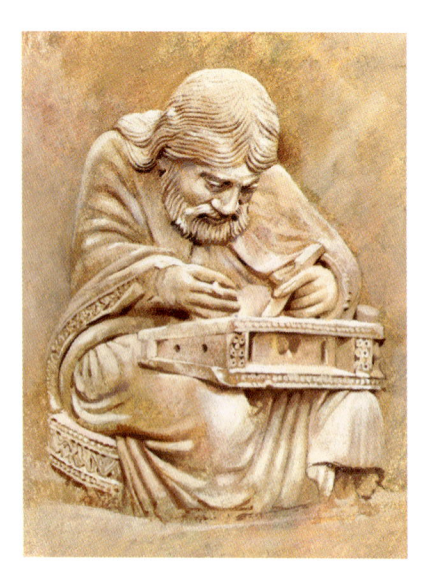

A filosofia da Antiga Grécia e o misticismo

Depois dos poemas épicos de Homero sobre heróis e incesto, cultos místicos como o órfico e os mistérios de Elêusis se desenvolveram, prometendo o início de uma vida após a morte cheia de felicidade. A *psique*, ou alma, passou a ser vista como algo separado do corpo.

Os primeiros filósofos gregos, tais como Pitágoras e, posteriormente, Platão, promoveram a ideia de reencarnação. Esses primeiros pensadores chegaram à conclusão de que a alma era o centro do sentir e do pensar e, portanto, muito importante para o homem. Para Platão, a alma tornou-se a base de todo um novo sistema de crença, criando uma nova abordagem à vida após a morte que exerceu uma influência duradoura em todo o pensamento ocidental.

Antigos textos de Homero sobre os horrores do Tártaro perderam sua importância e tornaram-se uma fantasia mítica para os gregos tanto quanto são agora.

Esquerda: Pitágoras afirmava se lembrar com detalhes de quatro vidas passadas, entre elas a de uma cortesã.

AS TRADIÇÕES VÉDICAS

As crenças relacionadas à vida após a morte nas tradições védicas, desenvolvidas entre 1500 a.C. e 500 d.C., eram definidas pelas divindades que regiam o Céu e o Inferno.

Yama era a divindade que julgava as almas dos mortos, acompanhada de seu assistente Chitragupta, que descrevia as virtudes e pecados da alma. Yama enviava a alma para um dos muitos Infernos, para o Céu ou para a morada de Pitris, a terra dos antepassados. Apenas os virtuosos eram autorizados a entrar em Pitris.

Havia dois caminhos para se chegar ao Céu durante a vida na Terra – ou por meio de orações e rituais, ou de caridade e retidão. O Céu era um lugar de belos jardins celestiais e caminhos bem cuidados, onde havia fartura de comida e bebida. Era repleto de fragrâncias maravilhosas, brisas frescas, música agradável, pessoas bondosas. Não havia medo ou dor, fome ou sede. Qualidades ou experiências como velhice, suor, urina e outras excreções eram inexistentes. No entanto, nada de novo poderia acontecer lá. A alma estava limitada a apenas repetir as mesmas coisas que fazia em sua vida anterior até que, por fim, se sentisse inclinada a reencarnar novamente. O objetivo final da existência, de acordo com as antigas tradições védicas, era se reunir com a divindade da sua escolha; mas, ao contrário da renúncia ao eu e sua dissolução desejadas pelos budistas, cada alma procurava e acreditava manter a sua personalidade humana quando se fundia com o Divino, embora de um modo mais puro e refinado.

Direita: O deus védico Yama governava o Mundo Inferior e também julgava a alma, enviando-a para o Céu ou para o Inferno.

CAPÍTULO 2: A CRENÇA

ZOROASTRISMO

As primeiras crenças dessa antiga religião persa foram reformuladas, adornadas e ampliadas pelos escribas da doutrina de Zurvan, por volta de 350 a.C. Hoje, o zoroastrismo tem mais de dois milhões de seguidores ao redor do mundo.

Desde o princípio, essas crenças enfatizavam o dever de todos se comportarem com ética na vida, pois seu destino após a morte dependeria disso. Zoroastro viveu em torno de 1100-1000 a.C., embora muitos acreditem que tenha vivido no século VII a.C. Seja qual for o caso, para os gregos, Zoroastro era o fundador da casta sacerdotal dos Magi, além dos astrólogos e alquimistas persas. Zoroastro acreditava que o homem tinha uma alma que já existia antes do nascimento e que transcendia a morte do corpo, ideia que propiciava aos gregos uma luz no fim do seu túnel de Hades.

No zoroastrismo, que ainda é amplamente praticado hoje, acredita-se que, no momento da morte, a alma espera junto ao corpo por três dias, cantando e orando por bênçãos. No quarto dia, uma mulher aparece – uma bela donzela, se o indivíduo foi justo; uma mulher hedionda, se foi injusto –, representando a vida terrena da alma, e conduz a alma à ponte de Chinvat. Para o piedoso, essa ponte é ampla e de fácil travessia e, do outro lado, ela é recebida no céu com riquezas e conforto. Os ímpios, no entanto, encontram uma ponte estreita como uma navalha, e uma bruxa terrível leva a alma em seus braços, mergulhando ambos, aos gritos, no Inferno, onde, dependendo dos pecados da alma, ela se alimenta de excrementos e sujeira, é devorada por monstros ou sofre terríveis punições pela eternidade.

Se a alma continua a ser justa e boa enquanto está no Céu, é finalmente elevada ao status divino, e, quando todos os maus pensamentos forem eliminados do mundo, os justos serão ressuscitados para viver em harmonia eterna.

Direita: Zoroastro desenvolveu o panteão dos antigos deuses persas, divididos em duas forças opostas, Ahura Mazda, o Deus supremo, e o princípio destrutivo de Ahriman.

ZOROASTRISMO

CAPÍTULO 2: A CRENÇA

JUDAÍSMO

O judaísmo tradicional cultiva a crença de que a morte não é o fim da existência humana, mas o que acontece depois depende da opinião pessoal de cada indivíduo.

Um judeu ortodoxo pode acreditar que as almas dos justos vão para um lugar semelhante ao Céu cristão ou que simplesmente esperam até a vinda do messias, quando serão ressuscitadas. Para os judeus ortodoxos, os demônios atormentam a alma daqueles que cometeram pecados em vida. Alternativamente, acreditam que, no momento da morte, as almas perversas são totalmente aniquiladas.

A vida após a morte, ou Outro Mundo, é conhecida como Olam Ha-Bá e não é tanto um lugar quanto um estado exaltado e perfeito de ser. O destino do falecido nesse outro mundo é determinado pelo seu mérito, pela justiça que demonstrou em vida e nas boas ações que praticou. Curiosamente, o resultado final dessa crença é que ele não precisa ser judeu para chegar a Olam Ha-Bá; na verdade, qualquer pessoa de qualquer credo pode ser aceita, desde que a sua vida tenha sido boa, produtiva e virtuosa.

A punição dada aos injustos ocorre em Gehinnom (Geena ou She'ol). Cada tradição vê esse lugar de uma maneira. Para alguns, é um lugar triste, miserável e extremamente

Direita: No judaísmo, a ida para os reinos superiores de Olam Ha-Bá depende das ações e proesas praticadas nesta vida.

desagradável em que os ímpios podem refletir sobre suas más ações e vir a perceber qualquer dano que causaram, arrependendo-se. Para outros é um lugar de fogo e tortura, semelhante à imagem cristã de Inferno. Para outros ainda, é habitada pelos demônios criados pelos pecados e delitos, que então castigam a pessoa que os cometeu.

Gehinnom pode ser contemplado como um lugar no qual a alma pode descansar e ver as ações e consequências de sua vida objetivamente, sentindo remorso por todo o mal praticado. A penitência leva não mais do que doze meses, após os quais, se a alma expiou seus pecados, ela pode ir para Gad Eden. Se ela é verdadeiramente má e se recusa a se arrepender, deixa de existir por definitivo ou passa o resto da eternidade remoendo-se de remorso. Gad Eden é visto como um estado espiritual aperfeiçoado: somente aqueles que foram verdadeiramente justos e piedosos em vida vão direto para lá depois da morte.

CAPÍTULO 2: A CRENÇA

CRISTIANISMO

Porque Deus amou o mundo de tal maneira que deu o seu Filho unigênito, para que todo aquele que nele crê não pereça, mas tenha a vida eterna.

João 3:16

O versículo acima resume o conceito básico cristão de vida após a morte, dependente da crença em Cristo. Desde os mais antigos e influentes sacerdotes cristãos, como Orígenes, no século II d.C., ou o medieval Tomás de Aquino, o pensamento cristão sempre foi aberto com relação ao que a vida após a morte realmente é. Hoje em dia, diferentes denominações têm as suas próprias concepções, mas todas acreditam em algum tipo de Outro Mundo espiritual.

A vida eterna começa quando o indivíduo passa a ter fé em Cristo, o que acontece, naturalmente, enquanto ele ainda está vivo. Depois da morte, algumas tradições professam que a alma retorna a Deus, que lhe deu sua existência em primeiro lugar. Outros acreditam que, na segunda vinda de Cristo, todas as almas serão julgadas (pela segunda vez, no caso daqueles já mortos, embora esse seja agora um ponto de vista ultrapassado) ou vão para o Céu ou para o Inferno pela eternidade.

O inferno era inicialmente visto apenas como um lugar infeliz onde os descrentes viviam apartados para sempre da misericórdia e do amor de Deus. Posteriormente, tornou-se um lugar de dor e castigo, caracterizado por fogos atrozes e terríveis torturas perpetradas por demônios.

O céu era descrito de maneira ainda mais vaga, com exceção do Apocalipse. Na visão de São João, porém, só 144.000 homens virgens das tribos de Israel seriam salvos, mas o Céu em que eles vivem seria magnificamente esculpido de ouro e joias.

Geralmente, o Céu e o Inferno eram vistos pelos cristãos como dois lugares físicos diferentes. Um – o Céu – servia como recompensa aos crentes que demonstravam retidão. O outro – o Inferno – era um castigo para aqueles que desprezavam Cristo.

O ascetismo cristão

Gnosticismo

O gnosticismo é considerado pela maioria dos estudiosos como um ramo místico do

Direita: A alma dos crentes cristãos justos é recompensada com o Céu, um lugar de felicidade eterna.

CRISTIANISMO

CAPÍTULO 2: A CRENÇA

Acima: O Inferno era um lugar de perpétua tortura, demônios, fogo e condenação para os hereges ou pecadores.

cristianismo do século II d.C. Na década de 1940, uma coleção de textos antigos conhecidos como "Biblioteca de Nag Hammadi" foi descoberta em várias cavernas no Egito. Embora a maioria dos autores tenha sido enquadrada no termo genérico de "misticismo cristão", agora parece que eles receberam grande influência de antigos filósofos gregos, tais como Platão. A Biblioteca de Nag Hammadi contém escritos pagãos, judeus, gregos e cristãos. No entanto, o conceito gnóstico de vida após a morte era muito diferente do cristão ou judaico. *A* gnose, que significa "conhecimento" em grego antigo (conhecimento geralmente secreto) poderia ser alcançada apenas por meio de um estilo de vida ascético. Isso significava negar os prazeres do corpo de modo que os crentes pudessem se concentrar no cultivo do espírito através da meditação e visões que os levavam a uma experiência direta do Divino. Essa jornada interior, realizada na solidão, acabava levando à reunião da alma com o Uno. Ao contrário de muitas outras religiões, não era necessário que o indivíduo morresse

CRISTIANISMO

para que isso acontecesse – era bem possível alcançar o céu enquanto ainda se estava vivo. Mas mesmo que o indivíduo não conseguisse conquistar a gnose, ele reencarnaria até atingir seu verdadeiro eu.

Os cátaros

Considerados hereges pela Igreja Católica, os cátaros (séculos XII e XIII d.C.) acreditavam que o mundo era controlado por dois princípios ou deuses.

O deus bom governava o reino espiritual, enquanto o deus maligno (muitas vezes acreditava-se em Satanás) comandava o mundo material.

A alma desejava voltar para Deus, mas os desafios pelos quais precisava passar não eram para qualquer um. O vegetarianismo completo, o celibato, a aversão à ideia de matar e a total rejeição do mundo exigia um tipo particular de iniciado que era chamado de Perfeito. Viver e morrer em tal estado de graça era a garantia de que a alma voltaria para o reino espiritual após a morte.

O Inferno era a existência na Terra, e não um lugar de castigo após a morte. A alma era considerada eterna e assexuada, e poderia encarnar em um homem ou em uma mulher a cada vida. Como Pitágoras e Platão (ver página 82), muitos cátaros acreditavam que as estrelas do céu noturno eram almas dos Perfeitos que tinham voltado para casa.

Esquerda: Os cátaros acreditavam que a alma retornava ao seu lar espiritual depois que o corpo perecia.

CAPÍTULO 2: A CRENÇA

BUDISMO

Siddhartha Gautama concebeu o "caminho do meio", quando se tornou o Buda (o desperto ou iluminado), aos 35 anos. O budismo é mais uma tradição espiritual ou filosofia do que uma religião, e não reconhece nenhum deus.

Para os budistas, a alma eterna e imutável não existe. A entidade consciente e individual que os seres humanos consideram como "eu" é, na verdade, uma construção mental em constante mudança, um conjunto de energias que "fluem" o tempo todo, criando a ilusão de um ser estável. No momento da morte, essas energias renascem sob outra forma, dependendo do débito kármico acumulado na existência anterior.

Budismo Theravada

Segundo o ramo Theravada do budismo, existem 31 níveis de renascimento distribuídos por quatro planos de existência. O mais inferior é o Plano de Privação, que inclui os oito Infernos principais. Em seguida vem o Plano da Felicidade Sensual, em que o ser humano médio reside no nível mais inferior. Acima disso, em ordem crescente vêm o domínio das Formas, a morada dos Devas (seres sobrenaturais e divindades invisíveis aos humanos e mais poderosas do que eles) e os Reinos Sem Forma, onde os seres são mente pura. Os seres humanos podem ascender ao longo dos níveis e planos resgatando o seu karma ao longo de suas vidas e renascendo num nível mais elevado. Cada nível é mais agradável do que o precedente, o que pode, ao que parece, tornar o "caminho do meio" de Buda um desafio menor à medida que se progride rumo ao nirvana.

Alternativamente, o ser pode renascer num dos Infernos acumulando karma durante a vida; por exemplo, mentindo, apresentando má conduta sexual ou matando. Os infernos budistas são lugares de fogo e tortura, onde o sofredor é queimado, esquartejado, moído ou cozido vivo. No entanto, a permanência nesses infernos é temporária, e uma vez que o ser expia o seu karma, ele pode renascer num nível superior. Isso também pode significar renascer num nível ligeiramente menos desagradável do Inferno, se o débito kármico for muito grande.

Budismo Mahayana

Alcançar o nirvana na tradição Theravada é uma tarefa árdua, exigindo um estilo de vida ascético e completa obediência aos princípios do caminho. Em comparação, a escola Mahayana é muito mais fácil, pregando a potencial iluminação durante a vida da pessoa. O Céu – a "terra pura" – é encarado como um lugar livre de dor, desejos ou tristeza, decorado com joias, ladeado de palmeiras e recortado por riachos de águas cristalinas.

Esquerda: A libertação do ciclo de morte e renascimento é o objetivo da maioria dos ensinamentos budistas e, em algumas escolas, é possível atingi-lo ao longo da vida.

CAPÍTULO 2: A CRENÇA

ANTIGAS CRENÇAS MESOAMERICANAS E NATIVO-AMERICANAS

A maioria das tradições norte-americanas nativas (algumas das quais existentes ainda hoje) acredita que toda a natureza está impregnada com o Divino e que o indivíduo se reúne com seus antepassados na vida após a morte. No entanto, não há uma visão unificada do que acontece após a morte.

As civilizações mesoamericanas tinham noções muito diferentes das dos seus vizinhos do norte. Para elas, não havia nem um Céu para a elite nem um Inferno terrível repleto de deuses malévolos, demônios e perpétua tortura.

Muitos nativos americanos acreditam que existem dois mundos: a Mãe Terra física e o mundo espiritual, regido pelo Grande Espírito ou Grande Mistério (conhecido como Wakan Tanka, pelos sioux), geralmente a figura masculina de um pai. O espírito dos mortos abrange a parte orgânica que retorna à Terra e a parte espiritual que sobrevive à morte. Além disso, as tradições variam. Para os hopis, a alma viaja para o oeste ao longo de um caminho celestial, sendo que os justos fazem esse trajeto com facilidade, enquanto os ímpios o fazem com dificuldade. Para os sioux, a alma vai para os Campos da Caça Feliz, um reino espiritual que se assemelha às Grandes Planícies, mas com caça abundante e fácil de capturar. Os apaches enfocam a sobrevivência no reino físico e dão pouca importância à vida após a morte. Para os iroqueses, a alma é julgada após a morte pelo Grande Espírito, e os que praticam o mal são punidos.

Nos mitos mais antigos dos nativos americanos, os mortos tinham de ser expulsos com ritos apropriados, caso contrário podiam voltar como fantasmas para assombrar os vivos.

Os astecas e maias acreditavam em Tamoanchan – um paraíso belo e fértil no qual se podia caminhar com os deuses, festejar durante todo o dia e aproveitar os prazeres da carne.

Tamoanchan tinha 13 níveis hierárquicos. Mas só alguns tinham acesso a ele, entre eles a realeza, os conselheiros, os escribas e os guerreiros heroicos. Xibalbá era o Inferno

ANTIGAS CRENÇAS MESOAMERICANAS E NATIVO-AMERICANAS

sombrio, frio e miserável, assombrado por deuses malignos. Era um lugar de desespero e, infelizmente, o destino final da maioria das pessoas.

Na maioria das tradições, o lugar para onde o indivíduo ia depois da morte dependia muito do modo como ele morria. As vítimas sacrificadas a Huitzilopochtli, o antigo deus da guerra e do Sol, iam se juntar à batalha contra a escuridão, no pós-vida. Alguns seres humanos podiam reencarnar como pássaros ou insetos, ou vagar pelo mundo como

Acima: As tradições dos nativos americanos cultivam crenças diferentes sobre o destino do indivíduo na vida após a morte.

CAPÍTULO 2: A CRENÇA

fantasmas. Viver uma vida virtuosa não garantia um lugar em Tamoanchan, mas certamente ajudava a pessoa a ir para lá.

A vida após a morte inca dependia de uma vida virtuosa, e qualquer um que se aferrasse a ela podia ter esperança de viver com o Sol após a morte, apreciando um interminável festim.

Acima: O Inferno nas tradições mesoamericanas era um lugar de horror e perversidade.

Direita: A maioria das tradições africanas, como a dos dogons, é de animistas que cultuam os espíritos de seus antepassados.

CRENÇAS AFRICANAS

Embora as antigas crenças espirituais de muitas culturas africanas tenham sido substituídas ou assimiladas pelas religiões ortodoxas dos colonizadores, como o cristianismo e o islamismo, algumas continuam a adotar tradições nativas com respeito à vida após a morte, como os dois exemplos a seguir.

As tradições africanas com base animista são transmitidas oralmente e apresentam elementos comuns, tais como a crença num ser supremo, na vida após a morte e em espíritos e deuses. Os dois exemplos aqui se destacam dos outros não apenas pelo uso da magia e pela crença em forças sobrenaturais, mas também pela crença numa "alma" e pelo culto aos antepassados, praticado ainda hoje.

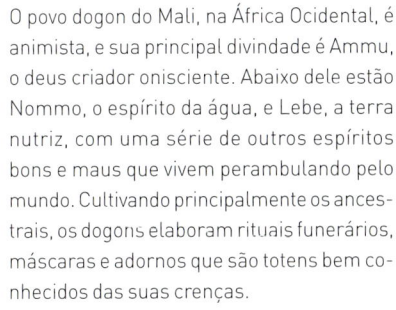

Os dogons

O povo dogon do Mali, na África Ocidental, é animista, e sua principal divindade é Ammu, o deus criador onisciente. Abaixo dele estão Nommo, o espírito da água, e Lebe, a terra nutriz, com uma série de outros espíritos bons e maus que vivem perambulando pelo mundo. Cultivando principalmente os ancestrais, os dogons elaboram rituais funerários, máscaras e adornos que são totens bem conhecidos das suas crenças.

No momento da morte, acreditam que as duas partes do ser humano, *nyama* (força vital) e *kikinu* (a alma), separam-se e a última junta-se aos antepassados mais ilustres. Os ritos funerários ocorrem imediatamente após a morte e podem durar uma semana, embora o ritual mais significativo e elaborado

CAPÍTULO 2: A CRENÇA

que marca o fim do luto, o *dama*, só aconteça posteriormente – por volta de dois anos depois da morte propriamente dita. O *dama* serve para incentivar o espírito do falecido a ir para Amma (paraíso). Os justos então passam a residir ali, onde vivem uma vida semelhante à que tinham na Terra.

Vodu

O vodu, do oeste da África, da palavra *vodun* (espírito), é uma religião que se desenvolveu a partir do comércio de escravos do século XVIII, segundo a qual todos têm uma alma dividida em duas partes: o *gros bon ange* (grande anjo bom) e o *ti bon ange* (anjinho bom). No momento da morte, a alma permanece perto do corpo por vários dias, tempo durante o qual o *ti bon ange* pode ser capturado e mantido sob controle por um mago negro, para que obedeça aos seus comandos.

Na tradição *ewe*, de Togo, após a morte a alma viaja para um reino subaquático, de onde pode reencarnar como membro da sua família original. No vodu haitiano, que é mais próximo do catolicismo, a alma vai para o Céu ou para o Inferno, de acordo com o bem ou o mal que o indivíduo pratica na vida.

Direita: Xamãs do vodu entram em contato com os espíritos através de símbolos usados em rituais elaborados.

CRENÇAS AFRICANAS

CAPÍTULO 2: A CRENÇA

CABALA

A tradição judaica filosófica e mística conhecida como Cabala consiste num conjunto complexo de ensinamentos esotéricos que se desenvolveu a partir do antigo pensamento judaico para explicar a relação entre o mistério divino imutável e eterno, Ein Sof, *e o universo finito.*

O objetivo final do cabalista é atingir a união com o Divino, e para isso a alma deve alçar os sete céus. Essa é uma jornada que pode levar muitos anos, e ainda mais reencarnações, com a alma se tornando cada vez mais sábia, mais forte e mais perfeita ao longo do caminho.

Existem sete céus figurativos. O primeiro é o domínio de Adão e Eva, governado pelo anjo Gabriel e cuja natureza está mais próxima do mundo físico; o sétimo é guardado pelo anjo Cassiel e é a morada de Deus. O Inferno impede a união com Deus, embora na maioria das tradições ele seja uma punição temporária. Aqui, a alma vaga pela Terra como um fantasma ou espectro até que Deus possa perdoar seja qual for o pecado que tenha causado o abandono.

Gilgul Neshamot é um conceito cabalístico de reencarnação. A palavra hebraica *gilgul* significa "ciclo" e *neshamot* significa "almas". As almas são vistas como "ciclos" através de "encarnações", à medida que galgam seus próprios níveis de perfeição. Na tradição conhecida como Cabala luriânica, afirma-se que uma catástrofe cósmica ocorreu no início da criação, quando os vasos (atributos) dos Sephirot (Emanações de Ein Sof, o Infinito) se quebraram e caíram através dos mundos espirituais até se tornarem "Centelhas da Divindade". Depois que todas as centelhas voltarem a se integrar à sua fonte espiritual, uma nova Era Messiânica começará. Isso dá um significado cósmico à vida de cada pessoa, vista como uma "centelha anímica".

Direita: O Sephirot na Árvore da Vida são as dez maneiras diferentes pelas quais Deus revela sua vontade e reflete a capacidade da alma de perceber a divindade por meio desses níveis diferentes.

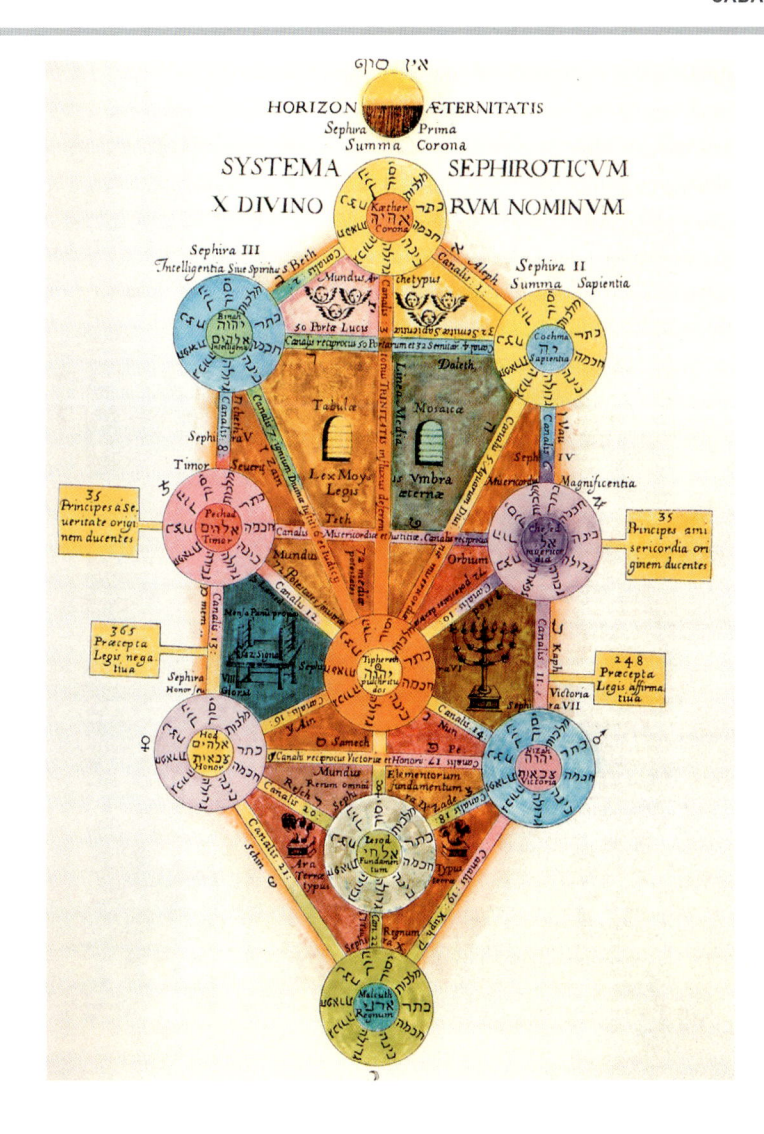

CABALA

CAPÍTULO 2: A CRENÇA

OS MÍSTICOS EUROPEUS MAIS NOTÁVEIS

Os séculos dezessete e dezoito na Europa Ocidental são mais lembrados pela sua revolução científica do que pelo interesse no mundo espiritual. No entanto, dois místicos europeus notáveis sugiram nessa época.

O primeiro foi um médico sueco, Emanuel Swedenborg, cujos muitos escritos influenciaram, entre outros, Arthur Conan Doyle, Ralph Waldo Emerson e Carl Jung. O segundo foi o artista, poeta e gravurista inglês William Blake, que foi influenciado por Swedenborg e se tornaria uma figura emblemática do Romantismo.

Emanuel Swedenborg

O extraordinário cientista místico Emanuel Swedenborg (1688-1772) iniciou a sua carreira como médico e terminou-a, ao que parece, como um arauto da vida após a morte. Ele acreditava que a fé não bastava para uma pessoa ir para o Céu, a menos que fosse acompanhada de boas obras. Sua concepção do que acontecia após a morte tem sido comparada às experiências de quase morte.

Esquerda: O cientista e místico Emanuel Swedenborg desenvolveu sua própria teologia a partir de suas visões e contato com anjos e espíritos.

Direita: O artista e poeta William Blake também é muito conhecido pelas visionárias aquarelas com que ilustrou o poema épico de Milton, Paraíso Perdido.

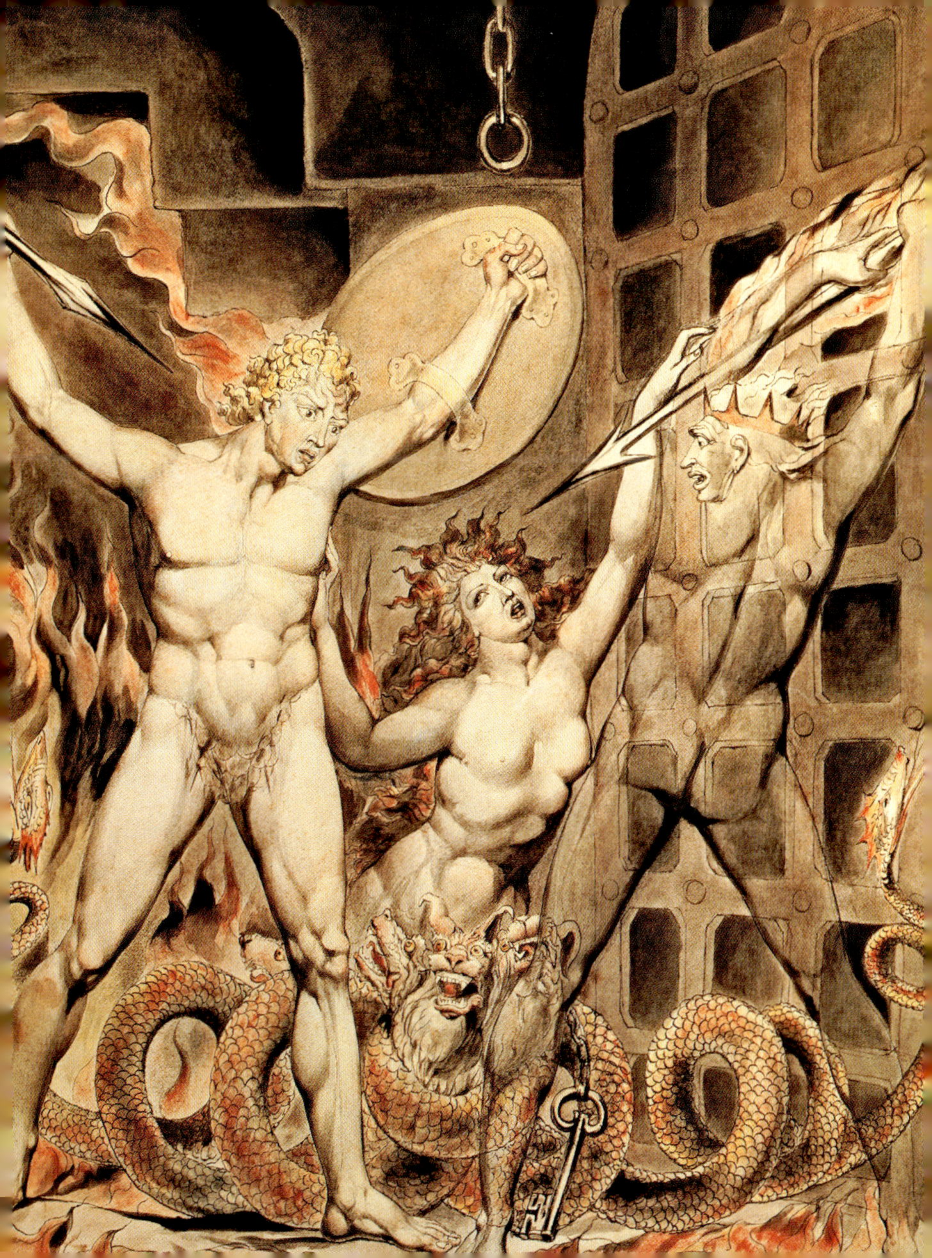

CAPÍTULO 2: A CRENÇA

Swedenborg acreditava que, no momento da morte, a alma afastava-se do corpo e seguia para um mundo espiritual muito próximo do mundo que tinha acabado de deixar, exceto pelo fato de que ali nunca haveria ilusão. A alma era recebida por seres que ele acreditava serem anjos, depois era recebida pelas almas dos amigos que ela tinha feito em vida. Mostrava-se à alma uma visão de tudo o que tinha acontecido ao longo da vida dela – nada era escondido – e ela se via cercada de luz, à qual Swedenborg se referia como a Luz do Senhor.

William Blake

William Blake (1757-1827) foi outro místico conhecido por sua poesia e arte altamente simbólicas. O fato de ter se afastado da religião cristianizada ainda pode ser visto como uma atitude radical, se não chocante, aos olhos dos mais tradicionalistas. Ele via Satanás não tanto como um agente do mal, mas como um herói rebelde, que causava mudanças pela sua recusa em se curvar a um Deus severo e ditatorial. Defensor da qualidade sagrada do amor e contrário aos casamentos restritivos de seu tempo, seus ideais eram fundamentados no conceito de amor livre, e esses ideais foram considerados os germes do movimento do amor livre de 1960. Ele via Céu e Inferno antes como estados do eu individual do que como lugares. A convicção de que Céu e Inferno estavam fora de si mesmo levou-o a acreditar que, se ambos existiam no indivíduo, podiam ser resgatados através do perdão e do autossacrifício, quando se restabelecia o equilíbrio do próprio mundo interior.

Direita: William Blake se opôs ao cristianismo ortodoxo porque acreditava que ele incentivava a repressão das alegrias mundanas.

ESPIRITUALISMO

O Espiritualismo contemporâneo é um movimento formado por indivíduos, grupos organizados e outros grupos que compartilham a crença na vida após a morte. A maioria dos espiritualistas crê no contato com a vida após a morte por meio de indivíduos conhecidos como médiuns, para promover a cura e o conforto nesta vida.

Atualmente, existem muitas organizações espiritualistas, como a difundida Spiritualist Church e a Spiritualist Association of Great Britain, e as igrejas espiritualistas da Europa, Austrália e Nova Zelândia.

O movimento espiritualista lançou suas raízes em meados de século XIX, em Nova York. Na época, uma horda incansável de reformadores esperava desafiar não só a religião convencional, como também os problemas causados pela desigualdade de gênero e raça. Muitos dos primeiros protagonistas do Espiritualismo eram quakers radicais, tais como Amy e Isaac Post. Amy e Isaac eram amigos de uma família chamada Fox e tinham levado duas das três filhas para sua casa em 1848. Essas irmãs foram o epicentro de um escândalo causado pela afirmação de que a casa onde moravam era assombrada pelo espírito de um assassino com quem se comunicavam. Para acalmar os vizinhos amedrontados das Fox, a família Post concordou em cuidar das meninas em sua casa, do outro lado da cidade de Nova York. Amy e Isaac Post se convenceram de que as experiências descritas pelas jovens eram verdadeiras e as apresentaram ao seu círculo de amigos quaker. As irmãs Fox rapidamente ficaram famosas ao afirmar que ouviam "batidas" – os baques surdos e pancadas que os espíritos usavam para transmitir mensagens durante as sessões espíritas particulares.

Na década de 1880, porém, a irmã mais velha, Margaret, confessou que as batidas não passavam de uma farsa e a reputação das meninas foi arruinada. Embora ela tenha se retratado da sua declaração, era tarde demais. Até então, o movimento espiritualista estava maculado por médiuns charlatões, enquanto as sessões, também conhecidas como canalização de grupo, eram vistas como nada mais do que jogos de salão.

O Espiritualismo, no entanto, sobreviveu aos seus críticos difamatórios e tornou-se um grande conforto para aqueles que choravam a morte de um ente querido. A Guerra Civil Americana de 1861-1865 trouxe os

CAPÍTULO 2: A CRENÇA

horrores da morte diretamente para a sala de estar, com sombrias imagens fotográficas do campo de batalha. Tal como acontece em qualquer guerra, muitas famílias queriam acreditar na vida após a morte ou encontrar provas de que seus entes queridos continuavam existindo. A esposa do ex-presidente norte-americano Abraham Lincoln, Mary Todd Lincoln, era uma fervorosa espiritualista. Depois de sofrer, em 1862, a perda do filho de 11 anos, Willie, ela organizou oito sessões espíritas na Casa Branca, na presença do próprio Lincoln. O Espiritualismo também atraiu reformadores

Abaixo: O Espiritualismo e as sessões espíritas tornaram-se muito populares na Europa e nos Estados Unidos no final do século XIX.

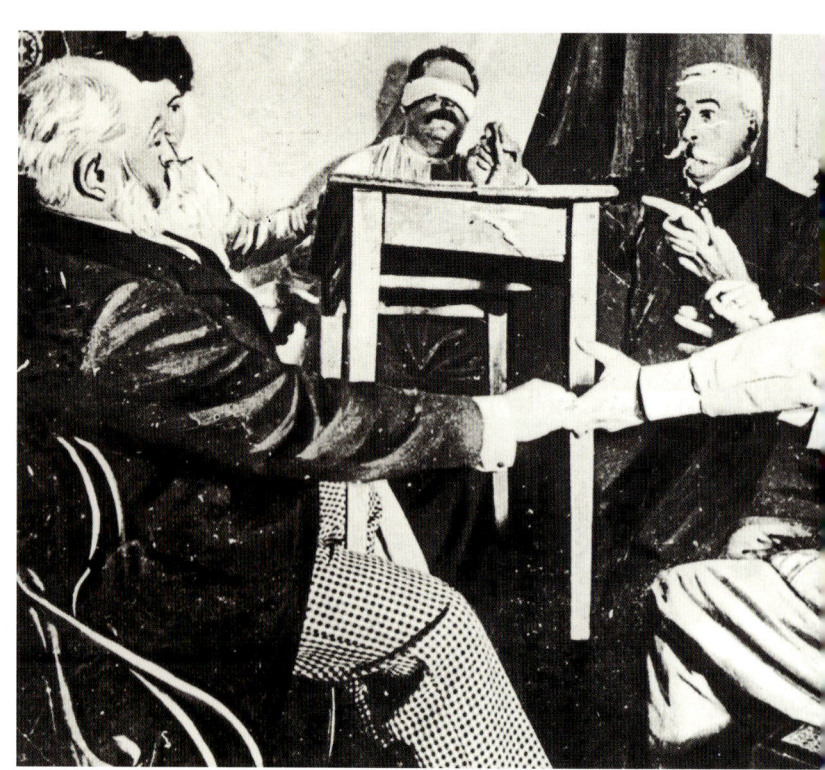

ESPIRITUALISMO

EMMA HARDINGE BRITTEN

Nascida em Londres sob o nome Emma Floyd, Emma Hardinge Britten (1823-1899) provou ter uma vidência que a levou para Nova York, onde ela se tornou uma médium de transe em sessões espíritas. A sua verdadeira vocação, no entanto, era a campanha incansável a favor do movimento espírita. Cofundadora da Sociedade Teosófica (ver página 40), e com uma longa lista de publicações em seu currículo profissional, ela acabou se casando com outro defensor do Espiritualismo, William Britten, em 1870. Em 1878, eles embarcaram numa missão para promover o Espiritualismo em toda a Austrália e a Nova Zelândia.

Emma é considerada a autora dos Sete Princípios do Espiritualismo, ainda usados por muitos grupos espiritualistas hoje em dia. São eles: a existência da alma humana; a responsabilidade pessoal nesta vida; o contato com espíritos e anjos; a fraternidade entre os seres humanos; a existência do Divino; o karma e o desenvolvimento da alma humana.

Direita: A clarividente Emma Hardinge Britten apoiou durante a vida toda o movimento espiritualista.

---

religiosos e radicais, aqueles que rejeitavam a religião organizada e cientistas da época, tais como o físico William Crookes (1832-1919) e o conhecido escritor Arthur Conan Doyle (1859-1930).

Agora usado como um termo genérico para muitos submovimentos diferentes, o Espiritualismo inclui uma vasta gama de crenças e visões de mundo. Mas todos os que o professam acreditam na vida após a morte e na comunicação com os espíritos.

Max Heindel

Nascido numa família de nobres alemães e dinamarqueses, Max Heindel (1865-1919) era um cristão ocultista, místico e astrólogo que deixou a Europa em 1903 para viver em Los Angeles e desenvolver o seu interesse por astrologia e pela Sociedade Teosófica. Mas o excesso de trabalho o deixou muito doente, com problemas cardíacos. Porém, enquanto seu corpo sofria, seu espírito aparentemente passava o tempo explorando planos invisíveis

CAPÍTULO 2: A CRENÇA

e procurando entender a humanidade e suas necessidades.

As várias irmandades rosacruzes que existiam na Europa e nos Estados Unidos na época eram todas baseadas numa sociedade secreta conhecida como Ordem Rosacruz, supostamente fundada nos últimos anos da Alemanha medieval pelo médico lendário Christian Rosenkreuz. O rosicrucianismo é simbolizado por uma rosa e uma cruz, e seu princípio central é a crença de que a antiga sabedoria esotérica pode fornecer informações sobre o universo e o mundo espiritual.

A Ordem Rosacruz de Heindel foi descrita como sendo composta por 12 Irmãos Maiores, reunidos em torno de um 13º, que era o chefe invisível. Estes eram conhecidos como os compassivos. Na Alemanha, em 1907, Heindel foi visitado por um ser espiritual evoluído que afirmava ser um irmão mais velho da Ordem Rosacruz original. Esse adepto tinha progredido e superado o ciclo de morte e renascimento. As informações que transmitiu a Heindel levaram ao *Conceito Rosacruz do Cosmos*, uma profunda e detalhada obra de referência sobre o ser humano e sua evolução espiritual. Ele também oferecia visões a Heindel sobre a vida após a morte, incluindo os mundos visível e invisível, a região intermediária (Purgatório) e o Primeiro, o Segundo e o Terceiro Céus, onde a alma é purificada e aperfeiçoada, preparando-se para o renascimento.

Esquerda: Os rosacruzes desenvolveram a jornada da alma em torno da árvore do conhecimento do bem e do mal.

Direita: Franz Mesmer surpreendeu a comunidade científica com as suas teorias do magnetismo animal e da pioneira hipnoterapia.

ESPIRITISMO

Inspirado pelo místico visionário Swedenborg (ver página 102) e, mais tarde, pelo médico alemão Franz Mesmer, o Espiritismo foi sistematizado no século dezenove pelo educador francês Allan Kardec. Ele estuda a existência e a natureza dos espíritos, que Kardec definia como as almas imortais dos seres humanos, criadas por Deus.

Os seguidores consideram o Espiritismo uma ciência e uma filosofia, não uma religião. No entanto, o principal princípio da crença espírita afirma que Deus é o criador de tudo. O Espiritismo de Allan Kardec é particularmente popular no Brasil, enquanto as igrejas

CAPÍTULO 2: A CRENÇA

espiritualistas organizadas prevalecem nas Américas Central e do Sul, nos Estados Unidos e na Europa.

A crença espírita promove o autoaperfeiçoamento, e a harmonia e o amor entre todos os seres. O Espiritismo ensina o renascimento, afirmando que a reencarnação explica as diferenças morais e intelectuais entre os seres humanos que, corrigindo seus erros, aumentam os seus conhecimentos em vidas sucessivas. A verdadeira vida é a espiritual; a vida no mundo material é apenas uma fase de curto prazo, em que o espírito tem a oportunidade de aprender e desenvolver suas potencialidades.

O Espiritismo afirma que existem dois reinos, o universo físico e o mundo espiritual invisível. No momento da morte, a alma se junta à hierarquia do mundo invisível e vive lá por um tempo, antes de reencarnar como um ser humano para continuar o seu desenvolvimento moral e espiritual. Enquanto está no mundo espiritual, a alma pode se comunicar com os vivos, revelando detalhes da vida dos espíritos e aconselhando e incentivando aqueles que ainda estão no mundo físico.

O mundo espiritual é composto de um grande número de colônias e comunidades, tanto aqui como em outros planetas, em todo o universo. Tal como o Espiritualismo (ver página 105), o Espiritismo afirma que qualquer pessoa pode se tornar um médium.

Acima: O fundador do Espiritismo, Allan Kardec, acreditava que o autoaperfeiçoamento individual nesta vida melhora as nossas vidas futuras.

WICCA

A Wicca moderna surgiu das antigas tradições politeístas da Europa pagã - tradições que foram reprimidas ou sutilmente assimiladas pelo cristianismo, mas que ainda permanecem evidentes até hoje.

Essas tradições podem ser encontradas em festividades como o Natal (originalmente a celebração do solstício de inverno) e o Halloween (originalmente o Samhain, a noite em que o véu entre os mundos visível e invisível fica mais tênue e a comunicação com os espíritos dos mortos é possível).

Há muitas tradições diferentes na Wicca, mas o denominador comum é o culto à Deusa Tríplice (donzela, mãe e anciã), a Cernunnos (o deus cornífero do mundo natural), aos ciclos lunares e aos oito sabás – as festas sazonais em celebração dos solstícios e equinócios. As crenças na vida após a morte também podem variar na Wicca, embora a reencarnação desempenhe um papel significativo na maioria das tradições.

O mundo espiritual na Wicca é conhecido como Summerland (outros credos neopagãos também usam esse termo para descrever a vida após a morte), um lugar agradável de repouso e descanso, onde a alma pode refletir sobre a vida que levou e avaliar seu próprio mérito. Não existe Céu ou Inferno na Wicca. As coisas ruins que acontecem são vistas como parte do ciclo da vida, e devem ser aceitas e depois evitadas.

Direita: Na Wicca e outras religiões pagãs, o Deus cornífero Cernunnos é cultuado como o espírito do mundo natural.

CAPÍTULO 2: A CRENÇA

XAMANISMO

O Xamanismo é a prática de se comunicar com o mundo espiritual. É comum entre os povos indígenas, cuja cultura tem como núcleo a crença no animismo. A palavra "xamã" era originalmente uma palavra mongol que significava "aquele ou aquela que sabe".

Depois de passar por uma iniciação e transformação, os xamãs geralmente trabalham sozinhos, entrando num estado de transe para buscar revelações e visões, entrando em contato com o mundo espiritual.

Os xamãs atuam como mensageiros entre os seres humanos, os espíritos e reinos sobrenaturais. Eles entram nesses outros mundos para descobrir soluções tanto para problemas pessoais quanto da comunidade e podem encontrar guias espirituais que o conduzem em sua viagem através da vida após a morte.

Muitas vezes, esses guias espirituais acompanham o xamã a maior parte do tempo, mas há casos em que ele os encontra apenas quando está em transe. O guia espiritual energiza o xamã, permitindo que ele entre na dimensão espiritual. Os xamãs podem ajudar a resgatar uma alma, recuperando suas partes "perdidas" onde quer que elas estejam. (Ao longo das encarnações, a alma pode ter-se desligado do corpo, ficado presa em outra vida ou totalmente perdida devido a um trauma físico ou psicológico.) Os xamãs também tiram o excesso de energias negativas que confundem ou poluem a alma. Eles muitas vezes recuperam a essência da alma, que pode se dissociar do corpo depois de alguma mudança dramática na vida. Por exemplo, os tucanos, um grupo indígena do noroeste do Amazonas, são famosos por recuperar a alma dos animais que morreram durante a caça.

Ainda é possível encontrar xamãs tradicionais entre os povos urálicos da Rússia e da Sibéria, bem como em pequenas comunidades do Tibete, Nepal, Coreia e Taiwan. Eles também são encontrados entre os povos inuit da América do Norte e Canadá. O xamanismo é comum na América do Sul, especialmente

Direita: Muitos povos indígenas consultam um xamã, cujo papel é se comunicar com os espíritos a fim de ajudar os vivos.

XAMANISMO

na Amazônia – por exemplo, os *curanderos* da Amazônia peruana e os populares xamãs conhecidos como *ayahuasqueros*, famosos por seu chá alucinógeno. Na Austrália, os xamãs são conhecidos como "homens ou mulheres astutos", ou *kadji*. Em Papua-Nova Guiné, os xamãs são conhecidos por exorcizar os *masalai*, ou espíritos das trevas.

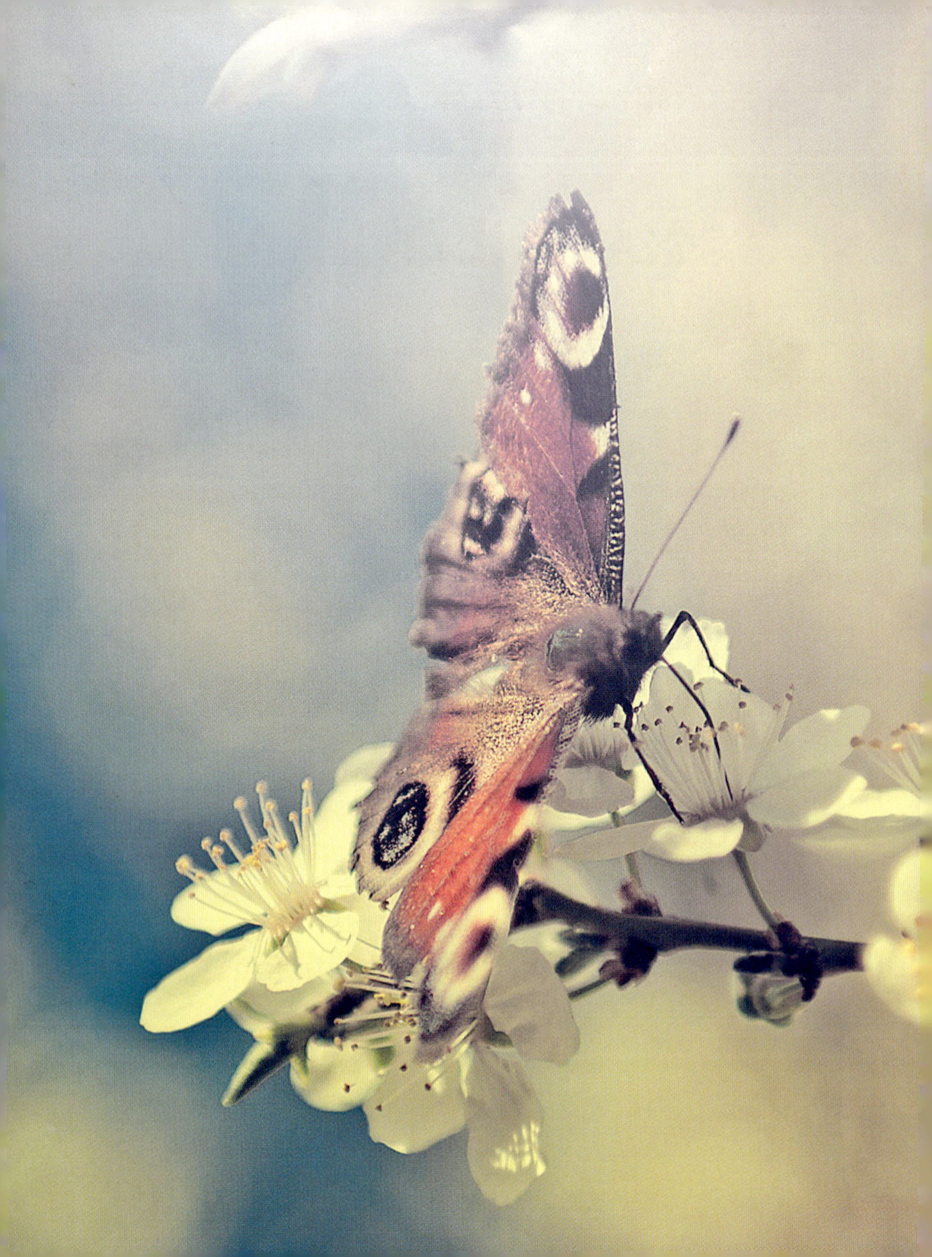

Capítulo 3
A NATUREZA DA ALMA

Durante milhares de anos, o conceito de que todas as coisas vivas têm uma alma esteve na raiz da nossa crença na vida após a morte. O mundo espiritual é onde os espíritos ou almas ancestrais vivem em felicidade eterna ou num inferno eterno, dependendo do seu estado interior. Mas o que é a alma? Para a maioria de nós, a ideia de alma evoca alguma essência misteriosa que não conhecemos, mas às vezes vislumbramos ou sentimos. Talvez esse conhecimento ocorra quando estamos "abstraídos de nós mesmos", em momentos em que apreciamos uma grande obra de arte, a música, o amor, o êxtase sexual ou a meditação. Não é algo que podemos agarrar com as mãos, mas, ao acreditar na sua existência, nossa vida adquire significado. A alma é um símbolo da natureza espiritual do nosso ser e da nossa conexão com o Divino. O entendimento de como as diferentes religiões e os grandes pensadores através dos tempos definiram a alma, e o modo como ela se encaixa em suas imagens da vida após a morte, pode nos dar uma visão e compreensão maiores desse mistério.

CAPÍTULO 3: A NATUREZA DA ALMA

O QUE É ALMA?

Morte – o último sono? Não, é o despertar final.

Walter Scott

Na maioria das tradições espirituais, a alma tem sido associada com a morte e a vida após a morte. O corpo físico morre, mas a alma vive eternamente, seja como uma alma individual (felizmente), ou uma Alma do Mundo (num nível mais profundo). Em algum momento da vida, todos nós fazemos a seguinte pergunta: "Para onde é que eu vou quando morrer? As luzes vão apenas se apagar e mais nada? Quem sou eu? Qual é o sentido da vida?" Algumas pessoas descobrem uma crença que se encaixa no propósito da sua alma – que dá sentido à sua vida. Mesmo que estejam sofrendo, se a vida delas tem significado, isso lhes dá um incentivo para continuar persistindo. Mas de onde surgiu a ideia de que a alma existe? E nas tradições europeias, como e por que essa ideia surgiu, mudou e se desenvolveu?

Essência eterna

Platão (428-347 a.C.) foi um dos primeiros filósofos gregos a considerar a alma como a essência eterna do indivíduo. Ele acreditava que a alma está continuamente renascendo em corpos diferentes. Platão e seus seguidores acreditavam que já temos todo o conhecimento do universo quando chegamos ao mundo, porque a alma está naturalmente familiarizada com o que ele chamava de "formas eternas", que, de acordo com a teoria de Platão, são as verdades maiores subjacentes e fundamentais da realidade.

Acima: Um dos maiores filósofos gregos, Platão, acreditava que todos nós temos a nossa própria alma única.

Teoria das formas de Platão

A "forma" é a essência ou a qualidade que faz algo ser o que é. Por exemplo, a essência de um gato, a essência de uma mesa, a essência de uma rocha são os atributos que os

O QUE É ALMA?

tornam exclusivamente o que eles são. Sem essa essência ou "forma", a coisa ou objeto não seria o tipo de coisa que é – existem inúmeros gatos no mundo, mas a "gatidade" é a essência de todos os gatos, por exemplo.

Platão acreditava que cada indivíduo tem sua própria essência única – a sua alma. Ele também postulava que a alma humana carrega todo o conhecimento das "formas eternas" (a essência e a forma ideal da verdade, da beleza, da justiça, e de outros arquétipos universais) em cada vida física, mas se esquece desse conhecimento. Através do reconhecimento, no entanto, a alma lembra, resgata as ideias do mundo das formas. Isso é como saber a verdade de algo quando o vemos. Por exemplo, inconscientemente (no nível da alma) conhecemos a essência de uma mesa, a essência do ouro, a essência da verdade, a essência da beleza – as qualidades abstratas de tudo o que existe. A nossa alma já sabe disso, mas isso não vem à "mente" até que reconheçamos. Pode ser tão simples quanto de repente ter um *insight*, lembrando-nos de algo que podemos não acreditar conscientemente que conhecíamos antes, um sentimento de que sabemos que conhecíamos alguma coisa antes, vivíamos nossa vida de uma forma diferente antes. Segundo Platão, à medida que nos desenvolvemos ao longo da vida, nossa alma está, na verdade, recordando e reconhecendo a essência de todas as coisas que ela já sabe de maneira inata, e nós, como indivíduos, não estamos, na verdade, aprendendo novas informações – estamos simplesmente lembrando.

Esquerda: Segundo Platão, a nossa alma já conhece a essência do universo, e à medida que seguimos a trajetória da vida, nós aos poucos redescobrimos tudo o que a nossa alma sabe.

CAPÍTULO 3: A NATUREZA DA ALMA

ALMA DO MUNDO

Na filosofia ocidental, o Demiurgo de Platão, o artesão não julgamentoso do universo, precisava trazer à vida a sua tela em branco do universo.

Olhando para as formas eternas, o Demiurgo copiou, moldou, trabalhou e replicou todas as coisas perfeitas que viu ali e encheu o universo com essas réplicas. Isso significa que o universo era na verdade uma réplica de uma realidade perfeita. O Demiurgo também infundiu o universo com a sua própria alma, conhecida como *psique tou kosmou* ou a "alma do cosmos", mais comumente conhecido como Anima Mundi, ou Alma do Mundo.

Foi esse conceito de Alma do Mundo que teve uma influência profunda sobre filósofos posteriores como Plotino, cujos escritos do século III d.C. também inspiraram a filosofia espiritual e esotérica ocidental, desde o Renascimento até hoje.

Plotino, intrigado com a ideia de Platão das formas eternas, reviveu e desenvolveu a filosofia platônica. Ele também aproveitou a ideia de Alma do Mundo, desenvolvendo-a e tornando-a um conceito mais profundo. Plotino acreditava que a Alma do Mundo era uma força cósmica que animava, unificava e controlava todos os aspectos do universo. Não foi a criação do Demiurgo como tal – na verdade, a Alma do Mundo era "tudo e em toda parte". Para Plotino, ela fluía através de tudo, era imanente.

Os escritos de Plotino passaram a inspirar o filósofo e astrólogo italiano do século XV Marsilio Ficino, que traduziu não só todas as obras de Platão para o latim, mas também as obras de Plotino e muitos outros textos gregos desconhecidos, tornando-os acessíveis a

Direita: O mago do Renascimento, Giordano Bruno, foi muito influenciado pelos escritos de Ficino e acreditava no poder da alma.

ALMA DO MUNDO

todas as instituições acadêmicas da Europa. Portanto, Ficino foi um dos principais protagonistas do Renascimento e da filosofia humanística. Para ele, a Alma do Mundo é uma essência espiritual dentro da criação, que norteia a vida e o cosmos, enquanto que a alma humana é um modelo em miniatura da Alma do Mundo. Para Ficino, a Alma do Mundo contém e ao mesmo tempo permeia cada indivíduo, então nós somos parte dela, não separados. Na verdade, as almas individuais são fragmentos da Alma do Mundo e por isso, ao atingir a compreensão de nós mesmos, nós entendemos a Alma do Mundo.

Os artistas da Renascença viam a Alma do Mundo como a força criativa por trás das suas obras. Esse conceito renascentista de Alma do Mundo acabou por se tornar o princípio da maioria das crenças esotéricas no mundo ocidental. Já era o núcleo de crenças orientais, como o taoismo e o hinduísmo, que remonta há milhares de anos.

DOIS PÁSSAROS AMIGÁVEIS

Os Upanishads, os textos sagrados da milenar religião hindu, comparavam a alma individual e a Alma do Mundo com dois pássaros amigáveis empoleirados na mesma árvore. Uma das aves (a alma do indivíduo) está comendo o fruto da árvore, enquanto o outro pássaro (a Alma do Mundo) está simplesmente observando o amigo. O pássaro da Alma do Mundo não tem desejos, nem ego, nem intenção, enquanto o outro pássaro, a alma individual, está encantado com a árvore e não quer voar para longe. A Alma do Mundo se contenta em esperar que seu amigo coma todo o fruto da árvore até que já não tenha fome e esteja pronto para voar para longe com ela. Isso revela que a nossa alma faminta precisa se alimentar de vida, até que esteja pronta para partir e voltar para o acolhimento da Alma do Mundo.

Acima: Acredita-se que alma individual faça parte da Alma do Mundo.

CAPÍTULO 3: A NATUREZA DA ALMA

DUAS ALMAS

Os gregos da época de Homero acreditavam que temos duas almas, psiquê e timo (em grego, psykhé e thymós). Timo era uma alma física, enquanto psiquê (ver página 81) era a força vital que continuou a viver depois da morte no Hades, como uma das sombras. Timo era associado com a consciência pelo filósofo Heráclito (535-475 a.C.), mas ele também acreditava que psiquê ou alma estava relacionada com as profundezas insondáveis do nosso próprio ser.

Os cultos de mistério órficos prosperaram uns cem anos depois de Heráclito e foram influenciados pelas culturas xamânicas dos trácios, que viviam perto do mar Negro. No pensamento espiritual órfico, a alma separava-se inteiramente do corpo e existia independentemente dele após a morte. Seguidores desses cultos tinham motivo para acreditar que a morte levava a coisas melhores.

Outras culturas, como o povo inuit caribou, acreditavam que a pessoa tinha mais de um tipo de alma. Para eles, uma estava associada com a respiração; a outra, associada com a personalidade, acompanhava o corpo como uma sombra. A religião tradicional chinesa também definia dois tipos de alma, *hun* e *po*, que correspondiam ao yang e yin respectivamente.

Esquerda: Heráclito acreditava que a alma carregava as sementes do nosso caráter.

Direita: Yin e yang não são opostos polares, mas são uma e a mesma coisa.

DUAS ALMAS

Dentro desse conceito de dualismo da alma, todo ser humano tem uma alma etérea, que deixa o corpo após a morte, e uma alma física, que permanece conscientemente com o cadáver.

Como a alma é incapaz de deixar o mundo físico, muitas culturas, como os povos ewe e fon da África Ocidental, acreditam que ela se torna um fantasma após a morte física.

CAPÍTULO 3: A NATUREZA DA ALMA

ALMA OU ESPÍRITO?

Muitas vezes, as palavras "alma" e "espírito" são usadas indistintamente, mas na verdade existe uma diferença entre as duas. Parece que, enquanto o espírito é algo que pode se manifestar no mundo físico, a evasiva alma é mais como uma borboleta - difícil de definir, que dirá de capturar.

Em muitas tradições espirituais, tais como o cristianismo, é geralmente aceito que algo muitas vezes conhecido como espírito anima o corpo e lhe serve como ponte para a vida. Por exemplo, no Novo Testamento, Tiago 2:26 diz que "o corpo sem o espírito está morto", e o Salmo 104 revela que "Se lhes tira o espírito, morrem e voltam para o seu pó". Aqui, o espírito é uma referência a uma força invisível que anima todas as criaturas vivas.

Na psicologia transpessoal contemporânea, enraizada na psicologia junguiana, o espírito é equiparado à mente e ao ego. Espírito é ação, ele faz as coisas acontecerem, faz coisas, ama, alimenta, segue, comanda a vida. A alma, no entanto, recorda, lembra-se de outros reinos ou vidas passadas, sente, conhece profundamente e escuta. Então, quando o espírito ou força vital morre, a centelha da alma retorna à Alma do Mundo. Ela repousa por um tempo, a sua luz é vista no céu como uma nova estrela que um dia cai na Terra novamente. Nesse caminho, a alma evolui através de uma hierarquia de vidas através de várias encarnações até alcançar a felicidade eterna.

Por isso, pode-se dizer que a alma é a essência mais profunda de algo eterno e duradouro dentro de nós, e sua fonte é a Alma do Mundo, enquanto o termo "espírito" descreve nossos desejos, instintos, pensamentos conscientes e o ego. O psicólogo arquetípico James Hillman (1926-2011) comentou que, se a alma é arte, o sobrenatural, o "outro" mundo, então o espírito é verdade, ciência, a chamada realidade racional, lógica, e causa e efeito. Ele também afirmava que o "espírito" (como a maioria dos cientistas) raramente aceita a existência da vida após a morte – ele normalmente nega isso. O espírito tem um mecanismo de defesa, desencadeado pelo medo de que tudo o que não é desta vida ou da chamada realidade não exista.

A alma é misteriosa e espiritual. Ela se esconde dentro de nós. A alma suscita o sentimento de que você já esteve aqui antes, um conhecimento interior, um *déjà-vu*. Enquanto que, com o espírito, você poderia pensar, "Ok,

ALMA OU ESPÍRITO?

talvez eu já tenha estado aqui antes, então vou descobrir quando e por quê!"

O cultivo da alma

O poeta John Keats (1795-1821) resumiu com maestria o propósito de vida em relação à alma numa carta aos seus irmãos, escrita em 1819. Ele acreditava que todos nós temos centelhas de luz divina dentro de nós, mas essa centelha única torna-se uma alma de verdade quando adquire uma identidade. A vida do indivíduo é a que ele chamava de Vale do Cultivo da Alma. Embora possamos ter nascido com uma alma, temos que trabalhar em prol de melhorá-la, e o "vale", portanto, é nossa jornada pela vida.

No entanto, se pudermos tecer o espírito e a alma harmoniosamente no tecido da nossa vida para curar nós mesmos e os outros, libertando-nos do medo ou da dor da perda, esse "Vale do Cultivo da Alma" tornará nossa vida mais feliz em espírito, alma e corpo.

O mundo espiritual

Se o espírito é algo que ativa um indivíduo e dá vida a ele, e a alma é o aspecto eterno de cada indivíduo, termos como "espiritual" e "mundo espiritual" obviamente confundem as coisas. (Talvez ele devesse ter sido chamado de "alma do mundo"). Mas, no contexto do presente livro, espíritos, sejam antepassados, fantasmas, sombras enevoadas ou demônios terríveis, são manifestações ativas de almas individuais.

Abaixo: A chama de uma vela pode ser comparada ao espírito humano, enquanto oculta dentro da cera estão as profundezas da alma.

CAPÍTULO 3: A NATUREZA DA ALMA

A ALMA NO ANTIGO EGITO

A alma no Antigo Egito era muito complexa e, devido às muitas mudanças dinásticas ao longo de milhares de anos, ela era conhecida por ser composta de uma, duas, cinco ou seis partes diferentes.

Por volta do ano 2500 a.C., o *ka* e o *ba* eram considerados os componentes essenciais da alma. Acreditava-se que, no momento em que um ser humano era criado, o *ka* também era feito pelo deus Khnum, na sua roda de oleiro. O *ka* era o equivalente espiritual do corpo. Seguia a pessoa como uma sombra invisível, e os faraós acreditavam que eram guiados e protegidos por seu *ka* ao longo da vida. Quando alguém morria, o *ka* passava a viver na tumba, e muitas vezes o corpo mumificado tornava-se a sua morada eterna. Se o corpo fosse destruído no túmulo, o *ka* ficaria sem casa e sofreria uma segunda morte junto com o *ba* – um destino muito temido pelos faraós.

O *ba* era basicamente a essência de uma pessoa viva, o que o tornava único, sua personalidade. Para os egípcios, a cabeça física estava estreitamente identificada com toda a pessoa, enquanto o coração era supostamente o centro da consciência. Para representar a passagem dos mortos para a vida após a morte, o *ba* era descrito como a cabeça da pessoa presa ao corpo de um pássaro, de modo que ele pudesse voar até Duat, o

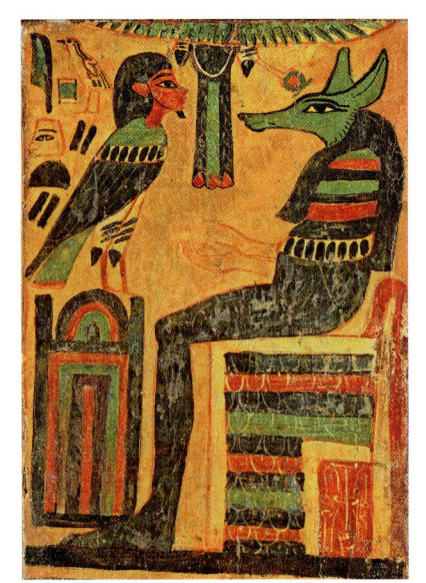

Esquerda: O ba, *ou essência, voava para fora do corpo, para o Reino dos Mortos.*

Direita: O ka, *ou o espírito, ficava com o corpo mumificado na tumba.*

A ALMA NO ANTIGO EGITO

Reino dos Mortos. Se o *ba* fosse considerado puro, podia então se tornar uma versão grandiosa de si mesmo, conhecida como *akh*, e podia se fundir com os deuses.

A maioria dos corpos era colocada num sarcófago ou túmulo de pedra, todo murado. A tumba era protegida com feitiços mágicos e maldições poderosas. Se o túmulo fosse um dia roubado ou o corpo destruído, uma estátua do falecido era colocada no túmulo, de modo que o *ka* permanecesse na estátua, evitando assim que o *ka* e o *ba* sofressem uma segunda morte.

CAPÍTULO 3: A NATUREZA DA ALMA

A ALMA NA ANTIGA GRÉCIA

As crenças da Antiga Grécia talvez tenham influenciado mais o pensamento religioso e filosófico da cultura ocidental do que as de qualquer outra civilização. É nos gregos antigos que o Ocidente buscou inspiração para as suas ideias sobre a natureza da alma e sua jornada espiritual.

Antes que o conceito de alma surgisse no pensamento grego, os espíritos eram os intermediários entre os mundos invisível e visível. Eles se apresentavam das mais variadas formas: espíritos bons da natureza, ninfas e personificações de ideias abstratas tais como o esquecimento (*lethe*), a ilusão (*ate*) e o ciúme (*zelus*). Existiam também os espíritos malignos, conhecidos como os Keres, de acordo com os escritores Hesíodo (século VIII-VII a.C.), Homero (século VIII a.C.) e Virgílio (70-19 a.C.), sem esquecer os espíritos

A ALMA NA ANTIGA GRÉCIA

que observavam as ações dos seres humanos e os recompensavam se fossem boas e sinceras.

Sombras e o sopro da vida

A alma humana foi a princípio considerada como o sopro da vida, o princípio vivificante dos seres humanos e de outros animais. A palavra grega para a alma, *psyche*, originalmente se referia a esse sopro vital. Ele deixava o corpo no momento da morte, após o que viajava para o Mundo Inferior, onde passava a eternidade como uma sombra imaterial ou pálida imagem da pessoa a que tinha uma vez insuflado vida. Aqueles que tinham sido bons e honrado os deuses iam para o paraíso dos Campos Elíseos. Os maus e aqueles que tinham desonrado os deuses sofriam no Tártaro infernal, enquanto a grande maioria das almas comuns vagava pelos sombrios Campos de Asfódelos.

Era vital para as almas dos mortos que bebessem das águas do rio Lethe (que significava "esquecimento"), um dos cinco rios que fluíam através do Hades, o Mundo Inferior. Essa água lhes assegurava o esquecimento de tudo que tinham vivido e aceitassem seu destino na morte. Iniciados de um ramo da religião grega antiga conhecida como orfismo, dedicada à literatura do poeta mítico Orfeu, aprendiam que, se bebessem do rio Mnemósine (que significa "memória") em vez da do Lethe, poderiam conservar suas lembranças e tornar-se oniscientes.

No entanto, à medida que a civilização grega avançava, os conceitos sobre a alma tornaram-se mais sofisticados e passou-se a fazer uma distinção entre *pneuma* (espírito) e *psique* (alma), sem esquecer o guardião da alma conhecido como *daimon*.

Pneuma

O antigo filósofo grego do século VI a.C., Anaxímenes de Mileto, foi o primeiro a mencionar *pneuma* como "ar em movimento, respiração, vento", e o elemento do qual tudo se originou. Anaxímenes observou que "assim como nossa alma (*psique*), sendo ar (*aer*) nos mantém coesos, a respiração (*pneuma*) e o ar (*aer*) mantêm coeso o mundo inteiro".

Posteriormente, os filósofos estoicos do século III a.C. acreditavam que todas as pessoas são manifestações de uma alma universal e devem viver no amor fraterno e ajudar umas às outras. Para os estoicos, *pneuma* era o conceito de "sopro de vida", uma mistura dos elementos ar (em movimento) e fogo (como calor) e era o princípio gerador ativo que organizava tanto o indivíduo quanto o cosmos.

Com a tradução da *Septuaginta*, a versão grega da Bíblia hebraica, *pneuma* tornou-se o "espírito" e continuou a ser usado como tal

Esquerda: Os Campos Elíseos eram o destino dos heróis ou daqueles que se destacavam pelas suas obras. Mesmo em épocas mais recentes, como o século XVIII, o filósofo francês Rousseau foi retratado chegando nesse lugar idílico.

CAPÍTULO 3: A NATUREZA DA ALMA

no Novo Testamento. Por exemplo, de acordo com João 3:5, para entrar no reino de Deus, o "espírito", juntamente com a "água", era considerado um dos componentes essenciais de que o ser humano precisava.

Psiquê, deusa da alma

O conceito de sopro da vida como *psique* em oposição a *pneuma* desenvolveu-se na antiga cultura grega a ponto de ser personificado como a bela deusa da alma, Psiquê, muitas vezes descrita com asas de borboleta. Para ajudar a entender a jornada da alma à medida que ela flui silenciosamente junto com a própria jornada da vida, o antigo mito grego de Psiquê é uma excelente analogia.

No mito grego, Psiquê era uma princesa mortal que se apaixonou por Eros, o deus do amor e filho de Afrodite. Depois que Eros a abandonou devido a uma momentânea falta de confiança, Afrodite enviou Psiquê a uma série de provas com a intenção de ver se ela era digna do amor de Eros. Na última tarefa, Psiquê foi enviada às profundezas do Mundo Inferior para pedir a Perséfone algumas das suas poções mágicas de beleza para que ela as desse a Afrodite. Desesperada ao ver que não seria capaz de cumprir a tarefa, Psiquê subiu numa torre de pedra, pronta para se atirar dali e tirar a própria vida. A torre, no entanto, de repente falou com ela e disse-lhe como encontrar a entrada para o Mundo Inferior. Seguindo o conselho da torre, Psiquê fez seu caminho até as profundezas do Mundo Inferior e encontrou Perséfone, que concordou com o pedido de Psiquê. Vencida pela curiosidade, Psiquê não pôde resistir e abriu a caixa na esperança de aumentar a sua própria beleza. Vapores misteriosos exalaram da caixa e a fizeram dormir um sono de morte. Afrodite percebeu que Psiquê tinha provado seu amor por Eros e concordou em desfazer o encanto fatídico. Eros voltou para Psiquê na terra dos deuses, onde ela foi reverenciada ao se tornar a "deusa da alma".

Esse mito revela que, quando os deuses nos favorecem, podemos nos tornar imortais

Direita: Quando Eros e Psiquê finalmente ficaram juntos, ela se tornou deusa da alma.

A ALMA NA ANTIGA GRÉCIA

CENTELHA ÂNIMICA

Pitágoras, o antigo filósofo grego dos séculos 6-5 a.C., acreditava que a alma era uma centelha solitária da luz do universo. Essa centelha ânimica cai em algo que chamamos "vida", um lugar sombrio através do qual a centelha deve encontrar o seu caminho, iluminando a escuridão à medida que avança, na esperança de voltar para o lugar de onde veio. A alma, animada pela centelha, era acompanhada na vida por um *daimon* orientador, um amigo, mentor ou alma sábia.

Esquerda: Pitágoras foi o primeiro a acreditar nas centelhas ânimicas.

também. No entanto, como a experiência de Psiquê reflete, a vida é cheia de reviravoltas, testes e desafios. Isso nos oferece a oportunidade de receber a sabedoria e o conhecimento inatos da nossa alma (representados pela torre que fala com Psiquê) e agir de acordo com eles, à medida que ela reconhece as verdades universais, e, portanto, se desenvolve ao longo da vida. Vencendo os desafios e obstáculos, a alma acaba por se aproximar do seu lar espiritual, um lugar de perfeito amor. A alma evoluiu, enriquecida pelas suas experiências ao longo da vida.

Empédocles e os *daimons*

Empédocles, filósofo e místico que viveu entre 490-430 a.C., foi o primeiro a afirmar que tinha sido um *daimon*, numa encarnação anterior e, na verdade, ainda era um! Ele acreditava que depois de ser uma alma mensageira, um *daimon*, e ter vivido entre os deuses, tinha encarnado como homem na Terra. O *daimon* não é um demônio, mas uma alma sábia que lidera outras almas ao longo da sua existência terrena.

Filósofo carismático e peregrino, Empédocles dizia ter poderes divinos. Segundo escreveu o historiador Plutarco, ele vagava pela Sicília e a Grécia com vestes coloridas, supostamente fazendo milagres, ressuscitando os mortos e controlando o vento. Seus ensinamentos eram sobre a viagem da alma para atingir o amor perfeito. Num relato, conhecido como papiro nº 115, encontrado

CAPÍTULO 3: A NATUREZA DA ALMA

Acima: Empédocles estava convencido de que tinha vivido entre os deuses.

pela Universidade de Estrasburgo em 1999, ele descreveu que, quando era um mensageiro entre os deuses, foi banido da companhia deles por comer carne. Teve então que passar trinta mil anos viajando por todos os reinos para nutrir sua alma. Durante o seu banimento, foi obrigado a pagar pelo seu pecado reencarnando em cada forma viva da natureza, para finalmente renascer como imortal novamente.

Platão e o *daimon*

Platão (428-347 a.C.) concordava com a crença de Empédocles de que todo ser humano tinha, desde o nascimento, um *daimon*, um espírito orientador (ver página 127). Segundo disse na República, "Não é um gênio que vos escolherá, vós mesmos escolhereis o vosso gênio". Esse guia espiritual invisível, semidivino, orientava o indivíduo a seguir o caminho

---

A ALMA E AS ESTRELAS

A elite instruída da Antiga Grécia acreditava que as almas eram estrelas de ouro, originárias do céu celestial. Lâminas de ouro, papiros de ouro puro, foram encontrados por arqueólogos nas ruínas de colônias gregas antigas, na Itália meridional. Conhecidos como "lamelas", esses papiros datam dos séculos V-IV a.C. Originalmente, as lâminas eram colocadas em amuletos para acompanhar os mortos em seus túmulos. Inscritas com sinais mágicos, revelavam que a alma do morto iria descobrir um cipreste que havia perto de um riacho refrescante. A árvore era protegida por guardiões que deveriam ser reverenciados e a alma deveria recitar as seguintes palavras para aplacar os deuses: "Eu sou filho da Terra e do Céu". Dessa maneira, o corpo retornava à Terra e a alma continuaria rumo ao seu destino estrelado.

A ALMA NA ANTIGA GRÉCIA

certo ao longo da vida e também depois da morte, de modo que a sua alma (*psique*) chegasse ao lugar a ela designado na vida após a morte. Por outro lado, aqueles que ignoravam seu *daimon* vagavam perdidos e perplexos, tanto durante a vida quanto depois da morte. A alma sábia seguia seu guia e suas circunstâncias, mas a alma que só cobiçava as coisas mundanas errava pela Terra e, depois de muita resistência e sofrimento, era levada com dificuldade pelo espírito guia.

Como mencionado na página 117, para Platão, o mundo era uma versão defeituosa do seu mundo perfeito, povoado por "formas" ideais, imutáveis e eternas. Desse modo, os seres humanos, na superfície, eram também réplicas defeituosas de cada alma perfeita.

Alegoria da caverna de Platão

Para demonstrar como as formas eternas (ver página 117) poderiam ser entendidas, e como podemos compreender melhor a nossa própria alma, Platão afirmava que a nossa existência terrena é como estar numa prisão, e para ilustrar essa ideia criou a seguinte alegoria: somos como prisioneiros acorrentados dentro de uma caverna e que passam o tempo todo olhando para a parede do fundo, iluminada por uma fogueira. Nessa parede são projetadas sombras de estátuas representando pessoas, animais, plantas e objetos, mostrando cenas e situações do dia a dia. Como prisioneiros, só podemos ver as sombras projetadas na parede, não o que é de fato projetado sobre ela, e essas sombras, portanto, são a nossa única realidade.

Platão postulava que, se um prisioneiro é libertado, mesmo que ele se vire e veja o fogo e as estátuas, quando explora o interior da caverna ele percebe que as sombras na parede não são reais. Não demora muito para ele entender que existe uma outra realidade. Ele então deixa a caverna e entra em contato

Acima: Platão foi um dos mais importantes e influentes filósofos da história ocidental.

CAPÍTULO 3: A NATUREZA DA ALMA

A ALMA NA ANTIGA GRÉCIA

Esquerda: A alegoria da caverna, de Platão, é uma metáfora para compreendermos a nossa alma.

com o mundo real além da caverna. Platão sugeria que, se o homem então voltasse para tentar explicar aos outros prisioneiros o que tinha visto, ninguém iria acreditar nele, porque a realidade deles seria simplesmente o que viam diante de si: sombras dançando na parede.

Platão explicava que a alma humana pode perceber mais facilmente o mundo das formas eternas quando não está confinada no corpo humano – a caverna –, mas insistia que os seres humanos não tinham sido feitos para apressar a separação entre a alma e o corpo. O nosso objetivo deveria ser aprender gradualmente essas coisas no caminho para a iluminação. Nós nos tornamos iluminados mudando a nossa percepção, voltando-nos primeiro para o fogo, então saindo da caverna para ver a luz e depois conhecendo por fim o lugar ao qual toda alma pertence.

Aristóteles

Aristóteles (384-322 a.C.), um dos maiores filósofos gregos e estudiosos de todos os tempos, tinha um conceito muito complexo de alma. Ele exerceu uma influência profunda sobre sacerdotes cristãos posteriores, tais como Tomás de Aquino (ver página 148), e o subsequente Iluminismo. Aristóteles acreditava que tudo o que estava vivo tinha

CAPÍTULO 3: A NATUREZA DA ALMA

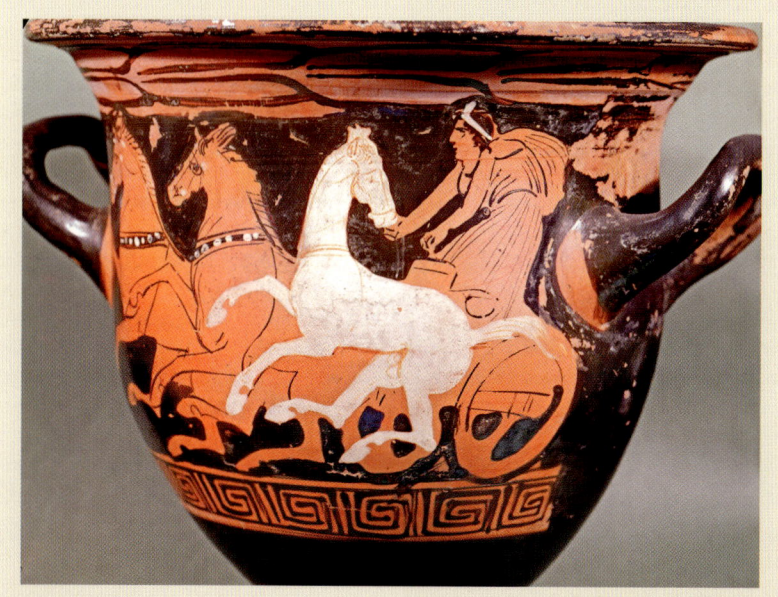

Acima: Platão usou o símbolo de uma carruagem puxada por cavalos como uma alegoria para a alma humana.

A CARRUAGEM DE PLATÃO

Em *Fedro*, Platão descreve a alma humana como uma carruagem conduzida por dois cavalos. O cocheiro representa a parte da alma que deve guiá-la para a verdade, enquanto um cavalo representa os impulsos morais racionais, e outro, o desejo irracional. Antes do nascimento, a carruagem circunda os confins do céu na companhia dos deuses, olhando para o que está além, as formas eternas (ver página 117). As carruagens dos deuses circulam pelo perímetro indefinidamente. Algumas almas têm dificuldade para controlar o cavalo irracional, e assim a alma cai na Terra. Se isso acontecer, a alma encarna num dos nove tipos de pessoa, de acordo com a proporção de verdade que ela vislumbrou das formas eternas. Durante a vida, e a partir do que a alma pode se lembrar das formas eternas, ela tenta, com a ajuda de outras almas, recuperar o seu conhecimento para retornar após a morte ao seu lar celestial.

A ALMA NA ANTIGA GRÉCIA

uma alma e que era a alma que tornava essas coisas vivas. A alma era a forma ou essência de uma coisa. E era composta de três partes – a alma vegetativa, a alma sensitiva e a alma intelectiva. A alma intelectiva ou intelecto pertencia aos seres humanos apenas. Segundo Aristóteles, o intelecto podia existir sem o corpo e é imortal, embora não fosse o tipo de "alma" que poderíamos imaginar que ele fosse. Pelo contrário, era uma força abstrata.

Em vez de ser separados, a alma e o corpo estavam indissociavelmente ligados. Aristóteles afirmava que a alma não podia existir sem um corpo, mas não era ela própria um corpo. A alma era algo que pertencia ao corpo e, portanto, só existia dentro dele. Isso, naturalmente, implicava que a alma não é eterna e que deixa de existir com a morte.

Embora, curiosamente, ele sustentasse que o intelecto era imortal, estava convencido de que não havia vida após a morte, e essa última crença tornou-se uma das principais influências sobre o pensamento científico moderno. Alguns comentaristas sugeriam que, levando-se em conta o uso que Aristóteles fazia da palavra "alma", ela é mais bem traduzida como "força vital".

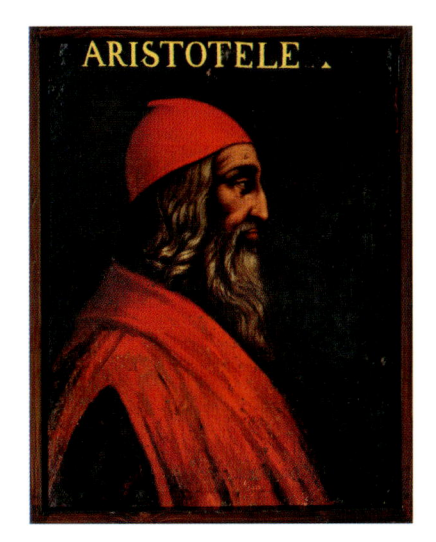

Esquerda: O filósofo grego Aristóteles influenciou não só a Igreja Cristã, mas o Iluminismo e o pensamento científico moderno.

CAPÍTULO 3: A NATUREZA DA ALMA

A ALMA NA ÍNDIA

Embora o hinduísmo abranja uma variedade de diferentes crenças e caminhos, o atman é a alma, o eu essencial, a verdadeira essência eterna, e acredita-se que seja uma alma comum a todas as coisas vivas.

O *atman* hindu

Desde o 3º milênio a.C., o hinduísmo considera o corpo um mero recipiente do *atman*, sendo o *atman* aquilo que anima o corpo. A libertação do ciclo da morte e da reencarnação (*moksha*) e a união com Brahman, o Divino, é o objetivo final do indivíduo. O *atman* é muitas vezes descrito como o Eu, enquanto Brahman é o Eu Divino. Poderíamos talvez comparar esse conceito à noção ocidental de Alma do Mundo e alma individual.

De acordo com o hinduísmo, todos nós temos de escolher o nosso próprio caminho natural para a libertação, conhecido como *dharma*, mas o modo como esse caminho é definido é menos rígido do que em muitas outras religiões e depende da casta e do gênero. Claro, existem um Céu e um Inferno hindus, mas estes são lugares de prazer e punição temporários, onde o indivíduo é recompensado ou castigado antes de reencarnar quer numa forma inferior de vida, se o débito kármico for grande, quer numa vida melhor, se levou uma vida virtuosa. É apenas quando todos nós entendemos que temos uma centelha de Brahman (o Divino que permeia tudo) dentro de nós, que o *atman* pode se unir a Brahman, alcançando, assim, *moksha* do ciclo interminável de renascimento. Oculto dentro de cada um de nós está o *atman* bem-aventurado e onisciente, que alguns acreditam voltará a Brahman como uma gota d'água volta para o mar, enquanto outros acreditam que o *atman* vai viver como um ser separado na presença de Brahman.

A alma no jainismo

Compartilhando muitas crenças do hinduísmo fundamental, a religião indiana conhecida como jainismo segue um caminho de completa não agressão e autocontrole para alcançar *moksha*. Para os jainistas, todas as coisas vivas têm uma alma e todas são iguais: cada alma (*jiva*) é independente e responsável pelas suas próprias ações. Quando *moksha* é atingido, o *jiva* se une a outras almas libertas, no nível mais elevado do Céu: o primeiro nível mais abaixo é reservado para divindades como Ambika, o protetor das mulheres.

A ALMA NA ÍNDIA

Se *moksha* não é alcançado em vida, a alma reencarna para tentar novamente.

Se a alma acumulou karma ruim em vida, através de atos nocivos ou violência, pode ser punida num dos oito níveis de Inferno, que se tornam progressivamente mais frios. No entanto, a penitência no inferno é temporária, uma vez que a alma que já sofreu o suficiente renasce com o objetivo de se empenhar para atingir *moksha* mais uma vez.

Esquerda: Segundo muitas tradições hindus, o corpo é meramente o recipiente do atman, a alma individual, até que possa se reunir com Brahman, a alma divina.

CAPÍTULO 3: A NATUREZA DA ALMA

A ALMA NO TAOISMO

A crença antiga do Tao, que começou por volta do sexto século a.C., tinha pouca preocupação com a alma individual, até a época em que o taoismo fundiu-se com a religião organizada chinesa do século catorze.

Em torno da mesma época em que Platão contemplava a jornada da alma (ver página 204), no final do século IV a.C., o filósofo e lendário imperador Lao-Tzu concluía a sua obra conhecida como *Tao Te Ching*, que se tornou o texto principal da crença taoista.

Tao, ou Dao, significa o "Caminho", "Realidade Suprema" ou "Tudo Que É". Na sua forma original, o Taoismo era uma doutrina filosófica em que a morte era vista como uma libertação do corpo e era seguida pela imortalidade ou ascensão ao céu. Por exemplo, reza a lenda que o Imperador Amarelo subiu diretamente ao Céu, enquanto o mago Ye Fashan transformou-se numa espada e depois numa coluna de fumaça e em seguida elevou-se ao Céu.

Os taoistas almejam existir em perfeita harmonia com o universo, meta que abraçam na vida e na morte. Assim, embora fosse bom aproveitar a vida, não havia necessidade de temer a morte, pois ela era simplesmente uma outra forma de ser, uma mudança de um estado para outro nas manifestações infinitas do Caminho e, consequentemente, da eternidade.

Quando o taoismo se fundiu com o confucionismo, vários elementos se desenvolveram, entre eles a noção de Inferno, onde os que tinham vivido vidas pérfidas eram punidos, mas só até se arrependerem, pois depois reencarnavam. Para contrabalançar o Inferno, havia o Céu, onde aqueles que tinham vivido com retidão e de acordo com o Tao eram recompensados, tornando-se ilustres antepassados e ajudando espiritualmente os vivos.

Quando diferentes tradições se ramificaram a partir do taoismo, alguns passaram a ver a alma como composta de duas partes, *hun* e *po*, o espírito e a alma, que se separavam na morte. O espírito ou *hun* podia se desenvolver até atingir um plano mais elevado de ser, ou podia simplesmente se reintegrar ao universo. O *po*, a alma, reintegrava-se às energias da Terra.

Esquerda: O imperador taoista Lao-Tzu acreditava que tudo era uma coisa só e, portanto, não havia uma alma separada.

CAPÍTULO 3: A NATUREZA DA ALMA

A ALMA NO JUDAÍSMO

No judaísmo, a crença na alma sofreu várias reviravoltas, e sua natureza é compreendida de várias maneiras diferentes.

Acima: Em algumas tradições judaicas mais antigas, o destino da alma era irrelevante, mas cultivar uma vida virtuosa era imprescindível.

A ALMA NO JUDAÍSMO

Originalmente, havia três termos que se referiam à alma. *Neshamá* é o sopro de Deus e é o intelecto e a mente superior. *Ruah* é o aspecto emocional da alma, e se separa do corpo no momento da morte. Por fim, há *nefesh*, a essência de uma pessoa ligada ao corpo físico e suas necessidades e desejos materiais. O último é semelhante ao conceito do espírito que vivifica, particularmente no pensamento cristão.

Na época das primeiras traduções em grego do Antigo Testamento, nos séculos III-II a.C., a alma tinha sido unificada numa única entidade, eterna, que deixava o corpo no momento da morte. Num *midrash* (a coleção de obras que interpretam e explicam os textos bíblicos), todas as almas foram criadas durante os seis dias da criação e são convocadas por Deus. E é Deus que instrui os anjos para aconselhar a alma sobre como se desenvolver espiritualmente antes de entrar no corpo individual. Em outro *midrash*, a alma se separa do corpo durante o sono e retorna para ela pouco antes de acordar.

Um princípio fundamental do judaísmo é que cuidar do corpo é também cuidar da alma. A alma é vista como um hóspede do corpo físico, e ambos devem ser tratados com respeito, de modo que possam coexistir em harmonia. É por isso que nos textos religiosos há tantos mandamentos e instruções sobre como tratar o corpo. O corpo e a alma são considerados responsáveis por suas ações e saúde física e espiritual, de modo que é aconselhável seguir essas instruções para o bem da alma.

Nos primórdios do judaísmo, o destino da alma depois da morte não era visto como algo particularmente relevante – era a vida terrena que importava. Com o passar do tempo, no entanto, a crença na ressurreição física do corpo, quando o Messias judeu aparece em algum momento no futuro, se tornou a norma. Os justos são então recompensados pela eternidade no Jardim do Éden, que não é o mesmo Éden do Livro do Gênesis, mas um lugar de perfeição espiritual.

A Cabala

De acordo com o *Zohar*, o principal texto da tradição cabalística, uma parte da alma deixa o corpo durante a noite. Quando o corpo dorme, as amarras que cerceiam a existência física se rompem e a alma fica livre para ascender a um lugar mais elevado no reino espiritual, onde é revigorada e recebe informações.

A alma compõe-se de cinco "níveis". Os três primeiros são semelhantes aos da religião judaica tradicional, como já foi mencionado anteriormente. Mas, na Cabala, há dois outros níveis, *Hayyah* (o eu universal) e *yehidah* (Unidade com Deus). Esses são os mais elevados estados da alma e, de acordo com a literatura rabínica, apenas o Adão bíblico foi capaz de atingir esse nível na vida. O objetivo final é a unificação com Deus. Há também um aspecto do ser humano chamado *zelem*.

CAPÍTULO 3: A NATUREZA DA ALMA

O zelem é a essência da individualidade, ou o senso de eu concedido a cada ser humano. Ele também é comparado a um corpo etérico ou vestimenta, que serve como intermediário entre o corpo físico e a alma. Ao contrário da alma, o zelem muda à medida que o indivíduo evolui no plano físico.

Na morte, o *shekinah* (a essência feminina de Deus) e o Anjo da Morte aparecem para a alma de partida. Se o indivíduo foi justo na vida, a alma é protegida por *shekinah* e tem permissão para ascender a um santuário espiritual. Ali, ela é purificada, em preparação para sua próxima vida. Os ímpios são levados pelo Anjo da Morte para o *gehenna*, semelhante ao Inferno, onde são punidos. Lá, eles têm de reparar seus erros e trabalhar para se aperfeiçoar.

À direita: Na tradição cabalística mística, um cordão vermelho é amarrado em volta do pulso, como um talismã, para evitar o perigo.

A ALMA NO JUDAÍSMO

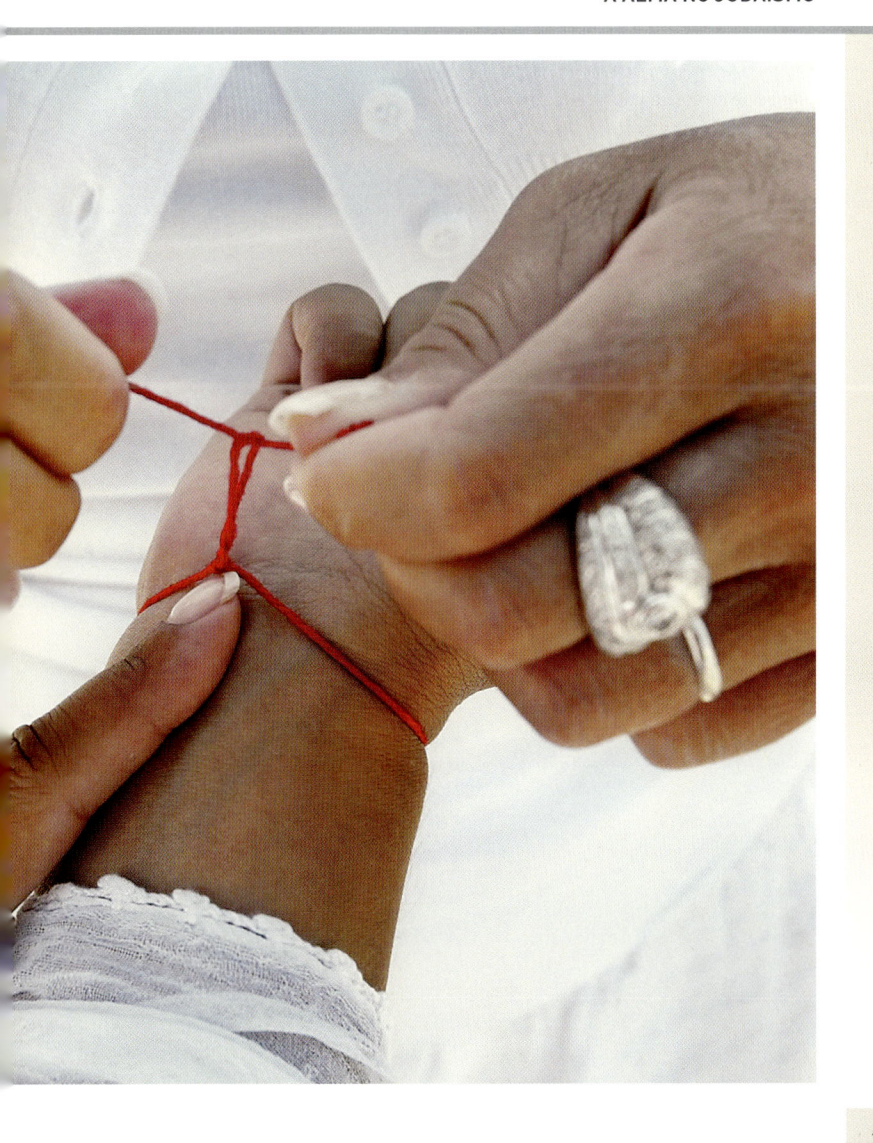

CAPÍTULO 3: A NATUREZA DA ALMA

GNOSTICISMO

Embora o gnosticismo remonte a 300 a.C., na Alexandria ele só se tornou uma prática religiosa e espiritual codificada em 100 d.C., quando se espalhou pela Europa, norte da África e Oriente Médio.

Gnose é uma palavra do grego que significa "conhecimento". Aqui refere-se a uma forma muito específica de conhecimento íntimo de Deus. Não pode ser adquirida pelo estudo ou pela fé, mas deve ser alcançada através da experiência direta do sagrado. Para os gnósticos, a salvação significa a salvação da ignorância, não do pecado.

A alma é vista como uma centelha do Divino, que um dia foi perfeita e será capaz de voltar a ser um dia, e o seu desejo mais profundo é voltar para Deus e sua morada no *pleroma* (o reino do espírito puro). A Terra é vista como uma prisão efêmera e imperfeita, e o corpo humano, como uma gaiola que impede a alma de atingir a ansiada libertação.

Existem três tipos de alma: a espiritual, que conseguiu sua salvação por meio da gnose; a parapsíquica, cuja redenção veio por meio da fé; e a hilíaca, que está presa ao mundo material e não tem esperança de salvação. Dentro de algumas tradições, a ajuda pode ser solicitada e oferecida por seres espirituais que já habitam o *pleroma*.

O caminho para sair da prisão é levar uma vida ascética. A pobreza pessoal é recomendada (crença corroborada pelo dogma cristão, segundo o qual a pobreza é uma virtude). As outras maneiras de se libertar da prisão da vida é por meio do celibato, do jejum e da humildade, para disciplinar o corpo e tornar a mente mais receptiva.

A alma é considerada feminina. O conhecimento como Sophia (que significa "sabedoria") é também um aspecto feminino de Deus. No século II d.C., e especialmente em seitas gnósticas cristãs, tinha-se grande consideração pelas mulheres.

Esquerda: Algumas tradições gnósticas ainda usam a imersão na água, particularmente em água corrente natural, no batismo ritual.

CAPÍTULO 3: A NATUREZA DA ALMA

A ALMA NO CRISTIANISMO

Pode causar surpresa, mas o Novo Testamento, o texto cristão original, faz pouca menção à alma. A morte é vista como um "adormecer". Cristo fala de ressuscitar os mortos na Segunda Vinda e no Julgamento Final.

No Apocalipse, os mortos são divididos em dois grupos: os bons, que vão para o paraíso, e os maus, que vão para o Inferno. Mas o que acontece entre a morte de cada pessoa e o Juízo Final não está claro.

O cristianismo se originou do judaísmo, e é natural que a noção judaica de alma tenha sido adotada pelo credo mais recente. Ao longo do tempo, e especialmente dentro da Igreja católica (embora o cristianismo agora inclua mais de 40.000 seitas diferentes), uma outra visão da alma se desenvolveu, na qual ela parece estar aprisionada dentro do corpo humano, em vez de ser uma parte essencial dela. A ênfase deslocou-se do cuidado com o corpo (e, assim, com a alma) para a preeminência da alma sobre o corpo. O corpo precisa ser dominado e disciplinado severamente para que a alma seja digna de ascender ao Céu, carregada pelos anjos, para reverenciar a Deus depois da morte.

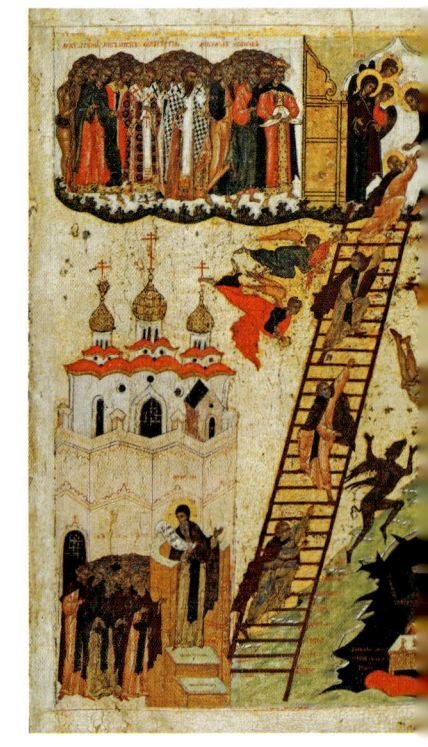

Direita: Nas tradições cristãs, as almas dos mortos vão para o Céu ou para o Inferno.

A ALMA NO CRISTIANISMO

As almas voltam a Deus, que as criou, para serem então julgadas e enviadas para o Céu ou o para o Inferno. O Juízo Final – uma ocasião em que os mortos são ressuscitados e se reúnem com a sua alma – pode parecer um pouco supérfluo, visto que o destino das almas já foi decidido, mas o seu conceito serve como uma advertência para os vivos e talvez para assegurar que os seguidores continuem a acreditar na sua salvação um dia, se orarem a Deus.

Dia de Finados

No século XI, Odilo, bispo de Cluny na França, decretou que 2 de novembro, um dia após o Dia de Todos os Santos, seria Dia de Finados – um dia em que as orações dos fiéis podiam ajudar as almas do Purgatório a ir para o Céu. Essa celebração logo se tornou uma prática-padrão na Igreja Católica Romana.

Essa data está associada ao antigo festival pagão de Samhain (ver página 111), e é provável que a celebração do Dia de Finados tenha se originado da tradição muito antiga e disseminada do culto aos antepassados. Acreditava-se que esse culto evitasse que os seus fantasmas assombrassem os vivos, mas, qualquer que fosse sua motivação, o festival mostra que a crença na alma ocorre no mundo todo.

As almas dos mortos supostamente visitam as casas dos vivos no Zaduszki, uma versão polonesa do Dia de Finados católico, em 2 de novembro. As velas são acesas para acolher a alma, um lugar extra é reservado à mesa e comida é oferecida. O Dia dos Mortos mexicano também é comemorado no mesmo dia e inclui festas, carnavais e celebrações em família. Essa data teve sua origem num antigo festival asteca em honra a Mictecacihuatl (ver página 196), a Senhora dos Mortos, Rainha do Mundo Inferior, mas posteriormente foi revestida de influências católicas.

Na América do Norte e no Reino Unido, o Halloween tornou-se uma celebração cultural em 31 de outubro para comemorar a noite anterior ao do Dia de Todos os Santos.

Acima: O Dia de Finados é um feriado cristão celebrado em todo o mundo para acolher as almas dos mortos.

CAPÍTULO 3: A NATUREZA DA ALMA

Acima: Esqueletos e crânios representam as almas dos mortos no Dia de Finados mexicano.

Infelizmente, o elemento espiritual do festival foi quase cem por cento perdido e hoje é quase puramente comercial. Tudo o que restou para vinculá-lo ao passado são os fantasmas dos desenhos animados, os espíritos e a frase "travessuras ou gostosuras" das crianças – uma pálida lembrança da prática de apaziguar as almas inquietas dos antepassados.

Santo Tomás de Aquino

Tomás de Aquino (1225-1274 d.C.), originalmente um frade dominicano e um influente filósofo cristão, foi canonizado em 1323 d.C. Assim como Aristóteles (ver página 135), ele acreditava que, embora o corpo e a alma fossem entidades distintas, o corpo nascendo da matéria física e a alma sendo criada diretamente por Deus, um não podia existir por muito tempo sem o outro.

Os seres humanos eram, portanto, vistos como entidades completas.

No entanto, uma vez que o corpo e a alma não podiam existir por muito tempo separados, Aquino concluiu que eles se reuniam

A ALMA NO CRISTIANISMO

quando o corpo era ressuscitado na vida após a morte. O que acontecia então dependia da conduta do indivíduo quando vivo. A uma pessoa boa, piedosa, justa eram concedidas união e comunhão sem fim com Deus, na felicidade suprema de contemplá-lo. O Purgatório era o lugar onde os pecados veniais eram punidos, com a possibilidade de redenção, enquanto os pecados mortais eram punidos no Inferno pela eternidade.

Esquerda: Os fantasmas, espíritos e almas dos ancestrais são, todos eles, reverenciados e celebrados na China e no Japão.

CELEBRANDO AS ALMAS NO EXTREMO ORIENTE

O Festival dos Fantasmas chinês (realizado no dia 15 do 7º mês lunar) celebra a época em que havia livre passagem entre o Céu, o Inferno e o mundo dos vivos. Isso acontece quando os fantasmas inquietos e famintos dos ancestrais vagam pela Terra e oferendas de alimentos são feitas para apaziguá-los e persuadi-los a voltar para o seu descanso. No Japão, o Bon Festival (realizado em meados de julho ou meados de agosto) gira em torno desses fantasmas que voltam para visitar suas famílias, e seus espíritos são recebidos com lanternas, dança e comida. No final do dia, as lanternas são acesas e flutuam ao longo dos rios para orientar os espíritos no seu caminho de volta para o reino invisível.

CAPÍTULO 3: A NATUREZA DA ALMA

ISLAMISMO

No islamismo, o destino das almas depois da morte depende do tipo de vida que a pessoa levou.

Acima: No islamismo, o lugar para onde você vai na outra vida depende do julgamento das almas pelos anjos de misericórdia.

Os justos são aqueles que conservam a fé, fazem boas ações, seguem as regras e transmitem o seu conhecimento religioso aos menos sábios e afortunados. Os injustos são os incrédulos cheios de pecado que desafiam Alá, embora Alá seja misericordioso e perdoe os pecadores arrependidos, se forem sinceros.

A vida após a morte começa na sepultura. As almas conscientes dos justos são visitadas pelos anjos da misericórdia; as almas dos ímpios, pelos anjos da punição. Os anjos questionam a alma sobre a sua vida terrena, as suas ações e a força de sua fé, preparando-a para a ressurreição e seu envio final ao paraíso ou ao Inferno.

ISLAMISMO

No Dia do Juízo, todos que já viveram serão ressuscitados em seu corpo físico original e chamados a prestar contas. Aqueles que foram mártires do islamismo vão diretamente para o paraíso; todo o resto vai responder pelo que praticou em vida e ser enviado ou para o paraíso ou para o Inferno.

O paraíso, nessa crença, são dois jardins de beleza transcendental, onde todos os desejos físicos e anseios espirituais são sempre satisfeitos e ninguém jamais pode ficar entediado, com a visão de Alá sendo o maior tesouro.

O Inferno é considerado um lugar com sete portais, todos levando a um tormento eterno de tortura no fogo para o corpo e a alma.

Avicena Ibn Sina

O filósofo e teólogo islâmico Avicena Ibn Sina (980-1037 d.C.) escreveu extensivamente sobre medicina, física e uma ampla gama de assuntos científicos e metafísicos. Ele acreditava que a alma era um "ser" incorpóreo, mas muito real, criado do Espírito Ativo, que passou a existir quando um corpo com o temperamento certo para recebê-lo também veio à existência. Ele acreditava que a alma era estruturada da maneira como Aristóteles tinha acreditado (ver página 135), mas as semelhanças terminavam aí. Para Avicena, o corpo e a alma estavam intimamente ligadas, mas a alma sobrevivia à morte do corpo, uma vez que era tanto imortal quanto indestrutível.

O renascimento e a reencarnação, porém, na verdade não existiam na concepção de alma de Avicena. Em vez disso, a alma ia para o paraíso ou para o Inferno, dependendo de seu nível de intelecto e conquista durante a vida. A alma daqueles que conheciam as coisas do corpo ou se importavam apenas com elas sofreria depois que ele não existisse mais, enquanto a alma intelectual seria recebida no paraíso compartilhado com seus iguais. O potencial de melhoria significava que era possível atingir a perfeição. Aquelas raras "almas" que alcançavam a perfeição na vida existiriam num estado de puro êxtase.

Acima: O filósofo e teólogo persa Avicena Ibn Sina.

CAPÍTULO 3: A NATUREZA DA ALMA

INÍCIO DO PERÍODO MODERNO

Com o destino das almas das pessoas comuns (o Inferno parecia mais provável do que o Céu) gravado na pedra por Santo Tomás de Aquino (século treze), não é nenhuma surpresa que hereges, pagãos e céticos procurassem outras veredas espirituais que levassem a outro destino que não fosse a danação eterna.

A alvorada do Renascimento começou por volta de 1439, quando o governante florentino Cosmo de Médici se encantou com um tesouro da literatura antiga, trazido para a sua corte por um erudito bizantino, Gemisto Pletão. Daí em diante, antigas crenças, deuses pagãos e poderes sobrenaturais animaram o mundo renascentista. Os neoplatônicos foram redescobertos e religiões de mistério floresceram. Essa foi uma época em que a alma foi novamente valorizada.

A alquimia e a alma

A alquimia floresceu na Europa renascentista e remonta até o século III d.C., época do místico e alquimista grego Zózimo de Panópolis, cujas obras foram também traduzidas para o árabe (ele era egípcio).

As expressões "transformar chumbo em ouro", "pedra filosofal" e "elixir da vida" vieram, todas elas, da tradição alquímica, que cresceu e se desenvolveu ao longo de milênios até que o século XVII d.C., quando foi suplantada pela sua sucessora, a ciência da química. A nova ciência, porém, embora em dívida com a arte mais antiga, abrangia apenas as qualidades físicas dos elementos, enquanto a alquimia ia muito além. O elixir da vida era procurado para estender a vida do praticante, e a imortalidade parecia ser o principal objetivo da alquimia. Teoricamente, ela permitiria que o alquimista tivesse mais tempo para purificar e aperfeiçoar a sua alma. Todos os termos e procedimentos alquímicos tinham dois significados: o físico e o espiritual. A transformação de metais básicos em ouro aplicava-se tanto à alma humana quanto aos elementos químicos, e enfatizava a necessidade da alma de aspirar a um estado superior e mais nobre, para, por fim, se unir ao Divino e se tornar perfeita. Uma tradição secreta, a alquimia foi uma parte muito importante das crenças esotéricas do Egito helenístico de cerca de 300-30 a.C. Acreditava-se que suas raízes estavam no Egito antigo e tinha muitas associações com a sabedoria esotérica conhecida como hermetismo.

INÍCIO DO PERÍODO MODERNO

O hermetismo

O lendário sábio Hermes Trismegisto, supostamente anterior a Moisés, foi mencionado pela primeira vez no século I d.C. pelo historiador e escritor Plutarco (46-120 d.C.), e mais tarde foi reverenciado pelos neoplatônicos, como Iâmblico e Porfírio do século III d.C. Embora os ensinamentos herméticos tenham sido guardados e promovidos em Harran, um centro de astrologia e magia na Pérsia, durante a Idade das Trevas, o hermetismo só foi verdadeiramente introduzido na Europa em 1460. Foi então que um monge peregrino do Oriente levou para Florença o texto conhecido como *Corpus Hermeticum*, posteriormente traduzido pelo estudioso e místico Marsillo Ficino. Graças ao interesse da família Médici, que estava no poder, Ficino também redescobriu Platão (ver página 116) e reivindicou os escritos de Platão, juntamente com os do neoplatonista Plotino e outros textos herméticos que eram a chave para o autoconhecimento. A crença de Ficino de que a alma humana era, ela própria, divina estava no cerne do pensamento renascentista e também do hermetismo.

O hermetismo considerava a alquimia um dos três elementos necessários para a Grande Obra do reencontro com Deus. Os outros eram a astrologia e a teurgia (realizar milagres com assistência sobrenatural). "Assim embaixo como em cima", um dos princípios básicos da tradição hermética muitas vezes conhecido como a lei das correspondências, ensina que qualquer coisa que aconteça num plano da existência – físico, mental ou espiritual –, também acontece em todos os outros. Um exemplo pode ser visto na astrologia, em que as posições e

Acima: Os alquimistas renascentistas acreditavam na imortalidade da alma e na comunhão com o Divino.

CAPÍTULO 3: A NATUREZA DA ALMA

Esquerda: Hermes Trismegisto foi um místico lendário cujos seguidores usavam forças sobrenaturais para sintonizar a própria alma com Deus.

Direita: Immanuel Kant e outros racionalistas acreditavam que, por não ser possível provar a existência de Deus, também não é possível provar a existência da alma.

trânsitos dos planetas supostamente refletem a vida e características das pessoas na Terra. Isso pressupõe que o Divino está em tudo o que existe, assim como se compõe de tudo o que existe. O microcosmo é o homem e o macrocosmo é o universo. Dentro de cada um deles encontra-se o outro e, por meio da compreensão de um, o ser humano pode compreender ambos.

Os praticantes do hermetismo tentavam se libertar do ciclo de reencarnações por meio do entendimento verdadeiro e perfeito da natureza, da alma e de Deus. Nesse sentido, a natureza é a maior das mestras, e aqueles que buscam se unir com Deus tentam levar uma vida criativa trabalhando em sintonia com os poderes de forças naturais e sobrenaturais. A alma individual é simplesmente uma centelha da Alma do Mundo (ver página 118) e, portanto, o entendimento da própria alma é a chave para o entendimento de tudo o que a Alma do Mundo é e sabe.

INÍCIO DO PERÍODO MODERNO

Immanuel Kant

A revitalização do pensamento da Antiguidade no Renascimento – seus princípios humanistas e passionais de arte, magia, o Divino na natureza, influência das estrelas e dos planetas – foi totalmente subvertida pela alvorada da Nova Era, em que ocorreu a "iluminação" e nascimento da ciência moderna. Durante a Era da Iluminação, do início do século XVII até o fim do século XVIII, a "alma" se perdeu entre o dogma científico, o pensamento racional e os problemas que a religião ortodoxa agora confronta à luz do pensamento pragmático. Figura principal dessa época, muitas vezes considerado o pai da filosofia moderna, o filósofo alemão Immanuel Kant (1724-1804 d.C.) acreditava que a razão era a fonte da moralidade. Ele argumentava que, visto que todas as nossas experiências eram filtradas pelos nossos sentidos, talvez nunca pudéssemos realmente ter uma compreensão objetiva do mundo. Seguiu-se, logicamente, que toda a nossa bondade, a nossa bússola moral e, inversamente, qualquer mal que pensemos ou façamos, vêm de dentro. Não é ditada de fora.

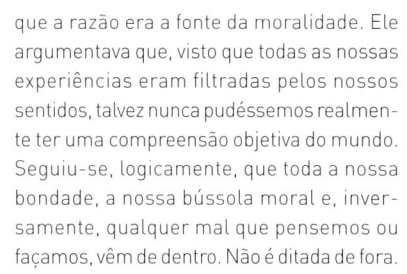

Kant argumentava que nunca poderemos saber se Deus existe (ou se ele não existe), mas, para nos tornarmos criaturas com moral, ou pessoas que trabalhem pelo bem comum, devemos agir como se ele existisse. Deus torna-se o efeito, não a causa, e a busca da moralidade concedida por Deus dá propósito à vida humana. Para Kant, a vida após a morte era "necessária" como uma recompensa pelo bem, mesmo que não fosse possível provar a imortalidade da alma.

CAPÍTULO 3: A NATUREZA DA ALMA

O SÉCULO XIX

Por mais de 200 anos, a razão, a ciência e a medicina, as teorias evolutivas e as descobertas científicas deixaram de lado o mundo espiritual. Muitos grupos esotéricos secretos, como os hermetistas, viviam na clandestinidade.

No entanto, com o crescente movimento europeu rumo ao romantismo na arte, na literatura, e na música, em meados do século XIX ideias espirituais começaram a vir à luz mais uma vez. Escolas de mistério floresceram e muitas delas continuaram a promover a alma ou o espírito, ou ambos.

Acima: A visita de Helena Blavatsky à Índia marcou o início da Sociedade Teosófica.

G. I. GURDJIEFF

G. I. Gurdjieff (1872-1949), um mestre espiritual russo, postulava que a vasta massa de seres humanos está "dormindo" numa espécie de transe hipnótico, enquanto vive uma vida repetitiva e mecânica. Isso ocorre porque os três "centros" do ser (o intelecto, as emoções e as funções motoras), estão dessincronizados. Para o ser humano acordar e funcionar como um ser completo, Gurdjieff concebeu exercícios físicos, mentais e emocionais, que os seus discípulos tinham de realizar.

Para esse mestre, o ser humano adormecido não possuía alma. A alma era algo que se cultivava por meio de uma grande visão e ensinamento espiritual. Ele ensinava que a alma não era automaticamente imortal, mas poderia se tornar através de seus métodos específicos. No entanto, a verdadeira natureza do seu conceito de "imortalidade" não é clara e ainda hoje seu trabalho permanece controverso.

Direita: Para Gurdjieff, a alma só poderia ser cultivada através de um trabalho prático e disciplinado.

Teosofia

O termo *teosofia*, que significa "divina sabedoria", estava em uso já no século III a.C., e era originalmente usado como sinônimo de teologia. Foi só no Renascimento que ele adquiriu a sua própria definição, mas tornou-se mais conhecido em associação com Helena Blavatsky (1831-1891), uma das cofundadoras da Sociedade Teosófica de Nova York.

Fraternidade universal é um princípio da teosofia moderna. O mais básico princípio é que todas as religiões são apenas expressões diferentes da mesma fonte, que tudo é cíclico e que o propósito da nossa existência é desfrutarmos de uma grande aventura. A alma individual é eterna, consiste numa essência espiritual interior, encerra tudo o que é bom e vale a pena preservar, e é cercada de uma

CAPÍTULO 3: A NATUREZA DA ALMA

camada externa que é egoísta e transitória. Na morte, essa concha se dissipa e a alma interior é absorvida pela Alma do Mundo, de modo parecido com a Anima Mundi de Platão (ver página 118), que desfruta da pura alegria e realização do Absoluto. Depois de um período, a alma sente necessidade de viver a experiência carnal novamente e volta a nascer. Vivencia incontáveis mortes e renascimentos até aprender tudo o que a Terra tem a ensinar. Então continua repetindo o ciclo em outros planetas.

Edgar Cayce

Edgar Cayce foi um médium americano do início do século XX. Suas previsões e alegações acabaram por fazer dele uma celebridade, chegando a ofuscar seu trabalho mais importante e seu interesse pela vida após a morte. Cayce acreditava piamente no que é conhecido como transmigração ou evolução da alma após a morte.

De acordo com ele, depois da morte as almas vivem em diferentes reinos, relacionados com os planetas do nosso sistema solar. Elas, na verdade, não vivem na superfície dos planetas, mas em níveis espirituais representados por esses planetas. A alma não experimenta necessariamente todos esses reinos, e a reencarnação ocorre não só no plano terreno, mas também em outras esferas entre as encarnações da Terra.

Os reinos da alma

Existiriam nove reinos, equiparados aos nove planetas da astrologia. O primeiro, simbolizado por Saturno, seria um nível para a purificação das almas. Esse reino seria para um novo recomeço.

O segundo, o reino de Mercúrio, nos dá a capacidade de considerar os problemas como um todo. Daí se origina o discernimento mental para a virtude, a bondade, a beleza, os mistérios das forças universais e o desenvolvimento da alma.

Acima: Helena Blavatsky foi uma das ocultistas mais influentes das tradições espirituais modernas.

O SÉCULO XIX

Acima: O médium americano Edgar Cayce acreditava que a alma transcende nove reinos até poder ser uma unidade com o cosmos.

O terceiro dos nove reinos da alma é regido pela Terra e está associado aos prazeres terrenos. O quarto reino é onde descobrimos o amor, e é regido por Vênus. O quinto reino é onde nos deparamos com as nossas limitações e é regido por Marte. O sexto reino é regido por Netuno, e é aí que começamos a usar os nossos poderes criativos para nos libertar do mundo material. O sétimo reino é simbolizado por Júpiter, que fortalece a capacidade da alma de descrever situações, analisar pessoas e lugares, coisas e condições.

O oitavo reino da vida após a morte, regido por Urano, desenvolve a habilidade parapsíquica. Esse reino pode desenvolver extremos e o extremismo dentro de uma alma. Além disso, uma alma pode passar a ter interesse pelo ocultismo e pelas forças místicas desse reino, e desenvolver a clarividência, a clariaudiência, a clarisciência sem precisar do contato físico com experiências no corpo mental. Esse reino incentiva um interesse nas coisas espirituais. Cayce acreditava que todos os médiuns da Terra passam um período nesse reino, antes de encarnar na Terra.

O nono reino da vida após a morte é simbolizado por Plutão, o reino astrológico do inconsciente. O reino final da vida após a morte é fisicamente representado não por um planeta, mas pela estrela Arcturus. Esse reino é um lugar transitório onde as almas optam por viajar para outros reinos e para outros sistemas solares. Mas não se trata de uma "viagem astral", propriamente dita, mas da libertação da alma para a eternidade, por isso é um reino que abre as portas do nosso sistema solar para o cosmos.

CAPÍTULO 3: A NATUREZA DA ALMA

Brahma Kumaris

Grupo neo-hindu fundado em 1930, Brahma Kumaris tem como princípio central a ideia de que a alma está separada do corpo humano, mas reside no seu interior. Para Brahma Kumaris, a alma é um pontinho de luz existente num corpo físico e reencarna 84 vezes. Seus seguidores se libertam do ciclo de morte e renascimento após a sua 84ª encarnação. Se você não é um adepto, sua alma começará o ciclo de 84 novamente.

O SÉCULO XIX

Nesse grupo, acredita-se que a vida só existe na Terra, que o universo é muito menor do que a ciência revelou e que o tempo é cíclico, repetindo-se de forma idêntica a cada 5.000 anos. Cada ciclo começa puro, depois vai se degradando com o tempo até que, no final, o mundo é destruído (num holocausto nuclear) a fim de abrir caminho para o próximo ciclo. Somente novecentos mil Brahma Kumaris vão sobreviver para desfrutar a vida num paraíso tecnológico com máquinas movidas pelo pensamento e vidas estendidas. Todos os outros deixarão de existir, pois toda a Terra, exceto a Índia, vai mergulhar nos oceanos. Quando a hora chegar, eles vão renascer e o ciclo vai se repetir.

Eckankar

Eckankar é uma religião moderna que se desenvolveu na década de 1960 e é conhecida como a Luz e o Som de Deus. Eck é o Espírito Divino que aparece para os seres humanos como luz e som (uma corrente sonora que pode transportar a alma de volta a Deus), e a meta suprema do seguidor dessa religião é conseguir se reunir com Deus. Cada alma humana individual é uma centelha de Deus e está numa jornada espiritual para a autorrealização. Essa jornada é empreendida à medida que a alma viaja para os mundos espirituais – planos de existência que estão no interior de cada seguidor dessa religião, não nos reinos externos – alcançados através de exercícios espirituais, cânticos e meditação sob a orientação do Mahanta (o mestre *eck* vivo).

Eckankar ensina que a alma reencarna várias vezes a fim de expiar o karma negativo, até por fim se tornar iluminada e capaz de manifestar suas qualidades divinas. Acredita-se que a vida após a morte Eckankar seja uma continuação da existência da alma nos mundos interiores (o plano etérico ou da alma), nos quais a alma entra conscientemente quando a dívida kármica é paga.

Esquerda: O grupo Brahma Kumaris acredita que a alma seja separada do corpo, embora viva dentro dele.

CAPÍTULO 3: A NATUREZA DA ALMA

O Espiritualismo e a alma

Os Espiritualistas tradicionais (ver página 105) postulam uma série de sete "planos espirituais" não muito diferentes dos nove reinos de Edgar Cayce, regidos pelos planetas. Neste caso, à medida que evolui, a alma se eleva até atingir o último reino, da unidade universal.

A alma básica "pouco desenvolvida" – cheia de culpa e pecado, sem vergonha e sem nenhuma consciência de moralidade – passa, depois da morte, para o primeiro domínio, que se equipara ao Inferno. Esse é o mundo onde as almas perturbadas passam um longo período antes de se sentirem compelidas a avançar para o reino seguinte.

A alma da maioria das pessoas, porém, vai diretamente para o segundo nível ao morrer: um plano que é uma transição entre os planos inferiores da vida e o Inferno, e os reinos perfeitos e mais elevados do universo. Esse segundo outro plano é um lugar onde as almas refletem e observam a própria vida. Assemelhando-se à vida na Terra ou espelhando-a, esse plano permite que a alma lance mão do conhecimento que obteve nas vidas passadas, à medida que galga os degraus da escada da evolução.

O terceiro nível é para as almas que já estão resgatando a sua herança kármica. Há consciência, entendimento e vontade de se redimir. A partir desse nível, a alma pode iniciar o processo de entrar numa nova vida (se assim quiser) e é desse nível que, segundo creem os espiritualistas, partem as mensagens espirituais mais proféticas.

O quarto nível é aquele a partir do qual as almas evoluídas ensinam e orientam os que estão na Terra. Muitos líderes religiosos, gurus espirituais e figuras literárias evoluídas ascenderam a esse nível e se prepararam para divulgar ao mundo o conhecimento que só pode ser adquirido nesse estado elevado.

No quinto nível, a alma deixa para trás a consciência humana. Silêncio, ausência de ego e uma consciência serena e perfeita da unidade com o universo é o que aguarda essa alma de grande evolução. Acredita-se que Jesus, Buda e outros líderes espirituais tenham experimentado esse nível de consciência.

Chegando ao sexto plano, a alma está finalmente em sintonia com a consciência cósmica e não tem nenhum senso de separação ou individualidade.

O sétimo nível por fim, o objetivo de toda alma, é o lugar onde a alma transcende o seu próprio senso de alma e se reúne com a Alma do Mundo e o universo.

Direita: Os reinos do Céu são retratados como o mundo de fantasia do pintor do século XV Hieronymus Bosch.

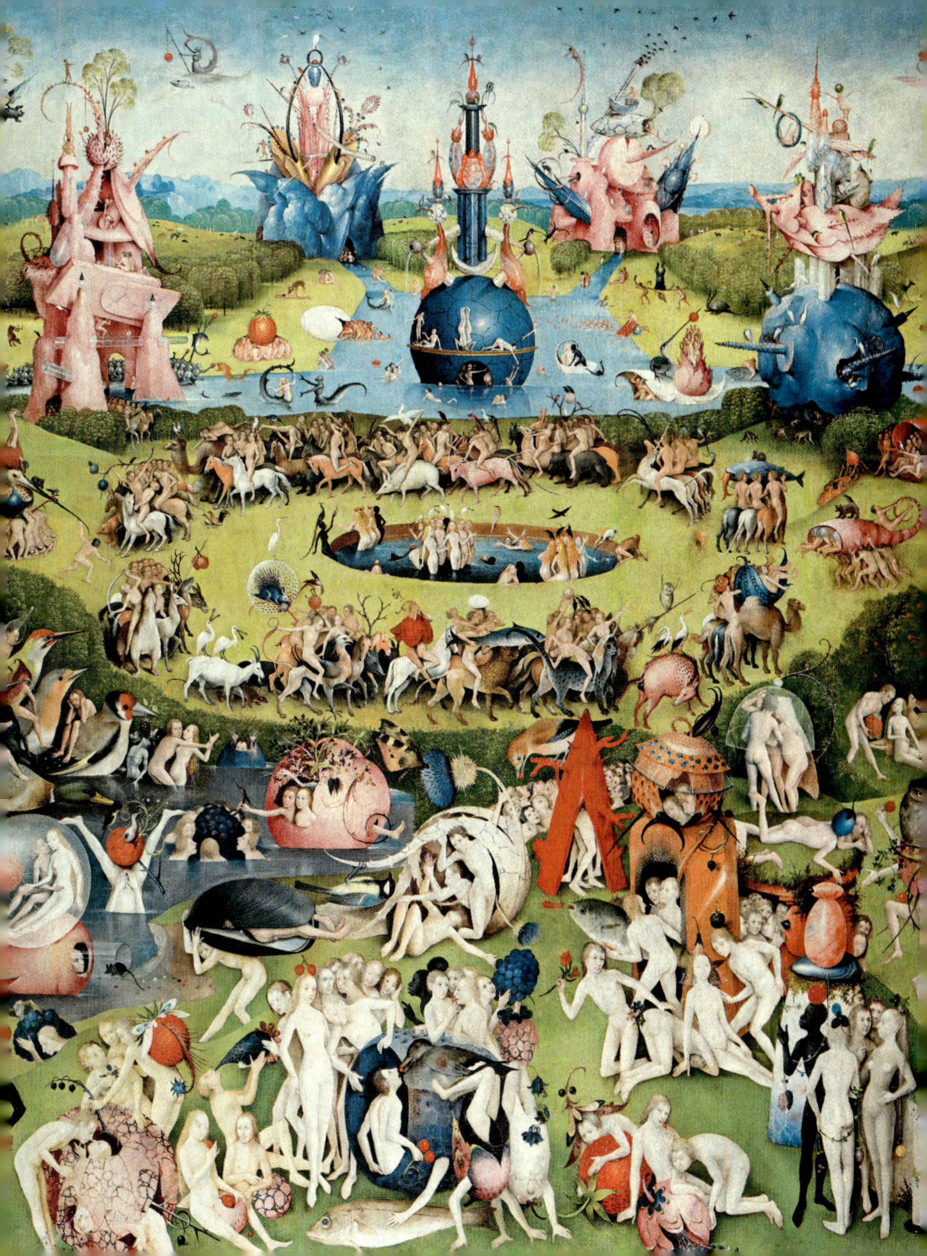

CAPÍTULO 3: A NATUREZA DA ALMA

Carl Jung e a alma

Carl G. Jung (1875-1961) é mais conhecido por ser o pai da psicologia analítica, uma das precursoras da psicologia transpessoal contemporânea. Seus conceitos de inconsciente coletivo, arquétipos e individuação descrevem um processo pelo qual todo ser humano desenvolve os elementos do self para tornar-se um ser autoconsciente, íntegro, bem equilibrado e funcional.

Jung postulou uma série de imagens e eventos antigos e universais que todos os seres humanos têm em comum. De acordo com ele, esses arquétipos são expressões do inconsciente coletivo (poder-se-ia dizer a Alma do Mundo) e desempenham um importante papel na formação das relações humanas. Eles influenciam a experiência e os sentimentos humanos, devem ser integrados à psique para propiciar a totalidade da pessoa bem equilibrada.

Para Jung, a alma era um tipo especial de complexo que pode ser mais bem descrito como uma "personalidade". Ela também poderia atuar como uma mensageira entre a mente inconsciente e consciente. Ele afirmava que a alma de um homem é feminina, conhecida como anima, enquanto a alma de uma mulher é masculina, conhecida como animus, e que esses elementos precisam estar em equilíbrio e integrados com o resto da psique. A anima e o animus representam aspectos opostos aos da persona, a autoimagem exterior que todos apresentam ao mundo externo. A anima de um homem intelectual e extrovertido seria sentimental e empática, enquanto o animus de uma mulher intuitiva e tímida seria mundano e autoconfiante.

Esquerda: O grande psicólogo Carl Jung acreditava que precisamos integrar várias características que faltam em nós para tornar a nossa alma inteira.

Acima: O Livro Vermelho de Jung é o resultado do seu confronto com o inconsciente.

CAPÍTULO 3: A NATUREZA DA ALMA

As características da anima são a percepção, a intuição, a capacidade de perdão, a empatia e a criatividade. As características do animus são a assertividade, a determinação, a força, a coragem e a ambição.

Se a anima ou o animus são ignorados ou reprimidos, a pessoa não pode ser inteira. Quando um homem reprime seu lado feminino (que é uma grande possibilidade numa cultura patriarcal), isso faz dele uma pessoa menos inteira, que pode facilmente tornar-se frágil e incapaz de lidar com as demandas emocionais da vida moderna. Da mesma forma, quando as mulheres ignoram o seu lado "corajoso", isso coloca a alma delas em risco, também. O que Jung propôs foi que tentemos integrar ambos e, assim, tornarmo-nos inteiros.

James Hillman

James Hillman (1926-2011), que se formou em psicologia junguiana, tinha uma visão radicalmente diferente da de Jung. Ele se concentrou nos sonhos, que via como fenômenos com significados pessoais. Em vez de buscar os arquétipos, para ele o verdadeiro significado dos sonhos só podia ser encontrado quando se compreendia as associações do sonhador com as imagens e eventos do sonho.

No sistema de crença de Hillman, a Alma do Mundo ou Anima Mundi é o núcleo do nosso ser. A Alma do Mundo (ver página 118) molda as fantasias e os mitos da psicologia do indivíduo, sendo o ego simplesmente uma dessas fantasias, entre muitas outras.

Hillman, usando a expressão do poeta John Keats, "cultivo da alma" (ver página 123), argumentava que a alma era um conceito deliberadamente ambíguo. Para ele, ela era composta de diferentes seres e personalidades, simbolizados pelos deuses e deusas de eras passadas. Sonhos, imagens e a imaginação humana eram a linguagem da alma, cheios de significado para que a pessoa os vivenciasse. Na visão de Hillman, tudo o que a alma queria era experienciar a beleza. Aprofundar continuamente o senso de beleza é a mais pura expressão do cultivo da alma. Os traços da personalidade com que os seres humanos nasceram são uma parte íntima da sua alma, e devem ser estimulados, em vez de transformados ou disciplinados.

Em seu conhecido livro *O Código do Ser*, ele apresentou a teoria de que, assim como o majestoso carvalho está dentro da bolota, uma pessoa carrega dentro de si um núcleo ativo de verdade esperando para ser vivenciado. Isso se assemelha ao *daimon* grego, que descreve a força orientadora invisível em nossa vida.

Almas gêmeas

O conceito de almas gêmeas partiu originalmente de uma história, ou, possivelmente, da recontagem de um mito, relatada no *Banquete* de Platão. A história é assim: no começo os seres humanos tinham quatro braços, quatro pernas, dois rostos e três sexos, um masculino, um feminino e um andrógino, sendo os andróginos os mais numerosos.

O SÉCULO XIX

Os seres humanos eram felizes, contentes e poderosos – tão poderosos ou felizes que os deuses se sentiram ameaçados. Por isso dividiram cada ser humano em dois e os espalharam através do tempo e do espaço, condenando-os a procurar pelo mundo a outra metade de si mesmos. Sem a outra metade de sua alma, cada gêmeo sentia-se sozinho e incompleto. Naturalmente, aqueles que eram do sexo masculino procuravam o seu "gêmeo" do sexo masculino que os completasse, aqueles do sexo feminino procuravam o seu duplo do sexo feminino, enquanto os andróginos ansiavam por seu gêmeo do sexo oposto, que os tornaria inteiros novamente.

Esse conto antigo encontrou grande aceitação no movimento da Nova Era. A natureza abrangente, tolerante e questionadora desse movimento achou fascinante a ideia de todos terem uma alma gêmea. O conceito foi por fim cristalizado na crença de que o encontro com sua alma gêmea cria um vínculo tão forte que dura para sempre; a reunião – mental, espiritual, física e sexual – criando uma energia transfiguradora e um amor profundo que poderiam ligar as almas aos seus Eus Superiores, ou serem usados para ajudar a curar o planeta. Cada alma reencarnaria várias vezes, aprendendo, crescendo e tornando-se mais sábia a cada vida, até se reunir com sua gêmea.

Embora os termos "almas gêmeas" e "chamas gêmeas" sejam muitas vezes utilizados como sinônimos, há uma escola de pensamento que considerava o conceito das chamas gêmeas menos sofisticado. As chamas gêmeas podem ser vistas como dois espelhos, refletindo todas as falhas e defeitos um do outro, a fim de trabalhar em conjunto para se desenvolverem e aperfeiçoarem mutuamente.

Abaixo: De acordo a Nova Era, se você encontrar sua alma gêmea, vai se tornar inteiro.

CAPÍTULO 3: A NATUREZA DA ALMA

A NEUROLOGIA E A ALMA

Embora o estudo científico do sistema nervoso tenha antecedentes que remontam a pelo menos 1700 a.C., quando os antigos egípcios usavam a trepanação (perfuração de um orifício no crânio) para curar dores de cabeça, esse ramo da ciência é uma especialidade relativamente nova.

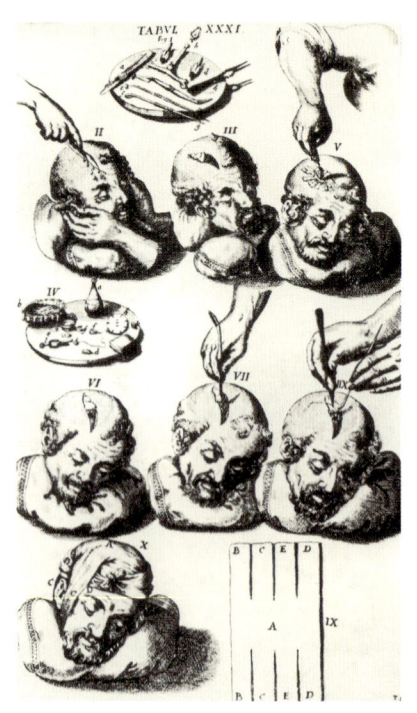

Acima: A antiga arte da trepanação.

À medida que se desenvolve, a neurociência está desafiando a visão tradicional da alma e do corpo como entidades separadas. Uma pesquisa recente mostrou um padrão replicável na atividade cerebral associada com estados de êxtase religioso ou de transcendência, como a meditação budista, os dervixes rodopiantes do sufismo e as orações públicas dos cristãos carismáticos. Essa pesquisa está começando a explicar as diferenças entre cognição consciente e inconsciente. A memória é uma parte vital da vida da humanidade. De acordo com os neurologistas, as experiências humanas, as coisas da vida humana que nos fazem ser quem somos, estão armazenadas em nossa memória, não na nossa alma. O cérebro é um órgão incrível e capaz de quase tudo, certamente num nível mental e imaginativo. Mesmo as imagens universais vistas nas chamadas experiências de quase morte são consideradas produto da atividade cerebral.

De acordo com o autor e neurologista norte-americano Oliver Sacks, os seres humanos sempre tiveram o desejo de viver para

A NEUROLOGIA E A ALMA

sempre e a crença na alma que sobrevive após a morte satisfaz esse desejo.

Os cientistas reconhecem esse desejo de ter uma alma, mas o consideram nada mais do que isso: um simples desejo. Com os avanços da neurociência, porém, especialistas como Sacks acreditam cada vez mais que a alma seja algo que simplesmente não existe, e que tudo que é humano está contido no corpo físico. Esse ponto de vista existencialista, contudo, está sendo agora revisto pelos físicos modernos, particularmente aqueles que pesquisam o campo da mecânica quântica.

Acima: Os dervixes rodopiantes entram num estado de transe que os neurologistas acreditam que seja ativado pelo cérebro.

CAPÍTULO 3: A NATUREZA DA ALMA

NOVA TEORIA

Uma teoria notável apresentada por dois eminentes cientistas afirma que a experiência de quase morte ocorre quando substâncias quânticas que formam a alma deixam o sistema nervoso e entram no universo.

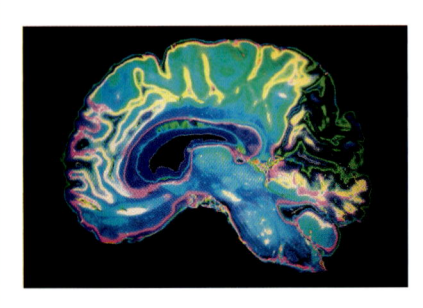

Acima: A essência da alma pode estar contida dentro de microtúbulos no interior do cérebro.

Nessa teoria, a consciência é considerada um programa de computador quântico contido no cérebro, que pode persistir no universo após a morte. O dr. Stuart Hameroff, professor emérito dos Departamentos de Anestesiologia e Psicologia e diretor do Centro de Estudos da Consciência da University of Arizona, desenvolveu essa teoria quase religiosa. Com base numa teoria quântica da consciência, ele e o físico britânico *sir* Roger Penrose propuseram que a essência da alma pode estar contida dentro de estruturas, chamadas "microtúbulos", dentro das células do cérebro. Eles argumentaram que a nossa experiência da consciência é resultado de efeitos gravitacionais quânticos nesses microtúbulos, uma teoria que eles chamaram de Redução Objetiva Orquestrada (abreviatura em inglês: Orch-OR).

O dr. Hameroff, na verdade, defende que a alma é mais do que a interação de neurônios no cérebro. Ela é construída a partir do próprio tecido do universo e pode ter existido desde o início dos tempos. Numa EQM, os microtúbulos perdem seu estado quântico e as informações não são destruídas; elas, ou a alma, simplesmente retornam ao cosmos. O conceito é semelhante à crença budista e hindu de que a consciência é uma parte integrante do universo e na verdade é tudo que pode existir, uma posição semelhante ao idealismo filosófico ocidental. A teoria Orch-OR, no entanto, é extremamente controversa dentro da comunidade científica. Mesmo assim, o dr. Hameroff acredita que a pesquisa em física quântica está começando a validar não só o seu próprio modelo de Orch-OR, mas a questão maior do que a alma realmente é.

NOVA TEORIA

TIMOTHY LEARY

O psicólogo Timothy Leary propôs, na década de 1970, o Modelo dos Oito Circuitos da Consciência. Ele acreditava que a mente humana consistia originalmente em sete circuitos neurológicos que, quando ativados, criavam diferentes níveis de consciência. Esses sete circuitos posteriormente ampliavam-se para incluir um oitavo nível. Leary acreditava que a maioria das pessoas vivenciava os primeiros três níveis em algum momento da vida, mas os últimos quatro níveis eram desencadeados quando a consciência humana evoluía. Ele também acreditava que algumas pessoas passavam para esses níveis usando técnicas como yoga, meditação, visualização ou drogas. Esses quatro circuitos "estelares" respondiam pelos estados parapsíquicos e místicos da mente. Era nesses estados alterados de consciência, durante o qual nos movemos para fora do mundo consciente do "self" e para dentro do fluxo do universo, que a nossa percepção parapsíquica entra em cena.

Abaixo: De acordo com o psicólogo Timothy Leary, estados alterados de consciência podem nos levar a descobrir o mundo da alma.

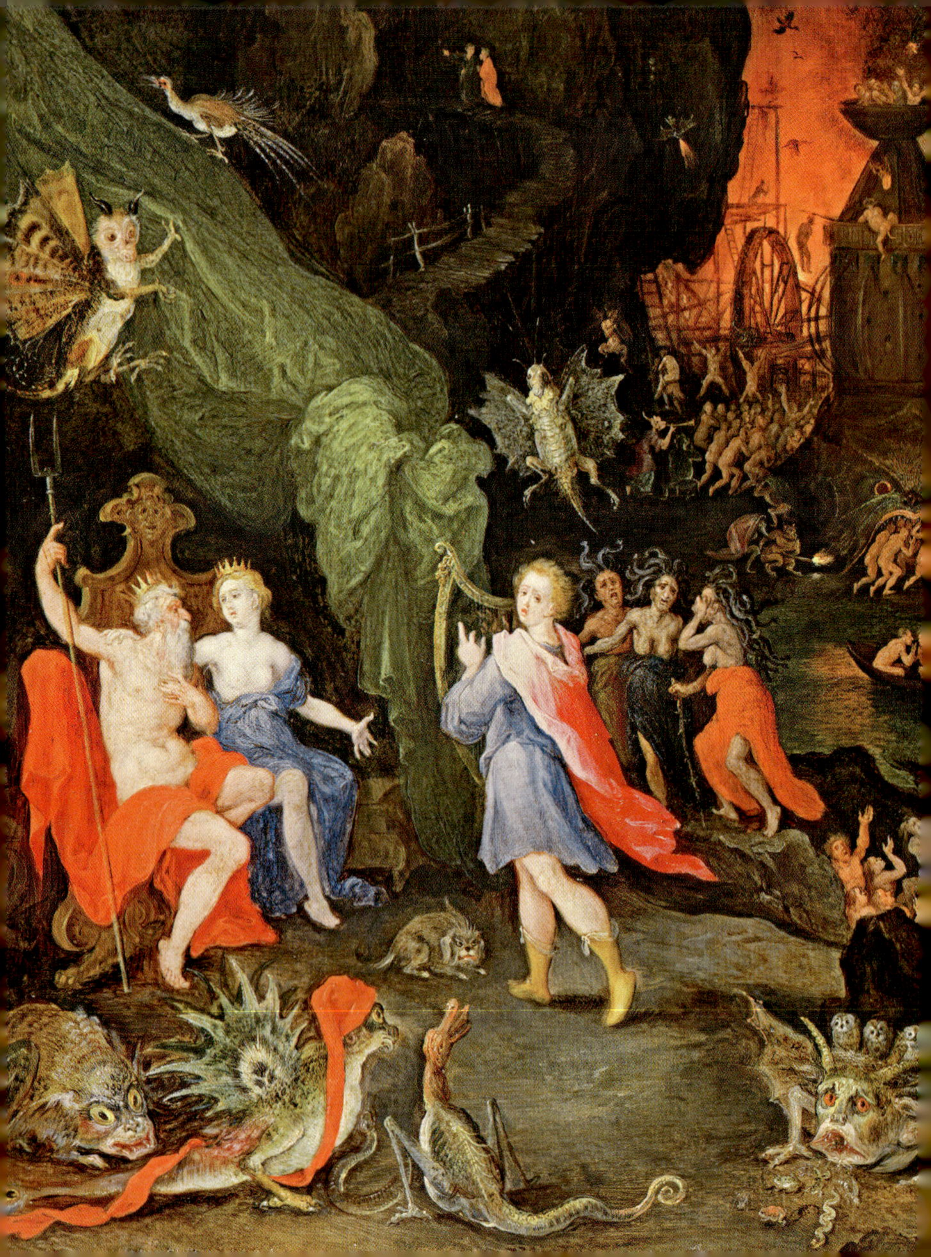

Capítulo 4
SERES E LUGARES DA VIDA APÓS A MORTE

A noção de que existe algum tipo de lugar no pós-morte – um Mundo Inferior, Céu ou "Outro Mundo" – tem sido usada para responder a duas perguntas decisivas que os seres humanos têm sobre a vida: "para onde vamos quando morremos?" e "o que acontece com a nossa consciência quando morremos?". A maioria dos sistemas de crenças desenvolveu a ideia de que Outro Mundo espera as almas dos mortos, juntamente com seres soberanos dos reinos sombrios ou luminosos, e com aqueles que nos conduzem através da morte, até o próximo mundo. Este capítulo descreve os lugares e seres mais associados com a vida após a morte e que são símbolos poderosos da nossa jornada espiritual. Seja você alguém cético, que busca respostas ou que já sabe o que a vida após a morte significa para você, os mitos e histórias a seguir não só oferecem um vislumbre muito vívido do que ela seja como são metáforas maravilhosas da nossa busca espiritual em nossa jornada através da vida.

CAPÍTULO 4: SERES E LUGARES DA VIDA APÓS A MORTE

CÉU OU INFERNO?

Agora é hora de unirmos a alma e o mundo. Agora é hora de ver a luz solar dançando com as sombras.

Rumi

Dependendo da civilização ou da cultura em questão, as várias versões da vida após a morte são ou foram consideradas boas, más ou uma mistura de ambos. Nesses mundos, os maus espíritos, anjos e demônios são espíritos temerosos ou guardiões amorosos, assistentes medonhos ou deuses benfazejos desses reinos.

Existiram muitas histórias de deuses e heróis, cujas missões eram resgatar alguém ou algo no Mundo Inferior, como Dionísio, que desceu ao Mundo Inferior para resgatar Sêmele. Na mitologia védica, Ushas, a deusa do amanhecer, foi libertada de uma apavorante caverna de pedra, Vala, por Indra, deus supremo dos deuses; e na mitologia

Esquerda: Em algumas culturas, anjos acenam de reinos mais elevados para encorajar os crentes a viver uma vida virtuosa.

CÉU OU INFERNO?

Esquerda: Contos de fada europeus muitas vezes têm advertências morais para as crianças não pecarem. Se o fizessem, ficariam à mercê de maus espíritos.

finlandesa, o conhecido herói Lemminkäinen é resgatado do Inferno por sua mãe. Existem, igualmente, muitos contos de criaturas infernais ou demônios que querem assumir o controle do Mundo Superior, como nos textos hindus épicos *Ramayana*.

A vida após a morte nem sempre é um sombrio mundo subterrâneo, mas também pode ser um lugar de descanso para heróis caídos em batalha, como os Campos Elíseos romanos ou o glorioso Valhalla (ver página 190), onde os guerreiros nórdicos são reverenciados após a morte.

Algumas civilizações, como a dos antigos egípcios, que tinham muitos deuses presidindo ritos e rituais funerários, eram muito zelosas na realização dos ritos funerários corretos, a fim de garantir a passagem direita da alma para o Outro Mundo.

Muitos deuses do Mundo Inferior são sombrios, ameaçadores e, geralmente, invisíveis, como Hades, do mito grego.

Na verdade, na maior parte das mitologias mais primitivas, a vida após a morte não é um lugar particularmente amistoso e fornece pouco conforto aos vivos. A ideia de uma vida boa após a morte, o que condiz com o céu cristão, era escassa, exceto para algumas civilizações menos preocupadas com os panteões de deuses e mais com a visão animista da vida – ou seja, em culturas nas quais havia a crença de que tudo é uno e impregnado com a Alma do Mundo (ver página 118).

CAPÍTULO 4: SERES E LUGARES DA VIDA APÓS A MORTE

A VIDA APÓS A MORTE DOS EGÍPCIOS

Para os egípcios, a vida após a morte, conhecida como Duat, ocorria em algum lugar no Céu e era a morada de deuses e outros seres sobrenaturais. O deus solar Rá viajava de Oeste para Leste através de Duat, durante a noite. As câmaras funerárias formavam portais liminares entre o mundo terreno e Duat, e os espíritos poderiam usar os túmulos para viajar entre os mundos.

O Livro dos Mortos (ver página 75) e os *Textos dos Sarcófagos* eram usados para guiar o recém-falecido através da paisagem perigosa de Duat, rumo ao seu lugar de descanso, assim como o *akh* (ver página 125) entre os deuses. Os mortos tinham que passar por uma série

A VIDA APÓS A MORTE DOS EGÍPCIOS

Acima: Anúbis, o deus dos mortos com cabeça de chacal, era também o patrono dos embalsamadores.

Esquerda: Antes que o morto pudesse continuar sua jornada pela vida após a morte, seu coração era pesado e julgado para ver se ele ainda tinha que passar por alguns testes.

de portas que eram guardadas por espíritos e demônios perigosos. Despenhadeiros e cavernas também eram habitados por deuses ou animais sobrenaturais que ameaçavam os espíritos dos mortos. O objetivo desses textos não era tanto orientar a alma, como um mapa geográfico, mas descrever uma sucessão de ritos de passagem pelos quais os mortos teriam que passar para chegar à vida após a morte.

Se o falecido passasse por esses testes, Anúbis e Ma'at, dois assessores do deus Osíris, incumbiam-se da pesagem de cada alma para determinar seu destino no pós-morte. Anúbis era o deus canino dos mortos, muitas vezes descrito como um homem com cabeça de chacal. Como o patrono dos embalsamadores, ele também era o guardião da necrópole, uma grande área de sepultamento às vezes tão grande quanto uma cidade. Na necrópole, sacerdotes usavam máscaras de chacal enquanto os corpos eram embalsamados, para mostrar que Anúbis estava presente.

Ma'at, a deusa da justiça, usava sua pena para pesar a alma do recém-falecido. A pena representava o equilíbrio "perfeito". Se sua alma tivesse peso igual ao da pena, ela seria autorizada a viajar para o paraíso conhecido como Aaru. Os corações que fossem mais pesados ou mais leves do que sua pena eram rejeitados e devorados pelo demônio conhecido como Devorador de Almas. Aaru, que significa Campo dos Juncos, era um lugar de descanso muito almejado onde a alma

CAPÍTULO 4: SERES E LUGARES DA VIDA APÓS A MORTE

seria para sempre contemplada com todas aquelas coisas que amava em vida.

Osíris, o regente de Duat

O deus Osíris era considerado pelos faraós do Novo Reino o primeiro rei do Egito. A realeza do Novo Reino e seus escribas também acreditavam que Osíris foi quem ensinou a agricultura aos egípcios.

O mito a seguir vem de muitas fontes fragmentadas e está, portanto, incompleto em alguns detalhes, mas é uma analogia excelente do nosso próprio desespero diante do desaparecimento ou a perda de um ente querido, e da nossa disposição para fazer qualquer coisa para trazê-lo de volta à vida. Esse mito, no entanto, também revela que, se aceitarmos a existência da vida após a morte, podemos superar o nosso sentimento de perda e saber que a alma do nosso ente querido ainda vive.

Quando Osíris afastou-se do Egito para travar uma batalha, deixou sua irmã Ísis governando em seu lugar. Seu irmão Seth ficou com ciúmes da posição mais elevada de Ísis como regente e, sentindo-se menosprezado, resolveu usurpar o trono. Quando Osíris voltou, Seth começou a tramar a morte do rei. Secretamente mandou construir um sarcófago primorosamente decorado e com o tamanho exato de Osíris. Então organizou um grande banquete e convidou Osíris e seus conspiradores. Osíris não suspeitou de nada e, durante a festa, Seth mandou transportar o sarcófago para o meio do salão e informou que o daria de presente àquele que ali coubesse perfeitamente. Um de cada vez, os conspiradores experimentaram o sarcófago, mas para nenhum serviu. Então foi a vez de Osíris. Quando ele entrou no sarcófago, os conspiradores fecharam a tampa, lacraram o sarcófago com pregos e despejaram chumbo derretido nas emendas, para selar seu destino, jogando-o em seguida no rio Nilo.

Ísis consultou seus feiticeiros, que lhe revelaram onde encontrar Osíris. Depois de uma árdua jornada com muitas aventuras no caminho, ela finalmente encontrou o sarcófago e levou o irmão de volta ao Egito para prestar ao rei ritos funerários apropriados. Seth, porém, encontrou o sarcófago e, em sua ira, cortou o cadáver em 14 pedaços, espalhando-os pelo Egito. Mais uma vez, Ísis pediu aos seus feiticeiros para que lhe dissessem onde encontrar as partes que tinham sido escondidas. Quando ela tinha encontrado todas as 14 partes, Anúbis ajudou a refazer e mumificar o corpo de Osíris. Hórus, filho de Ísis, acabou por derrotar Seth e, ao se tornar rei, ressuscitou Osíris como regente de Duat.

A VIDA APÓS A MORTE DOS EGÍPCIOS

O CULTO A OSÍRIS

A mumificação de Osíris foi a primeira registrada na história egípcia. A arte da mumificação foi aperfeiçoada por volta da quarta dinastia dos faraós egípcios (c. 2.600 a.C.). Geralmente levava 70 dias para se concluir o processo, que se tornou parte da religião de mistério de Osíris. Esse era um segredo guardado pelos sacerdotes da elite que realizavam rituais e cultos destinados a Osíris. A religião secreta promovia a crença de que existiria uma vida eterna no paraíso para todos os que adoravam Osíris, uma crença que posteriormente foi assimilada na religião formal das Dinastias do Novo Reino. Os Mistérios de Osíris, era um festival realizado anualmente em Abydos, onde dizem que Ísis encontrou a cabeça de Osíris e que acabou se tornando um local onde egípcios ricos eram enterrados. No final dos anos 600 a.C., o culto de Osíris ofuscou todos os outros do Egito e sua religião de mistério se espalhou por todo o Mediterrâneo.

Esquerda: Conhecida por seu envolvimento com as artes da magia, Ísis frequentemente consultava seus feiticeiros.

CAPÍTULO 4: SERES E LUGARES DA VIDA APÓS A MORTE

O MUNDO INFERIOR MESOPOTÂMICO

O mito sumério de cerca de 2000 a.C. conta como Nammu, a deusa do oceano, deu à luz a montanha cósmica, An-Ki, Céu e Terra. An e Ki foram a princípio um só, mas foram separados de modo que outros deuses, plantas, animais e seres humanos pudessem ser criados.

Com a união de Ki, a Terra, e o Ar, Enlil, vieram todos os outros deuses. Ki, a filha de Nammu, posteriormente se tornou conhecida como Ninhursag e não foi apenas considerada mãe da Terra, como seu ventre era o Mundo Inferior ou morada dos mortos, por isso ela se tornou conhecida como "aquela que dá vida aos mortos". No mito sumério ela foi substituída por Ereshkigal, cuja história é contada na página 210.

Os mesopotâmios não só reverenciavam seus deuses, como também as almas daqueles que iam para o mundo dos mortos, embora fosse um lugar aterrorizante, cheio de demônios e de pavor. Por volta de 1000 a.C., um paraíso conhecido pelos suméricos como Dilmun era uma terra exclusiva para os deuses imortais, mas Irkalla, o lugar para onde iam as almas dos seres humanos mortos, era um lugar sobrio e triste de onde ninguém jamais retornava.

O MUNDO INFERIOR MESOPOTÂMICO

Na história do herói Gilgamesh, seu companheiro, o Enkidu mortal, vai até o Mundo Inferior para recuperar uma bola e um taco, equipamentos de um jogo parecido com o hóquei jogado na Terra e, para horror de Gilgamesh, aparentemente ele se perde para sempre. Enkidu encontra um lugar tranquilo e eternamente sombrio, onde a poeira cobre tudo. Não há alegria, não há o que comer ou beber, nenhum companheirismo. Trata-se de um local sombrio, mas ele recupera os equipamentos do jogo e felizmente retorna à Terra para continuar jogando. No mito sumério e babilônico, a morte é vista como definitiva e absoluta. A vida é associada com o bem e a luz, enquanto a morte está ligada ao mal e à escuridão. Demônios percorrem o Mundo Inferior, e todas as maldades da humanidade são projetadas lá. Não é de surpreender que o legado desse medo acabe evoluindo para as imagens hebraicas e cristãs do Inferno.

Esquerda: A história épica de Gilgamesh inclui uma visita ao desolado Mundo Inferior para as almas dos mortais.

Abaixo: Gilgamesh queria ser como os deuses imortais, para que pudesse ir para o paraíso.

ESPÍRITOS OFENDIDOS

Na crença suméria, se um espírito não tinha recebido as honras corretamente no sepultamento, ele encontrava uma maneira de infligir sofrimento aos vivos. Contudo, acreditava-se que alguns espíritos, tais como daqueles que pereciam de mortes violentas, tinham sido criminosos, vítimas de suicídio ou natimortos, muitas vezes retornavam à vida para se vingar. A maioria dos mortos era enterrada embaixo da casa ou perto dela, e cada casa tinha um pequeno santuário onde diariamente oferendas de comida e bebida eram feitas aos espíritos dos mortos. As pessoas acreditavam que, ao apaziguar os antepassados bons, podiam impedir o retorno de entes queridos vingativos. Mas, se isso também não desse certo, um necromante era chamado para exorcizar a entidade malévola.

CAPÍTULO 4: SERES E LUGARES DA VIDA APÓS A MORTE

O MUNDO INFERIOR GREGO

Os antigos gregos acreditavam que o reino da vida após a morte ficava em algum lugar no leste, além do sol poente.

Posteriormente, com o surgimento de grandes contadores de histórias, como Homero e Hesíodo, as pessoas começaram a ver este Mundo Inferior como se ele estivesse literalmente debaixo da terra, um lugar acessível a partir de vários "portais" na Terra, conhecido apenas pelos deuses e heróis. Essa se tornou uma poderosa imagem do pensamento europeu e, como a ideia do inferno eterno sumério, exerceria um efeito em cadeia sobre as religiões posteriores, como o cristianismo.

De acordo com o mito grego, Hades regia o Mundo Inferior das sombras, e sua invisibilidade fez dele um personagem recluso. Só subiu ao Mundo Superior quando buscava uma consorte e, vencido pelo desejo sexual, sequestrou Perséfone, que acabou por se tornar sua rainha durante seis meses por ano. Ela só tinha autorização para retornar à Terra para manter o ciclo de fertilidade e as estações do ano.

Acima: Quando Hades sequestrou Perséfone e levou-a para o Mundo Inferior, acabou com a fertilidade da terra

O MUNDO INFERIOR GREGO

Direita: A caverna da Sibila, em Cumas, na Itália, é supostamente onde Eneias descobriu como chegar ao Mundo Inferior.

Havia várias entradas para o Mundo Inferior. O herói troiano Eneias desceu até lá pela caverna da Sibila, em Cumas, na Itália, passando por um olmo antigo no qual, de acordo com Homero, falsos sonhos se agarravam à parte inferior de cada folha. Esse mito dá a entender que, se o seu sonho de retornar do Mundo Inferior estava fadado a não se tornar realidade, o sonho seria deixado para trás, na Terra, e a pessoa nunca escaparia do Mundo Inferior. Odisseu foi conduzido pela bruxa Circe ao bosque de Perséfone, que levava ao rio Styx. A única maneira de atravessar o rio era pagar Caronte, o barqueiro, para levar sua alma em seu barco. Parentes dos mortos enterrados deixavam uma moeda sob a língua do cadáver para pagar ao barqueiro. Os mortos insepultos esperavam eternamente para atravessar o rio, atormentados para sempre pelas memórias do passado. Na outra margem, vivia o cão de 50 cabeças, Cérbero, que guardava a costa do Mundo Inferior e devorava qualquer mortal que tentasse entrar sem pagar o barqueiro ou qualquer alma que tentasse sair.

O Mundo Inferior era dividido em várias regiões. A pior era o Tártaro, um abismo profundo e infernal, em que os pecadores eram eternamente punidos. Érebo era a mais profunda e inacessível. Hécate, a deusa da magia negra, morava lá, acompanhada pelas Fúrias ou Erínias, espíritos do sexo feminino selvagens e demoníacos que puniam as almas perversas. Hécate dançava pelos

CAPÍTULO 4: SERES E LUGARES DA VIDA APÓS A MORTE

campos com um bando de fantasmas uivando atrás dela para assombrar e causar medo em todos aqueles que haviam pecado.

Nêmesis, a deusa da justiça divina, também não era alheia ao Mundo Inferior. Ela perseguia a alma dos culpados que eram enviados para o Plano do Julgamento para garantir que a sua punição fosse adequada ao crime da alma. Os Campos de Asfódelos era para onde as almas comuns trinavam para sempre como pássaros e morcegos.

No poema épico de Homero *Odisseia* (ver página 81), o herói, Odisseu (Ulisses), veleja até a borda da Terra, onde vê um bosque na junção de dois rios e chega aos Campos de Asfódelos. Ali, os mortos se aproximam como enxames, só capazes de falar se fossem animados pelo sangue de animais mortos. Só o fantasma do Tirésias, o profeta cego semidivino, teve permissão para pensar e falar, de modo que pudesse dar informações valiosas a Odisseu sobre o seu futuro, enquanto os fantasmas de outros deviam permanecer nas sombras. Aqui, Odisseu encontra o espírito do caçador Órion, antes que fosse colocado entre as estrelas de uma constelação, enquanto os espíritos de mulheres que não tinham conseguido encontrar um marido chegavam aos milhares para abraçar Odisseu, guinchando como morcegos numa caverna. Na borda da Terra estava também a Fonte de Leto, onde as almas poderiam beber para acabar com toda a lembrança de suas vidas, e o Vale das Lamentações, para as almas que tinham morrido infelizes no amor. Àqueles que tinham vivido uma vida virtuosa, era reservada uma vida feliz após a morte, nos Campos Elíseos.

No mito de Eneias descrito na *Ilíada*, na obra épica de Homero, uma saída estranha do Mundo Inferior foi mencionada. Era conhecida como o Portão de Marfim, através do qual as almas enviavam sonhos falsos para o mundo superior para enganar os homens. Essa era a porta através da qual Sibila e Eneias encontraram o seu caminho de volta para o Mundo Superior, em vez do Portão do Chifre, através do qual passava tudo o que é bom e verdadeiro.

Direita: Quem bebesse da Fonte de Leto, incentivado pelos espíritos da água, esquecia facilmente a vida passada.

O MUNDO INFERIOR GREGO

CAPÍTULO 4: SERES E LUGARES DA VIDA APÓS A MORTE

A VIDA APÓS A MORTE COMO SOFRIMENTO

O Geena

O nome Geena pode ser atribuído a uma ravina profunda e estreita, ao sul de Jerusalém, onde o povo amonita pré-judaico sacrificava seus filhos ao deus Moloque. Esse vale mais tarde se tornou o depósito de lixo da cidade e se tornou um símbolo vívido do lugar em que os ímpios eram punidos. Era chamado de Vale de Hinom e, posteriormente, na tradução grega tornou-se "Geena", um termo utilizado como referência ao Inferno na época do Novo Testamento. Geena, ou o Lago do Fogo, é referido como futuro, final ou Inferno, porque é onde os perversos de todas as eras, incluindo Satanás e os anjos caídos, viverão em tormento para sempre.

O Sheol

O Sheol aparece tanto no Antigo quanto no Novo Testamento como um lugar semelhante ao Mundo Inferior grego. Traduzida, a palavra significa tanto "cova" quanto "sepultura". Seja qual for o karma ou escolhas morais feitas em vida, todos os mortos, sejam bons ou maus, devem ir para esse lugar sombrio e miserável. Mas o conceito que os crentes mais temem é o de que lá não se é mais protegido por Deus nem se está em contato com Ele. Os habitantes indistintos do Sheol eram conhecidos como *rephaim* ou "sombras". Algumas das sombras mais importantes foram contactadas por videntes, como a bruxa de Endor, que canalizou Samuel, em nome do

A VIDA APÓS A MORTE COMO SOFRIMENTO

Acima: Na tradição judaica, Geena era o eterno Inferno para os ímpios, enquanto Sheol era a morada dos bons e dos maus.

rei Saul, para obter presságios para o futuro. Quando os textos hebraicos foram traduzidos para o grego por volta de 200 a.C., o Hades substituiu o Sheol, como o destino dos mortos.

O Purgatório

O Purgatório é um lugar onde almas misericordiosas que não foram batizadas ou não receberam comunhão são abençoadas por Deus pela eternidade. Um conceito da Igreja Católica, o reino do Purgatório é habitado por almas cristãs, de modo que possam ser purificadas antes de ir para o Céu e ter a certeza de receber a salvação. No Purgatório são oferecidos todos os ritos necessários para a admissão no abraço sagrado de Deus.

Dis

Dis é a complexa cidade dos mortos, descrita em *Inferno*, a primeira parte da obra épica do século XV *A Divina Comédia*, de Dante Alighieri. Dis fica no sexto dos nove círculos do Inferno. Os pecados mais graves são punidos nessas regiões do Inferno. Dis é extremamente quente e contém áreas que se assemelham mais à concepção moderna comum de Inferno do que os níveis superiores. O moderno conceito cristão do Inferno

CAPÍTULO 4: SERES E LUGARES DA VIDA APÓS A MORTE

Acima: A cidade infernal de Dis, descrita na Divina Comédia, *encapsulava os terrores da danação eterna sofrida por todos os hereges e pecadores.*

deriva do ensinamento do Novo Testamento, no qual o Inferno é tipicamente descrito por meio da palavra grega Hades ou a palavra hebraica Geena. Aqueles que se encontram no Inferno estão cercados pelo fogo, demônios e sofrimento eterno. As muralhas do Dis são guardadas pelos anjos caídos e as Fúrias (os cruéis espíritos femininos responsáveis por conduzir os insanos). Nos confins do Dis são punidos aqueles cujas vidas foram marcadas por pecados ativos, tais como hereges, assassinos, suicidas, blasfemos, sedutores, aduladores, feiticeiros, hipócritas, ladrões, falsários e traidores.

ANTIGA MITOLOGIA PERSA

Na mitologia persa pré-zoroastriana, o Inferno era descrito como um poço profundo e aterrorizante. Escuro, fedorento e estreito, ele estava cheio de demônios terríveis, tão grandes quanto montanhas, que devoraram a alma dos condenados.

Conhecida como a terra dos Daevas, ou demônios, o poço do desespero era regido pelo sinistro deus Angra Mainyu. Qualquer demônio menor que desafiasse a caótica mente de Angra Mainyu só poderia esperar a tortura eterna, e é por isso que muitos escaparam para a Terra para causar estragos à raça humana. Até o clima de Duzakh era impossível de se prever, com neve, granizo, chuva, areia e tempestades de cinzas, seguidas por erupções vulcânicas e derramamento de lava. Esse lugar desolado e rochoso era árido, muito quente ou muito frio, e ali nada poderia sobreviver. Em partes de Duzakh havia poços de escravos chamados Drujdemana, onde o líder dos demônios, Vizaresh, atirava almas que roubava quando iam para o céu. Se os escravos recusavam-se a trabalhar em Duzakh, eles eram devorados por Angra Mainyu. Como os escravos escavavam cada vez mais o poço de Duzakh, nem mesmo os outros deuses sabiam ou se atreviam a perguntar sobre as almas escravizadas.

Acima: A terra de demônios era um buraco fétido onde as almas se tornavam escravos dos deuses do mal.

CAPÍTULO 4: SERES E LUGARES DA VIDA APÓS A MORTE

A VIDA APÓS A MORTE DOS HERÓIS

Na mitologia nórdica, Valhalla (salão dos mortos) era o grande salão de festas onde o deus Odin recebia os Einherjar, as almas dos heroicos guerreiros vikings mortos no campo de batalha.

O telhado e as paredes do enorme palácio de Valhalla eram feitos de escudos e lanças. Dizia-se que suas 500 portas eram grandes o suficiente para permitir que 800 homens entrassem por elas marchando lado a lado.

A porta conhecida como Valgrind era construída de madeira. Era por ali que os heróis caídos entravam depois que passavam por um teste para provar seu valor.

Uma vez lá dentro, os grandes heróis eram curados de seus ferimentos e viviam uma vida eterna de hedonismo e lutas. A cada manhã vestiam sua armadura, iam para os campos de treino e lutavam entre si. Se matavam, eram trazidos de volta à vida para suportar todas as agonias que tinham sofrido anteriormente. Mas todas as noites voltavam a Valhalla para se banquetear com um enorme javali, que todos os dias recuperava a vida, era novamente morto e devorado novamente.

Como os vikings acreditavam que a existência como se esperava em Valhalla era para ser perfeita, os guerreiros mais velhos que não eram mortos no campo de batalha durante a juventude ou anos ativos caíam sobre as suas próprias lanças para serem recebidos em Valhalla.

Esquerda: Valhalla era um palácio adornado de torres na mitologia nórdica, que recebia exclusivamente heróis de guerra, muitos dos quais tinham lutado contra a serpente de Midgard.

A VIDA APÓS A MORTE POLINÉSIA

Em toda a Polinésia, os conceitos de Outro Mundo tinham muitas variações. O mais conhecido era o do Mundo Inferior de Po, no qual as almas não desejavam ficar muito tempo depois da morte, uma vez que era apavorante, sombrio e cheio de espíritos malignos.

No entanto, havia dois outros reinos, conhecidos como Polotu na Polinésia ocidental e Hawaiki, na oriental. O mundo espiritual dos ancestrais no Ocidente também era chamado Hawaiki, o que confundia um pouco as coisas. Esse era um reino que os vivos nunca poderiam encontrar, mas para o qual os espíritos poderiam voltar. Dependendo de onde se vivia na Polinésia, acreditava-se que esse reino era no Céu, em algum lugar subterrâneo ou distante, do outro lado do oceano. A versão subterrânea do Hawaiki às vezes era confundida com o Mundo Inferior de Po.

Po era dividido em diferentes regiões. A parte mais sinistra era regida por Miru, a deusa da morte, que espreitava com uma enorme rede com que capturava as almas de pessoas tolas, que tinham feito algo errado e que tinham sido mortas por feitiçaria. Quando essas almas passavam do mundo real para o Outro Mundo, ela as capturava com a sua rede e as jogava em seus enormes fornos, onde eram aniquiladas.

Àqueles que tinham sido respeitados anciãos, líderes, heróis da tribo ou apenas virtuosos ao longo da vida era geralmente concedido o direito de se reunir com seus antepassados no mundo espiritual, que refletia o mundo real. Mas aqueles que morriam ainda bebês ou no parto não tinham tanta sorte e ficavam presos entre este mundo e o mundo dos mortos, habitando uma zona de penumbra, de onde só conseguiam às vezes voltar para assombrar os vivos a se vingar.

Acima: Para os povos indígenas insulares, como os polinésios, a vida após a morte poderia ser muito longe, a oeste, uma terra distante, ou embaixo da terra.

CAPÍTULO 4: SERES E LUGARES DA VIDA APÓS A MORTE

MITO CELTA

No mito celta, o Outro Mundo, regido por dois deuses, era conhecido como Annwn e, às vezes, por Anfwn ou Anghar. Reflexo do mundo físico, esse Outro Mundo era, no entanto, informe e eterno. Os deuses Havgan e Arawn eram rivais e muitas lendas surgiram em torno de suas batalhas para usurpar o controle um do outro.

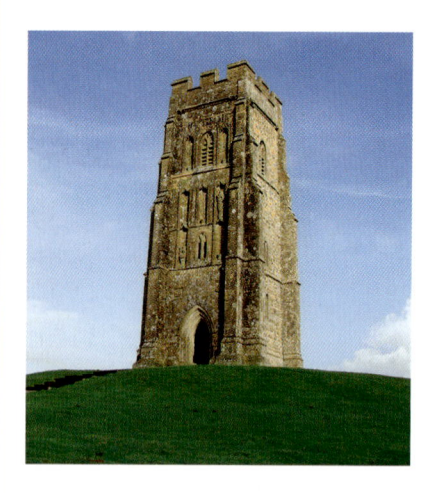

Acima: Glastonbury Tor é considerado uma das possíveis entradas para o Outro Mundo celta.

Dizem que há uma passagem para Annwn na foz do rio Severn, perto de Lundy Island, bem como no topo de Glastonbury Tor. Annwn, que foi cristianizado quando a terra das almas em tempos medievais estava cheia de espíritos, demônios e fadas que viajaram ao mundo mortal para enganar, iludir ou divertir os seres humanos que eles encontraram.

Na coleção medieval de histórias galesas conhecida como *Mabbinogion*, Arawn persuadiu o transmorfo Pwyll, rei de Dyfed, a trocar de lugar com ele por um ano. Arawn queria vencer seu rival Havgan e tornar-se o único governante do Outro Mundo. Ele sabia que não era forte o suficiente para isso, mas que Pwyll era. Um dia, durante uma caçada, a matilha de cães de Pwyll afugentou outra matilha que estava perseguindo um veado. O dono da segunda matilha era Arawn que, para compensar a perda do veado, convenceu Pwyll a governar o Mundo Inferior por um ano, enquanto ele, Arawn, governava Dyfed. Pwyll com facilidade matou Havgan, e um ano depois eles voltaram para seus próprios reinos e Arawn se tornou o único governante de Annwn.

No manuscrito galês do século XIV conhecido como *Livro de Taliesin*, o rei Arthur

MITO CELTA

e seus cavaleiros viajam por Annwn em busca do Caldeirão da Abundância, uma eterna fonte dos prazeres e de imortalidade no Outro Mundo. Possível precursor dos mitos posteriores do Graal, esse texto remonta ao século X d.C., mas estudiosos acreditam que a maior parte do mito galês tenha sido transmitido oralmente e possa ser, portanto, até do século VI d.C. Em um mito, um lavrador divino chamado Amaethon roubou um cervo de Arawn e o gentil governante do Mundo Inferior teve que lutar com um enorme Exército que, na verdade, eram árvores transformadas em soldados pelo mago Gwydion para o seu bom amigo, o lavrador. Arawn perdeu o veado e sua reputação. Depois disso se tornou conhecido como o gentil governante de Annwn.

Acima: O rei Arthur e seus cavaleiros uma vez percorreram Annwn em busca da imortalidade.

CAPÍTULO 4: SERES E LUGARES DA VIDA APÓS A MORTE

A VIDA APÓS A MORTE PARA OS BANTUS

Terra dos fantasmas era como os bantus africanos chamavam o Outro Mundo, por onde se entrava através de buracos e cavernas no chão, mas esse mito obviamente sofria variações, dependendo da região geográfica.

Devido às enormes distâncias e variadas paisagens da África, existiam várias maneiras diferentes de se encontrar a terra dos fantasmas, e também vários tipos de fantasmas que habitavam a região. No monte Kilimanjaro, por exemplo, entrava-se na terra dos fantasmas mergulhando-se num lago profundo. Para os povos do Transvaal, a porta de entrada para Mosima (o abismo) era um grande desfiladeiro.

Algumas dessas terras de fantasmas estavam acima da superfície, mas, no leste da África, pequenos bosques eram considerados locais de culto, e montes de terra, muitas vezes chamados de colinas dos espíritos, eram considerados locais suscetíveis a visitas de fantasmas. As árvores que cresciam em qualquer um desses lugares sagrados nunca eram cortadas e sempre eram protegidas de incêndios, porque se acreditava que as suas raízes podiam ser habitadas por espíritos ancestrais.

Acima: Para os bantus, a vida após a morte era uma terra cheia de fantasmas de ancestrais.

Os bantus têm diferentes classes de fantasmas. Os fantasmas dos familiares, *kungu*, são reverenciados e aplacados por gerações de uma família até que percam a personalidade e se fundam com uma horda de espíritos conhecidos como *vinyamkela* ou *majini*. Os *vinyamkela* são mais amigáveis do que os *majini*, mas ambos são mais poderosos do que os fantasmas *kungu*. Esses fantasmas são normalmente invisíveis, mas há momentos em que aparecem com metade de um corpo e nada do outro lado, particularmente quando voltam para assombrar membros da família perversos.

A VIDA APÓS A MORTE BOLIVIANA

Para o povo guarayo da Bolívia, o grande Espírito, Tamoi, regia a Terra do Avô, mas, antes que pudesse entrar lá, a alma precisava vencer uma longa e árdua jornada de testes e provações.

No final dessa jornada, ela se juntava com seus antepassados para desfrutar a eterna juventude e o paraíso almejado na Terra.

Depois do enterro do corpo, a longa jornada se iniciava e a alma tinha que escolher entre dois caminhos, um amplo e aparentemente fácil, o outro estreito e sombrio. Se ela escolhesse o caminho mais fácil, sua vida após a morte seria em eterna escuridão. Contudo, a alma não sabia qual caminho era mais fácil ou difícil quando fazia sua primeira escolha, porque eles pareciam idênticos.

A alma de sorte que escolhia o caminho estreito primeiro atravessava um rio largo e perigoso. A menos que levasse com ela o cachimbo de bambu enterrado com seu corpo na sepultura, o barqueiro se recusaria a ajudá-la a atravessar. Do outro lado do rio a alma passava por testes intermináveis para garantir que estava apta a residir na Terra do Avô. Havia rochas perigosas, árvores falantes, terríveis torturas feitas por macacos e pássaros, e outras aves exóticas que testavam a capacidade da alma de permanecer aferrada às suas intenções. A alma também tinha que coletar um milhão de penas de mil beija-flores e oferecê-las ao grande Espírito. Por fim, a alma tinha de refletir sobre a coisa que mais almejava na vida e então abrir mão dela, sem cair em tentação. Quando e se conseguisse passar por todos esses testes, ela era homenageada e recebia a permissão de se banhar na fonte da eterna juventude e viver a vida como queria.

Esquerda: Para o povo guarayo da Bolívia, era preciso escolher um caminho que levava à eterna escuridão ou à luz.

CAPÍTULO 4: SERES E LUGARES DA VIDA APÓS A MORTE

A MITOLOGIA ASTECA

Na mitologia asteca, Mictlan era o Mundo Inferior para onde a maioria das pessoas ia após a morte. Ele era composto de nove níveis. A jornada a partir do primeiro nível até o nono era árdua e demorava quatro anos.

Os mortos eram acompanhados por Xolotl, o deus do fogo e dos relâmpagos. Xolotl descia à Terra para reivindicar os mortos, seus raios fazendo a terra se abrir para que eles pudessem descer ao primeiro nível. Os mortos tinham de enfrentar aterrorizantes desafios para passar de um nível a outro, como atravessar o Rio de Sangue, que era habitado por jaguares ferozes. Quando chegavam em Mictlan, os mortos serviam ao senhor do Mundo Inferior, Mictlantecuhtli, que vivia com sua consorte num palácio sem janelas. Retratado com um crânio medonho, mandíbulas abertas e um colar de globos oculares, Mictlantecuhtli estava eternamente com fome e devorava as estrelas que caíam da Terra durante o dia.

Mas havia outros mundos para onde iam os mortos, dependendo da sua conduta em vida e o modo como morriam. Os guerreiros mortos em batalha e aqueles que morriam em sacrifícios iam para o leste e acompanhavam o Sol durante o dia, onde se levantavam no céu todos os dias para mostrar que tinham renascido com o Sol, de modo que ninguém se esquecesse do importante papel que tinham representado na Terra.

A MITOLOGIA ASTECA

Direita: O deus asteca da chuva, Tlaloc, carregava um chocalho para fazer trovejar e usava sandálias de espuma para absorver poças de chuva.

Esquerda: O culto ao Senhor de Mictlan incluía a ingestão ritual de carne humana e a dispersão dos ossos.

As mulheres que morriam no parto iam para o oeste. Lá, saudavam o Sol, quando ele se punha à noite para trazer um pouco de luz ao seu dia mais escuro, pois morrer no parto era considerado vergonhoso. Pessoas que morriam afogadas ou por outras causas associadas ao deus da chuva Tlaloc, como ser atingidas por um raio, iam para um paraíso chamado Tlalocan.

A chuva era preciosa para os astecas devido à agricultura, e qualquer morte que estivesse ligada à água era um sacrifício ao grande deus da chuva e dava direito ao céu eterno.

CAPÍTULO 4: SERES E LUGARES DA VIDA APÓS A MORTE

O PLANO ASTRAL

Um reino misterioso além daquele que conhecemos, o plano astral é também conhecido como o "mundo da ilusão" ou o "mundo dos pensamentos", porque é para lá que a mente viaja para vivenciar um plano diferente de existência sem o empecilho que representa o corpo.

O plano astral era visto como um reino entre o Céu e a Terra, onde ficavam os corpos celestes. Filósofos do Renascimento, como Cornelius Agripa, acreditavam que a alma humana pudesse escapar para o plano astral e obter conhecimento profético. Essas esferas astrais eram supostamente povoadas de anjos, demônios e espíritos, que eram retratados como círculos concêntricos ou esferas aninhadas umas dentro das outras e com um corpo humano movendo-se livremente através delas.

Para Plotino, filósofo grego neoplatônico do século III d.C., o indivíduo é um microcosmo do universo, enquanto o mundo material é uma imagem sem brilho do mundo não físico, com vários outros reinos intermediários, e o corpo astral humano pode se mover livremente entre todos esses reinos.

Para os neoplatônicos, o "corpo astral", uma ligação entre o corpo físico e a alma, era capaz de viajar para o plano astral e entrar

Esquerda: O plano astral era visto como um reino pelo qual a alma viajava entre as vidas.

Direita: Ondas concêntricas de luz permitiam que a alma se movesse livremente em outras esferas.

O PLANO ASTRAL

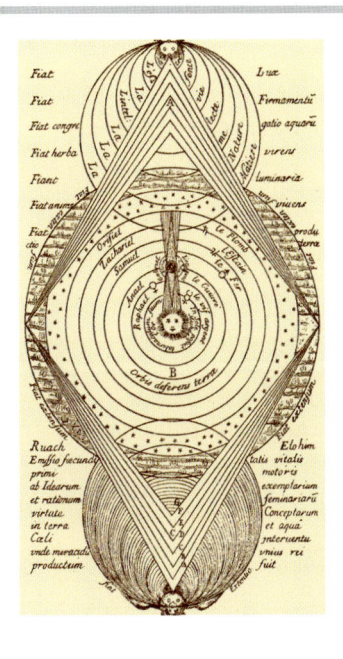

VIAGEM ASTRAL

A projeção astral é muito semelhante a uma experiência conhecida como "viagem da alma", em que, aparentemente, a alma deixa o corpo para visitar os vários planos espirituais. Os gurus indianos da linhagem Sant Mat, do século XIII, relatava experiências com a viagem da alma, que ainda são praticadas hoje pelas tradições espirituais Sant Mat. Originários da Índia, esses movimentos espirituais usam várias técnicas de meditação e mantras para atingir os oito níveis espirituais que ficam acima do plano físico. Os nomes e subdivisões dentro desses níveis variam em certa medida de acordo com o movimento e o mestre.

em contato com as estrelas. Essa ideia de "projeção astral" foi substituída, desde então, pela ideia de que estados alterados de consciência permitem que a mente ou alma viaje para um plano espiritual ou não físico. Sendo assim, a mente é capaz de viajar para reinos que se acredita espelhar o mundo material conhecido, ou para dimensões desconhecidas onde é possível encontrar outros seres astrais.

Alguns ocultistas do século XX, incluindo Aleister Crowley, acreditam que o plano astral se encontre no limiar dos planos espiritual além do espaço-tempo, enquanto o plano físico fica dentro do espaço-tempo. É esse plano astral que pode ser acessado pelos ocultistas, médiuns e sensitivos, no qual eles buscam conhecimento do universo para trazer para o reino físico.

CAPÍTULO 4: SERES E LUGARES DA VIDA APÓS A MORTE

SUMMERLAND

Summerland, ou Terra de Verão, é um lugar de descanso onde ficam as almas entre as encarnações terrenas. Adotado pelo espiritualista americano do século dezenove Andrew Jackson Davis e pelo teosofista britânico C. W. Leadbeater, Summerland é conhecida como o Outro Mundo para muitos movimentos neopagãos, incluindo a Wicca (ver página 111).

Muitos neopagãos também acreditam que, depois que a alma passou por muitas encarnações e evoluiu, ela chega a Summerland, um lugar de vida eterna. Durante a encarnação terrena, a alma tem pouca ou nenhuma recordação de Summerland, que só é vislumbrado e relembrado através de experiências de quase morte (ver página 21) ou da terapia de regressão (ver página 48).

Como o paraíso, Summerland é um lugar de beleza e paz, onde tudo que a alma individual ama é preservado em toda a sua plenitude e beleza. Ele é visto como um lugar de colinas verdejantes, prados viçosos, luz solar eterna e borboletas.

Não é um lugar de julgamento, mas de autoavaliação espiritual, onde a alma é capaz de rever a sua vida e obter uma compreensão do impacto que suas ações tiveram sobre o mundo. Alguns acreditam que cada vida futura seja escolhida e planejada pela própria alma, durante sua estada em Summerland, enquanto outros acreditam

Acima: O espiritualista americano A. J. Davis escreveu um influente livro sobre Summerland em 1868.

que essas lições sejam planejadas por um guia espiritual ou divindade.

A teosofia e Summerland

Na teosofia, Summerland é também chamado de Plano Astral, descrito como um lugar permanente para as almas que foram boas em vida. Aquelas que foram más vão para o Inferno, outro plano situado abaixo da Terra e que é composto de matéria astral mais densa. Os teosofistas acreditam que a maioria das pessoas vai para um Summerland específico criado para cada crença religiosa. Portanto, os cristãos vão para um Summerland cristão, os judeus vão para um Summerland judaico, e assim por diante.

Acima: De acordo com muitas tradições neopagãs, Summerland se compara a um paraíso terrestre.

CAPÍTULO 4: SERES E LUGARES DA VIDA APÓS A MORTE

JORNADAS MÍTICAS PARA A VIDA APÓS A MORTE

Muitos tentaram visitar o Mundo Inferior, seja para resgatar um ente querido, como Orfeu (ver página 12), para recuperar sua própria alma, como Psiquê (ver página 128-9), ou simplesmente para lutar contra demônios ou embarcar numa missão divina ou mortal, tal como Hércules.

Abaixo, são descritas algumas dessas jornadas. Esses mitos, lendas e contos literários são todos eles metáforas poderosas da nossa própria busca para descobrir o que é a vida após a morte, assim como você está fazendo agora, ao ler este livro. Elas também despertam a sua imaginação, a qualidade necessária para iniciar o trabalho prático apresentado no Capítulo 6. Mas, acima de tudo, essas jornadas são analogias excelentes da viagem da nossa alma ao longo da vida, à medida que enfrentamos os testes e provações reais da existência terrena.

Innana e Ereshkigal

Innana era a deusa suméria da luz, da fertilidade e do sexo, responsável pelo crescimento da terra. Dumuzi era seu consorte, o rei pastor para quem ela construiu a cidade de Uruk. Sua irmã gêmea, Ereshkigal, era a deusa das trevas, que governava o Mundo Inferior.

Innana começou a sentir falta da irmã e decidiu visitá-la. Usando as suas melhores joias de ouro e túnicas mais finas, ela chegou ao primeiro dos sete Portões da Invisibilidade. Em cada um deles, ela recebia a ordem de retirar parte de suas roupas ou joias. Após o sétimo portão, completamente nua, ela finalmente ficou diante da irmã, Ereshkigal. Mas os deuses que julgavam os mortos presumiram que ela estivesse ali para usurpar

Acima: O retorno de Innana do Mundo Inferior trouxe a fertilidade de volta à terra.

JORNADAS MÍTICAS PARA A VIDA APÓS A MORTE

Acima: Uruk era uma antiga cidade de Sumer, situada a leste do Eufrates, em 4000 a.C.

o trono da irmã, por isso a arrastaram de lá e a penduraram num gancho para que seu corpo apodrecesse.

Enquanto Innana estava no Mundo Inferior, não havia luz ou fertilidade na Terra e os deuses perceberam que precisavam trazê-la de volta. Enki, o deus trapaceiro, enviou três imortais para descer ao Mundo Inferior, que tiraram Innana do gancho e, com uma poção mágica, reviveram-na. Ereshkigal concordou que Innana voltasse ao Mundo Superior, desde que enviasse alguém para substituí-la. Em seu retorno a Uruk, ela descobriu que Dumuzi não tinha nem lamentado sua partida nem se importado com ela. Ele não só tinha usurpado o seu trono, como dormido com suas irmãs. Sua traição fez com que Innana o banisse para o Mundo Inferior como seu substituto e satisfizesse as condições de Ereshkigal. Depois de algum tempo, Innana se arrependeu de sua decisão e permitiu que Dumuzi retornasse à Terra todos os anos, para ficar seis meses como deus da vegetação.

CAPÍTULO 4: SERES E LUGARES DA VIDA APÓS A MORTE

O mito de Er

O Mito de Er é uma lenda sobre o cosmos e a vida após a morte, contada por Platão em *A República* e que por vários séculos exerceu grande influência sobre o pensamento religioso, filosófico e científico. A palavra "mito", neste contexto, significa "relato", e foi usada por Sócrates quando explicou que, pelo fato de Er não beber das águas do Lete durante a sua visita ao Mundo Inferior, o "mito" ou conto chegou até nós.

Quando os corpos daqueles que morriam em batalha eram recolhidos, dez dias depois de morrer na guerra, o corpo de Er ainda não tinha se decomposto. Dois dias depois, ele reviveu em sua pira funerária e contou sobre sua jornada através da vida após a morte.

No início da viagem, com muitas outras almas em sua companhia, Er encontrou um lugar com quatro aberturas – duas eram passagens para o Céu, e as outras duas eram buracos na terra. Juízes sentados entre essas aberturas diziam a cada alma qual caminho seguir: os justos eram guiados para o caminho do Céu, enquanto aqueles sem moral eram conduzidos para baixo. Mas, quando Er se aproximou dos juízes, ele foi orientado a permanecer ali, ouvindo e observando as idas e vindas, a fim de relatar a sua experiência para a humanidade. Algumas almas flutuavam para baixo, vindas do caminho cheio de luz mais acima; outras vinham de baixo, tentando se elevar do subterrâneo.

Depois de sete dias nas pradarias do Mundo Inferior, as almas e Er viajaram para

Acima: Er conseguiu atravessar o rio Lete sem beber das suas águas, mas ainda sob o olhar atento de Hades.

um lugar onde se via uma coluna de luz semelhante a um arco-íris. Era nesse lugar que as almas eram conduzidas a um espírito guardião, para ajudá-las a continuar até sua próxima vida. Elas passavam sob o trono da Necessidade, ou deusa do destino, em seguida viajavam para a Planície do Esquecimento, onde corria o Rio do Esquecimento (rio Lete). Cada alma era obrigada a beber um pouco de água, em quantidades variáveis, menos Er. Quando bebiam, a alma se esquecia de tudo de sua vida passada. Quando se deitava à noite para dormir, a alma se elevava no céu noturno, pronta para o seu renascimento, completando assim a sua experiência pós-vida. Er não se lembrava de nada da viagem real ao voltar ao corpo. Mas quando abriu os olhos, viu-se deitado sobre a pira funerária e foi capaz de recordar sua visita à vida após a morte, sabendo que tinha de contar ao mundo sua aventura.

A descida de Dante ao Inferno

O poema épico *A Divina Comédia* conta a história da jornada de Dante pelos três reinos dos mortos, e que durou desde a noite anterior à Boa Sexta-feira até a Quarta-feira depois da Páscoa, na primavera de 1300 d.C. Dante é primeiro conduzido através do Inferno e o Purgatório pelo poeta romano Virgílio, em seguida através do Céu pelo seu ideal de mulher, Beatrice.

O poema começa quando Dante tem 35 anos de idade e se perde num bosque sombrio, onde bestas, a culpa e a aversão por si mesmo o assombram. Ele também está perdido do ponto de vista espiritual e não encontrou o "caminho certo" para a salvação. Consciente de que está arruinando a si mesmo, Dante enfim é salvo por Virgílio, e juntos os dois começam a sua viagem ao Mundo

Direita: A viagem ao Mundo Inferior muitas vezes começava numa caverna profunda, onde os gritos de almas atormentadas elevavam-se através da atmosfera ardente.

CAPÍTULO 4: SERES E LUGARES DA VIDA APÓS A MORTE

Inferior. Dante passa através do portão do Inferno, com a sua famosa inscrição: "Deixai toda esperança, vós que aqui entrastes".

A punição de cada pecado no Inferno, a primeira parte do poema, é uma simbologia poética da justiça ou vingança divina. Por exemplo, adivinhos tinham que andar com a cabeça virada para trás, incapazes de ver o que estava à frente, porque tinham tentado fazer previsões demais em vida. Virgílio guia Dante através dos nove círculos do Inferno. Os círculos são concêntricos, representando um aumento gradual na maldade, e culminando no centro da Terra, onde Satanás está

Acima: Satanás batia suas asas para produzir um vento gelado que congelava a água e os pecadores do Nono Círc

aprisionado. Os pecadores de cada círculo são punidos por Deus de acordo com seus crimes: cada pecador é afligido por toda a eternidade pelo principal pecado que cometeu.

No centro do Inferno, condenado por cometer o pecado supremo da traição pessoal contra Deus, está Satanás. Retratado como um monstro terrível, com três rostos, Satanás está enterrado até a cintura no gelo, vertendo lágrimas pelos seus seis olhos e batendo suas seis asas como se tentasse escapar.

Os dois poetas escapam do Inferno escalando o corpo irregular de Satanás, e passam através do centro da Terra, emergindo no hemisfério sul um pouco antes do amanhecer do domingo de Páscoa, sob um céu salpicado de estrelas. Na montanha do Purgatório, no lado mais distante do mundo (uma ilha criada por uma grande mudança geológica, causada quando Satanás caiu do céu e criou o Inferno), há sete plataformas, correspondendo aos sete pecados mortais, ou às sete raízes do pecado. É a partir dali que Dante embarca em sua próxima jornada épica para o Céu.

Jornada a Zibalba

Este mito foi estabelecido em torno de 500 d.C. O livro sagrado maia, conhecido como *Popol Vuh*, narra a lenda dos gêmeos Hunahpú e Xbalanqué e suas façanhas no Mundo Inferior. Mais tarde conhecidos como "deuses heróis", eles viajam para o Mundo Inferior para vingar o assassinato de seus parentes pelas mãos dos senhores do Inferno. Xibalbá, o Mundo Inferior maia, era um lugar sombrio e fedorento, habitado por demônios e deuses do mal. Qualquer ser humano que entrava ali nunca chegava a voltar para a Terra, razão pela qual os gêmeos tornaram-se heróis lendários na mitologia maia. Os deuses da morte maias eram também conhecidos por outros nomes como "Deus da Morte D" ou "Deus da Morte L", e foram esses dois deuses que assassinaram o pai e o tio dos gêmeos muito antes de estes fazerem a sua visita.

Os parentes dos deuses heróis, seu pai Hun Hunahpú e seu tio Vucub, tinham disputado um jogo de *tlachtli*, uma espécie de jogo de bola popular em todo o Antigo México. Infelizmente, eles perderam a bola, que rolou para dentro de um túnel para o terrível reino de Xibalbá. Os senhores de Xibalbá desafiaram os deuses para um jogo, mas os deuses foram enganados pelos traiçoeiros senhores, sendo depois assassinados, sacrificados e enterrados na Casa do Sofrimento, um reino miserável de Xibalbá que abrigava milhares e milhares de cadáveres.

Muitos anos depois, os deuses heróis gêmeos Hunahpú e Xbalanqué encontraram um rato que lhes contou a história da morte de seus parentes. O rato explicou sobre o jogo de *tlachtli* e onde tinha sido jogado. Assim, os gêmeos partiram para experimentar o jogo, determinados a enfrentar o desafio dos demônios e vingar a morte do pai e do tio. Os gêmeos encontraram o túnel e seguiram o caminho que levava até o Rio de Sangue e a entrada para Xibalbá.

CAPÍTULO 4: SERES E LUGARES DA VIDA APÓS A MORTE

Todas as noites, os gêmeos eram testados pelos senhores de Xibalbá. Mas, por fim, eles venceram, vangloriando-se de que podiam trazer os mortos de volta à vida e provando assim que eram imortais. Os senhores de Xibalbá exigiram que eles matassem e ressuscitassem o Cão da Morte, o guardião da porta de entrada para Xibalbá, e esquartejassem um homem e o trouxessem de volta à vida. Os heróis fizeram isso e os senhores e demônios do Mundo Inferior perguntaram se poderiam ser ressuscitados também. Os gêmeos os lembraram de que eles não passavam de sombras sinistras, fantasmas, de modo que os poderes dos senhores logo diminuíram e eles foram proibidos de jogar *tlachtli* novamente.

As almas dos antepassados Hun Hunahpú e Vucub foram enviadas aos céus pelos deuses, como o Sol e a Lua, e os heróis voltaram ao mundo para lembrar as pessoas da imortalidade dos deuses e do seu triunfo sobre a terra dos mortos.

Acima: Na mitologia maia, representações de jogos de bola eram associadas à terra dos mortos.

Direita: Uma batalha entre reis hindus rivais terminou no teste dos deuses para ver quem deveria ir para o Céu ou para Inferno.

A jornada de Yudhisthira

No épico hindu conhecido como *Mahabharata*, Yudhisthira era o rei de Indraprastha, que tinha travado pouco tempo antes uma batalha contra seu rival, Duryodhana. Os deuses Indra e Krishna queriam testar Yudhisthira para ver se ele era digno de seu reinado, de modo que o enviaram em missão para encontrar seus irmãos, mortos por Duryodhana. Os dois deuses disseram para Yudhisthira que seus irmãos estavam no Inferno expiando seus pecados, enquanto seu rival Duryodhana estava no Céu, depois de morrer em Kurukshetra, onde a batalha entre deuses bons e maus tinha ocorrido.

Yudhisthira não acreditou nos deuses, certo de que seus irmãos eram virtuosos, e ordenou que sua carruagem fosse para o Céu para provar que sua família estava lá. Em vez disso, ele viu seu rival Duryodhana e todos os seus demônios. Sem conhecer Yudhisthira, a visão de seu rival no céu era simplesmente

JORNADAS MÍTICAS PARA A VIDA APÓS A MORTE

uma ilusão que Indra tinha colocado na mente de Yudhisthira.

Leal, Yudhisthira foi então para o Inferno encontrar os seus irmãos, mas a visão de intenso martírio o deixou horrorizado. Embora a princípio ele tenha tentado fugir, ao ouvir as vozes de seus amados irmãos pedindo que ficasse com eles em seu sofrimento, ele permaneceu. Essa era uma ilusão, outro truque para testar sua lealdade. Apesar de Yudhisthira não poder ver seus irmãos, ele acreditou que estivessem lá. Assim, o virtuoso Yudhisthira ordenou que seu cocheiro voltasse sozinho para a Terra, preferindo viver no Inferno com pessoas boas do que no Céu com os seus inimigos.

Não muito tempo depois, Indra e Krishna apareceram diante dele no Inferno e disseram-lhe que seus irmãos estavam na verdade no Céu, enquanto seus inimigos sofriam o tormento do Inferno por seus pecados. Assim, Yudhisthira passou no teste e tornou-se rei, e, quando morreu, teve permissão para se juntar aos seus irmãos no Céu.

CAPÍTULO 4: SERES E LUGARES DA VIDA APÓS A MORTE

BREVE GUIA DOS MITOS E PERSONAGENS DA VIDA APÓS A MORTE

Existem centenas de mitos, contos e personagens associados ao Mundo Inferior e à vida após a morte. Esta é apenas uma seleção, apresentada em ordem cronológica, dos seres mais importantes ou memoráveis, de deuses antigos, tais como Hades, como outros mais recentes, como Baron Samedi, além de uma breve explicação da diferença entre psicopompos, espíritos e elementais.

Rá (Egito)

O deus solar Rá cruzava o céu diurno num barco, o Mandjet, que significa "Barco da Manhã", e usava outro barco, chamado Meseket, o barco noturno, para atravessar o Mundo Inferior à noite. O barco da noite era levado por um dedicado barqueiro que ficou conhecido como Aken. Quando o culto do "barqueiro" Aken desenvolveu-se nas margens do Nilo, ele tornou-se conhecido como regente do Mundo Inferior.

Ereshkigal (Mesopotâmia)

Na mitologia suméria, Ereshkigal era a senhora do Mundo Inferior também conhecida como Irkalla, o nome do próprio Mundo Inferior. Ereshkigal era a única que podia julgar e criar leis em seu reino. O templo principal dedicado a ela estava localizado na antiga Kutha, a aproximadamente 40 quilômetros de Babilônia.

Esquerda: Todas as formas vivas foram criadas por Rá, que lhes insuflou vida pronunciando seus nomes secretos.

BREVE GUIA DOS MITOS E PERSONAGENS DA VIDA APÓS A MORTE

Belet-Seri (babilônica)

Belet-Seri era conhecida na mitologia babilônica e acadiana como a Escriba da Terra, que mantinha uma lista de nomes de todos aqueles que chegavam no Mundo Inferior. Ela aconselhava a rainha dos mortos, Ereshkigal, no julgamento final dos mortos. Consorte de Amurru, o Deus dos Viajantes, passou a ser identificada como a Rainha do Deserto.

Nergal

Nergal regia os mortos em alguns mitos acadianos patriarcais mais tardios, ao lado de seu consorte Allatu. Allatu era originalmente uma governante solitária do Mundo Inferior. Em alguns textos, o deus Ninazu é filho de Nergal e Allatu.

Hades (grego)

O filho dos deuses Cronos e Reia, Hades, aliou-se aos seus irmãos Zeus e Posêidon, venceu os Titãs e deu início à lei olimpiana do cosmos. No entanto, ao tirarem a sorte para ver quem governaria cada território, Hades ficou com o sinistro Mundo Inferior. Ele não ficou muito satisfeito com o seu reino, porque foi excluído do Olimpo e condenado a viver eternamente na escuridão. Hades raramente

Acima, à direita: Nergal representava o Sol ao meio-dia e o solstício de verão.

Direita: O sombrio Hades é retratado aqui com o seu cão de três cabeças, Cérbero.

CAPÍTULO 4: SERES E LUGARES DA VIDA APÓS A MORTE

deixava o Mundo Inferior, exceto em algumas ocasiões para raptar uma ninfa, entre elas a sua consorte, Perséfone, filha da deusa da Terra, Deméter.

Hécate (grega)

Hécate era uma antiga deusa associada às encruzilhadas, ao fogo, à luz, à Lua, à magia e bruxaria, à necromancia e à feitiçaria. Ela tinha domínio sobre a terra, o mar e o céu, bem como sobre a Alma do Mundo cósmica (ver página 118). Hécate era associada aos fantasmas, aos espíritos infernais e aos mortos. Santuários dedicados a Hécate eram colocados nas portas e entradas das cidades com a crença de que as protegiam dos mortos inquietos e outros espíritos. Nas encruzilhadas, oferendas de alimentos eram deixadas na Lua nova em honra de Hécate, como proteção contra espíritos e outros seres malignos.

Caronte (grego)

Caronte era o barqueiro que levava as almas pelo rio Styx, quando elas chegavam do mundo superior com o seu guia, Hermes. Caronte exigia o pagamento de uma taxa, geralmente sob a forma de uma moeda colocada sob a língua do falecido, para transportar a alma através do rio sob o domínio de Hades. Qualquer um que não tivesse recursos para o pagamento era condenado a vagar pelas margens do rio.

As Valquírias (nórdicas)

As Valquírias – belas e mortíferas donzelas do deus Odin – assemelham-se às antigas deusas nórdicas da destruição, que teciam tapeçarias com membros decepados e as entranhas dos guerreiros caídos. Elas percorriam os campos de batalha selecionando os heróis que seriam levados a Valhalla (ver página 190) e encantando aqueles que mais

Esquerda: O barqueiro Caronte rejeitava os passageiros que não podiam pagar a sua travessia pelo rio.

BREVE GUIA DOS MITOS E PERSONAGENS DA VIDA APÓS A MORTE

*Esquerda:
As Valquírias sabiam a língua dos pássaros, tinham olhos brilhantes e nenhum escrúpulo em seduzir os homens.*

cobiçavam. Sedutoras e sádicas, as Valquírias se deitavam com os heróis que escolhiam à noite em Valhalla e despertavam na manhã seguinte como virgens. Elas tinham longos cabelos dourados, eram retratadas em vestes brancas, normalmente montando garanhões selvagens e indomáveis.

Também aliadas do deus da guerra Týr, as Valquírias às vezes eram representadas montadas em lobos atravessando os céus para capturar marinheiros de navios, seduzi-los, em seguida deixá-los no oceano para se afogar. Elas eram responsáveis por espalhar na terra a geada ou o orvalho da manhã, que diziam ser as lágrimas de suas vítimas.

Veles (eslavo)

Veles era um grande deus do mundo sobrenatural na mitologia eslava. Além do Mundo Inferior, ele também era associado com dragões, magia, riqueza e trapaças. Muitas vezes retratado com uma serpente, metade touro e metade humano, ostentando uma longa barba, ele estava constantemente em guerra com o deus do trovão, Perun, como parte de uma história épica em curso.

Dis Pater (romano)

O deus romano Dis Pater assumiu o papel do original Hades e mais tarde tornou-se

CAPÍTULO 4: SERES E LUGARES DA VIDA APÓS A MORTE

conhecido como Plutão, quando os romanos destruíram a maior parte dos panteões de deuses anteriores ao conquistar a Europa. Originalmente deus das riquezas da terra, ele acabou por se tornar uma divindade do Mundo Inferior. O nome Dis Pater acabou sendo abreviado simplesmente para Dis e se tornou um nome alternativo para o Mundo Inferior ou de uma parte dele, como na *Divina Comédia*, de Dante (ver página 205).

Orcus (etrusco)

Orcus era quem punia os juramentos quebrados na mitologia etrusca mais primitiva (os etruscos foram uma civilização pré-romana do norte da Itália) e vivia no Mundo Inferior. Ele foi posteriormente associado ao deus romano Dis Pater e mais tarde a Plutão. Por causa de sua terrível crueldade com os pecadores, Orcus acabou por ser associado ao mal, e seu nome foi considerado demoníaco. No período medieval, seu culto se desenvolveu na Europa rural, onde ele era associado com o selvagem da floresta, o Homem Verde, e deuses corníferos como Cernunnos.

Manes (romanos)

Almas dos mortos que visitavam os vivos, os manes eram tão populares na religião romana quanto os espíritos conhecidos como Gênios. O gênio era o espírito ou essência pura de um lugar, objeto, pessoa ou mesmo qualidade abstrata. No entanto, os Manes eram vistos como espíritos ancestrais protetores, não diferentes dos Lares ou herói ancestrais invocados como guardiões do lar e da família.

Akka (escandinavos)

No norte da Escandinávia, entre os povos xamânicas da Lapônia, os Akka eram espíritos femininos do Mundo Inferior. Os lapões invocavam os Akka para ajudá-los na sua vida diária, na cura de doenças, para livrá-los do mal e propiciar uma boa caça.

Esquerda: O deus romano Dis Pater foi um dia considerado o antepassado dos gauleses.

Direita: Na Idade Média, Orcus tornou-se uma figura popular demoníaca e um monstro que se alimentava de carne humana.

BREVE GUIA DOS MITOS E PERSONAGENS DA VIDA APÓS A MORTE

CAPÍTULO 4: SERES E LUGARES DA VIDA APÓS A MORTE

Jabme-Akka (escandinava)

Os lapões consideravam o Mundo Inferior uma imagem especular do mundo acima. Sua regente, a deusa Jabme-Akka, era ao mesmo tempo insensível e bondosa: para as almas dos bebês mortos ela cantava uma canção de ninar, mas envolvia todos os outros espíritos num silêncio frio e mortal, sendo o seu único conforto os bens pessoais com os quais eles eram enterrados.

Supay (inca)

Na mitologia inca, Supay era tanto o deus da morte quanto o regente do Mundo Inferior inca, conhecido como Ukhu Pacha. Em muitos países da América do Sul, o nome Supay é traduzido aproximadamente como "diablo", ou diabo.

Miru (polinésia)

Nas Ilhas Cook, Miru é a deusa do Mundo Inferior que vive em Avaiki. Ela intoxica as almas de pessoas mortas com kava, um sedativo mortal, e os queima eternamente em seu forno.

Hine-nui-te-pō (polinésia)

A temida deusa da mitologia maori era Hine-nui-te-pō, que governava a noite, a escuridão e a morte. Casada com seu pai

Acima: O deus inca Supay regia uma raça de demônios, e seu festival ainda é celebrado no Peru.

BREVE GUIA DOS MITOS E PERSONAGENS DA VIDA APÓS A MORTE

sem ter conhecimento disso, o deus Tane, Hine-nui-te-pō fugiu aterrorizada para as profundezas do Mundo Inferior quando descobriu seu incesto. Quando fugiu, varreu com sua raiva o horizonte ocidental, tornando o pôr do sol vermelho.

Erlik (turco)

Ulgen, o deus do Céu na mitologia turca (os povos turcos eram nativos da Ásia Central e do leste da Europa) criou o primeiro homem, Erlik. Mas Erlik quis ser igual ao grande deus criador e, para puni-lo por sua inveja, Ulgen enviou Erlik para o Mundo Inferior, encravado nas profundezas da terra. Erlik, no entanto, não se abateu e, por vingança, gerou uma série de espíritos malignos para ajudá-lo a conquistar os céus. Com seu bando de demônios e seus nove filhos e filhas, trouxe infelicidade ao mundo e a morte para a humanidade. Ele também era conhecido por sua habilidade para enganar os xamãs em suas missões de resgatar as almas boas e levá-las ao céu de Ulgen; em vez disso, elas se viam no Inferno.

Kali (hindu)

Sanguinária e destrutiva, a deusa hindu da morte é normalmente representada usando um colar de crânios. Qualquer um que visse sua aparição aterrorizante, com a língua medonha e a carne preta, acreditava que estava prestes a morrer. As associações sombrias com Kali foram reiteradas quando ela se

Acima: A rancorosa Hine-nui-te-pō espera a fila interminável de mortais entrar em seu mundo.

tornou o centro do culto da seita dos Thugs, uma sociedade secreta temida pelas pessoas comuns. Os Thugs sacrificavam seres humanos para Kali, agarrando e estrangulando estranhos na rua ou executando a vítima com uma facada no coração, no altar de Kali. No mito hindu, Kali originalmente era conhecida por ajudar os outros deuses em sua luta contra demônios, tais como Raktabija. Raktabija tinha o poder de voltar mais forte a cada gota do seu sangue derramado. Shiva enviou a deusa Durga para lutar com ele e, de tanta raiva e frustração, Durga, sob a forma de Kali, bebeu todo o sangue do demônio antes que Raktabija pudesse se recompor. Kali, mais recentemente, passou

CAPÍTULO 4: SERES E LUGARES DA VIDA APÓS A MORTE

Acima: A sanguinária Kali não era apenas a deusa hindu da morte, mas também matadora de demônios.

alma (ao contrário da maioria dos seus habitantes, que eram simplesmente almas), tumultuando o lugar ao exigir a libertação de sua mãe, que tinha sido enviada para lá por comer carne. Com um bando de macacos, eles fizeram tanto barulho que, por fim, sua mãe foi enviada de volta para o Mundo Superior e Di Zang tornou-se regente dos mortos. Quando lhe foi concedida a imortalidade, ele se tornou um generoso governante, que ouvia as almas perdidas e ensinava-lhes as crenças budistas. Compassivo com todos, Di Zang difundiu pelo Mundo Inferior a bondade e a compaixão dos ensinamentos budistas na Terra.

Emma-O (japonês)

No mito japonês, Emma-O era o grande regente e juiz do Mundo Inferior, Yomi ou Yomitsukumi (terra desolada). Yomi também significava a parte mais escura da noite, e era originalmente um mundo especular sem nenhuma luz, nenhum ser, simplesmente o nada. Izanami era originalmente uma deusa criadora, mas com sua morte prematura ao dar à luz uma criança, ela foi enviada para Yomi. Seu marido Izanami tentou resgatá-la, mas quando ele percebeu que ela já estava entre os mortos, fugiu da esposa. Izanami queria que ele ficasse lá com ela para sempre, mas, quando ele fugiu, voltando ao Mundo Superior e selando a entrada, ela jurou atormentar todas as almas que tinham acabado de morrer. A partir de então, Yomi

a ser identificada como deusa-mãe e protetora, em vez de destruidora.

Di Zang (budista)

Segundo o folclore budista, um monge conhecido como Di Zang era um benevolente regente do Mundo Inferior. Quando ele morreu, foi para o Mundo Inferior com corpo e

BREVE GUIA DOS MITOS E PERSONAGENS DA VIDA APÓS A MORTE

se tornou um lugar de tortura e provação, em vez de apenas um mundo sem forma.

Mictlantecuhtli (asteca)

O Mundo Inferior asteca era governado por Mictlantecuhtli e sua consorte Mictecacihuatl. Como o deus dos mortos, ele era geralmente retratado como um esqueleto coberto de sangue, com horríveis olhos esbugalhados, um colar de globos oculares e dentes podres.

O culto a Mictlantecuhtli muitas vezes incluía canibalismo ritual, sendo a carne humana consumida dentro e ao redor do templo. Ele era uma das divindades que regiam todos os três tipos de almas identificados pelos astecas: as almas das pessoas que tinham morrido naturalmente (de velhice, doenças e assim por diante), como heróis (como em batalhas, em sacrifícios ou durante o parto) ou tido uma morte não heroica (como suicídios ou criminosos executados).

Ghede (caribenho)

No Haiti, Ghede era originalmente o deus do amor e do sexo. No vodu (ver página 98), Ghede pode referir-se a uma família de espíritos que personificavam a morte e a fertilidade. Esses espíritos eram conhecidos como "loas". (O vodu não tem panteão ou estrutura específica e se fundamenta apenas numa crença na possessão divina.)

No final do século XIX, Ghede se amalgamou com Baron Samedi, o deus da morte. Os devotos, quando possuídos por Ghede, entravam em êxtase, demonstrando que Ghede também é o senhor da potência. *Banda* era um grupo de adoradores que dançavam pelas estradas num transe induzido por drogas ou poções. Eles seguiam atrás de um iniciado vestido como Baron Samedi. Originalmente um ritual fálico, esse culto desenvolveu uma forma de "dança macabra", que supostamente levava seus adeptos até o limiar do Mundo Inferior.

CAPÍTULO 4: SERES E LUGARES DA VIDA APÓS A MORTE

Guias espirituais e psicopompos

Em muitas tradições, espreitando entre o Mundo Superior e o Mundo Inferior havia um personagem misterioso, um guia que escoltava a alma ou o falecido até o Outro Mundo. Conhecido como psicopompo (palavra grega para "guia da alma"), essa figura não julgava a alma, mas simplesmente ajudava os mortos a atravessar os reinos perigosos ou fronteiras do Outro Mundo. O psicopompo mais conhecido na literatura ocidental é Hermes, o antigo deus grego. A seguir é apresentada uma breve seleção dos psicopompos dos sistemas de crença e dos mitos de culturas de todo o mundo.

Acima: As almas fantasmagóricas que seguiam um líder vivo raramente eram vistas, mas a sua presença era sentida como uma brisa passageira.

Santa Companha (galega)

A história da procissão de Santa Companha faz parte da cultura popular espanhola há centenas de anos. Essa lendária procissão ainda é temida e respeitada pelos galegos locais e acredita-se que ela fosse encenada nos cultos secretos no Dia de Finados, 2 de novembro.

Um grupo aterrorizante de espectros conhecido como Santa Companha assombrava as ruas e arredores da cidade em sua busca por aqueles que estavam prestes a morrer. Às vezes duas fileiras de espectros seguiam um líder vivo, que só poderia escapar da morte se encontrasse outro para carregar a cruz que ele carregava. Às vezes havia uma longa fileira de almas perdidas que silenciosamente seguiam os passos umas das outras. Enquanto a procissão fantasmagórica passava, uma névoa se formava em torno dela. Velas cintilavam na escuridão e as almas pareciam estar vestindo uma túnica com capuz. Acreditava-se que, se uma pessoa visse a procissão, para se proteger deveria desenhar um círculo mágico no chão e permanecer dentro dele até que o grupo passasse. O líder vivo nunca se lembraria da sua terrível experiência, mas aos poucos ficaria mais fraco e definharia até que outra vítima fosse encontrada para substituí-lo. Os espectros também tocavam sinos para advertir os moribundos de que estavam

BREVE GUIA DOS MITOS E PERSONAGENS DA VIDA APÓS A MORTE

chegando para levá-los embora e, quando a procissão passava à noite, o vento parava de soprar, cães uivavam e gatos fugiam aterrorizados.

L'Ankou (francês)

Na Bretanha, l'Ankou aparecia para aqueles que estavam prestes a morrer. Um verdadeiro metamorfo, esse espírito demoníaco assumia muitas formas, incluindo um homem alto e magro com um longo manto de capuz, ou como um esqueleto com uma foice que muitas vezes usava um chapéu de abas largas. Ele geralmente andava a pé, mas às vezes vinha com uma carruagem puxada por quatro cavalos pretos.

Anúbis (egípcio)

Anúbis é o deus com cabeça de chacal do Antigo Egito, que preside a purificação e mumificação do corpo. Ele é bem conhecido por seu papel como psicopompo. No momento da morte, o *ba*, ou alma dos mortos, voava até Duat, o Reino dos Mortos. Uma vez em Duat, Anúbis levava a alma, que ainda tinha "coração", para a Câmara de Ma'at, onde era julgada.

A cerimônia da pesagem do coração era um elemento importante da mitologia egípcia. Nessa cerimônia, o coração era pesado por Anúbis contra a pena de Ma'at, representando a verdade. Se o coração fosse mais pesado ou mais leve que a pena, a alma seria devorada por Ammit, o demônio (ver página 177).

Acima: Anúbis foi muitas vezes representado com uma cabeça preta para simbolizar a cor de carne podre e a terra preta fértil do vale do Nilo.

CAPÍTULO 4: SERES E LUGARES DA VIDA APÓS A MORTE

Azrail (islâmico)

Um dos quatro arcanjos primários das crenças muçulmanas, Azrail é o anjo que "tudo vê" e é maior que a vida. Um de seus papéis é o de manter um olho sobre a Árvore do Fim, que cresce no paraíso. Dizem que, quando uma pessoa nasce, uma nova folha aparece na árvore com o nome dela, e, quando é sua hora de morrer, a folha cai da árvore. Esse é o sinal do Azrail para que a alma seja recolhida.

Aurora Boreal (inuit)

Para os inuits (esquimós) do nordeste do Canadá, a Aurora Boreal é vista como as luzes da tocha acesa toda noite pelos espíritos para mostrar o caminho para os mortos. Quando

BREVE GUIA DOS MITOS E PERSONAGENS DA VIDA APÓS A MORTE

os espíritos saem, o deus da Lua, Anningan, retorna para perseguir sua irmã Malina, o Sol, através dos céus.

Barnumbirr (australiana)

Barnumbirr é a estrela da manhã australiana que aparece nos mitos e lendas dos aborígines da Austrália setentrional, para mostrar o caminho através das águas até a distante Ilha dos Mortos.

Hermes (grego)

Um dos psicopompos mais conhecidos, Hermes é o antigo deus grego trapaceiro que serve como guia e mensageiro entre o Céu e o Mundo Inferior. Ele é também conhecido como Mercúrio na mitologia romana.

Epona (gálica/celta)

A deusa romana celta Epona era sagrada para os antigos gauleses da França, bem

Acima: Nas tradições budistas, Jizo (ver página 224) ajuda as crianças mortas a passar do limbo para a vida futura.

Esquerda: Para muitas tradições do norte, incluindo os inuits, a Aurora Boreal era os espíritos dos mortos.

CAPÍTULO 4: SERES E LUGARES DA VIDA APÓS A MORTE

como para os romanos. Ela carregava as almas dos mortos a cavalo para o outro mundo, enquanto era acompanhada por três pássaros, capazes de trazer os mortos de volta à vida. Ela também era considerada uma antiga deusa da fertilidade.

Jizo (Ásia)
Na tradição budista, Jizo é o "compassivo", que dá as boas-vindas às pessoas quando morrem. Ele é uma figura popular no folclore japonês e em outras tradições asiáticas. Ajuda as almas de crianças mortas que são jovens demais para compreender os ensinamentos do Buda e ficam presas no limbo, nas margens do rio Sai, incapazes de passar para o outro lado da vida. Para proteger as crianças dos demônios, Jizo esconde-as sob as roupas enquanto as leva a salvo para o Outro Mundo.

Tipos de seres
Na mitologia e na História, existem inúmeros contos de espíritos, fantasmas, assombrações e outras entidades que atravessaram os reinos espirituais para aparecer no chamado "mundo real".

Espíritos e fantasmas
Fantasmas são espíritos ou almas que estão presos no mundo material, talvez porque estejam apegados a um lugar, pessoa, acontecimento ou situação trágica. Eles continuam a assombrar o local a que estão apegados, porque ainda não conseguiram fazer sua passagem para a vida após a morte.

Fantasmas são geralmente inofensivos, mas ainda assim assustadores. A atividade sobrenatural dentro de uma casa está associada principalmente a acontecimentos trágicos que ocorreram no local. O lugar em que a entidade está é supostamente de extrema

Esquerda: No mundo todo, existe a crença de que os fantasmas assombram os vivos para resolver questões mundanas, fazer as pazes ou se vingar.

BREVE GUIA DOS MITOS E PERSONAGENS DA VIDA APÓS A MORTE

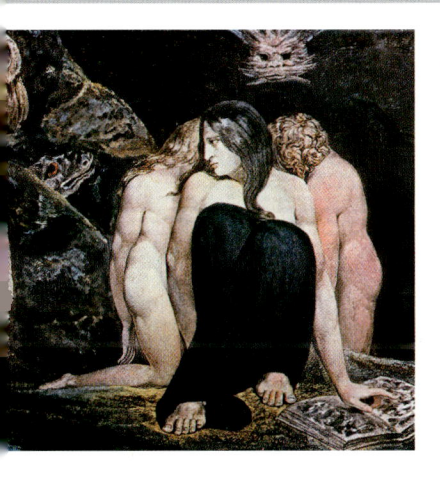

Esquerda: No mundo todo, existe a crença de que os fantasmas assombram os vivos para resolver questões mundanas, fazer as pazes ou se vingar.

importância para ela, e o mesmo pode-se dizer da questão terrena que a mantém ligada ao local em que está presa. Médiuns são frequentemente convidados a visitar casas assombradas e entrar em contato com fantasmas para ajudá-los a fazer sua trasição para a vida após a morte.

Não se deve confundir espíritos com fantasmas. Segundo algumas interpretações, os espíritos fizeram sua passagem para o mundo espiritual, mas podem visitar o mundo material. Um fantasma não tem paz até que os problemas terrenos sejam resolvidos.

Exemplos de espíritos incluem Empusa, enviada por Hécate, no mito grego, para proteger as estradas e devorar os viajantes. Ela solta um grito agudo como o do *banshee* do mito celta. Empusa era a bela filha da deusa Hécate com o espírito Mormo. Ela se alimentava de sangue, seduzindo homens jovens enquanto dormiam, antes de beber seu sangue e comer sua carne.

O termo sânscrito *preta* significa "falecido, pessoa morta", de *pra-ita*, literalmente "que já partiu". Em sânscrito clássico, o termo refere-se ao espírito de qualquer pessoa morta, bem como um fantasma ou ser do mal. Pretas eram supostamente pessoas que tinham sido falsas, corrompidas, compulsivas, enganadoras, ciumentas ou gananciosas numa vida anterior. Como resultado do seu karma, elas eram assoladas por uma fome insaciável de uma determinada substância ou objeto.

Nas tradições japonesas, como o xintoísmo, a alma é chamada *reikon*. Existem, porém, dois tipos diferentes de *reikon*: aquele que fica em paz após a morte e o outro que se transforma num fantasma inquieto, preso no limbo, entre o mundo físico e a vida após a morte. O *reikon* aflito, que é conhecido como *yu-rei*, é geralmente uma pessoa que teve uma morte não natural ou traumática ou que não recebeu ritos funerários corretos. Se o *yu-rei* tem algum apego ao mundo físico, ele vai retornar para assombrar os vivos como

CAPÍTULO 4: SERES E LUGARES DA VIDA APÓS A MORTE

vingança por estar no limbo. O *reikon* a quem foi dado os ritos funerários apropriados ou que morreu uma morte pacífica, pode deixar o limbo e passar para a vida após a morte, onde viverá em paz eternamente. Ele, então, zela pelos descendentes.

Elementais

Elementais, fadas e espíritos da terra também estão associados a um lugar ou pessoa, mas, ao contrário dos fantasmas, eles podem ser travessos, maldosos ou demoníacos. Essa energia é muitas vezes descrita pelos wiccanos como "efervescente" no caso de fadas, ou "densa", quando descreve goblins.

Os elementais apareceram pela primeira vez nas obras alquímicas de Paracelso, um médico e místico suíço altamente respeitado do século XVI. Paracelso acreditava que os elementais estavam em algum lugar entre os seres humanos e os espíritos. Tradicionalmente, existem quatro tipos – gnomos, ondinas (também conhecidas como ninfas), sílfides e salamandras. Eles são conhecidos como elementais porque cada um desses grupos representa um dos quatro elementos usados na astrologia. Os gnomos são considerados espíritos da Terra, as ondinas ou ninfas são espíritos da Água, as sílfides são espíritos do vento ou Ar, e as salamandras são espíritos do Fogo.

Nas práticas esotéricas contemporâneas, tais como a Wicca e a Maçonaria, os elementais são muitas vezes evocados durante um trabalho ritual.

Povo das Sombras

O Povo das Sombras são entidades sombrias de forma humanoide indefinida, muitas vezes vistas em nossa visão periférica. Elas podem também ser vistas nos momentos entre a vigília e o sono, aparecendo atrás de nossas pálpebras no espaço intermediário entre claro e escuro. Raramente causam algum dano.

Direita: Seja uma alucinação ou entidades sobrenaturais, o Povo das Sombras são seres reais a ponto de muitos relatarem tê-los visto.

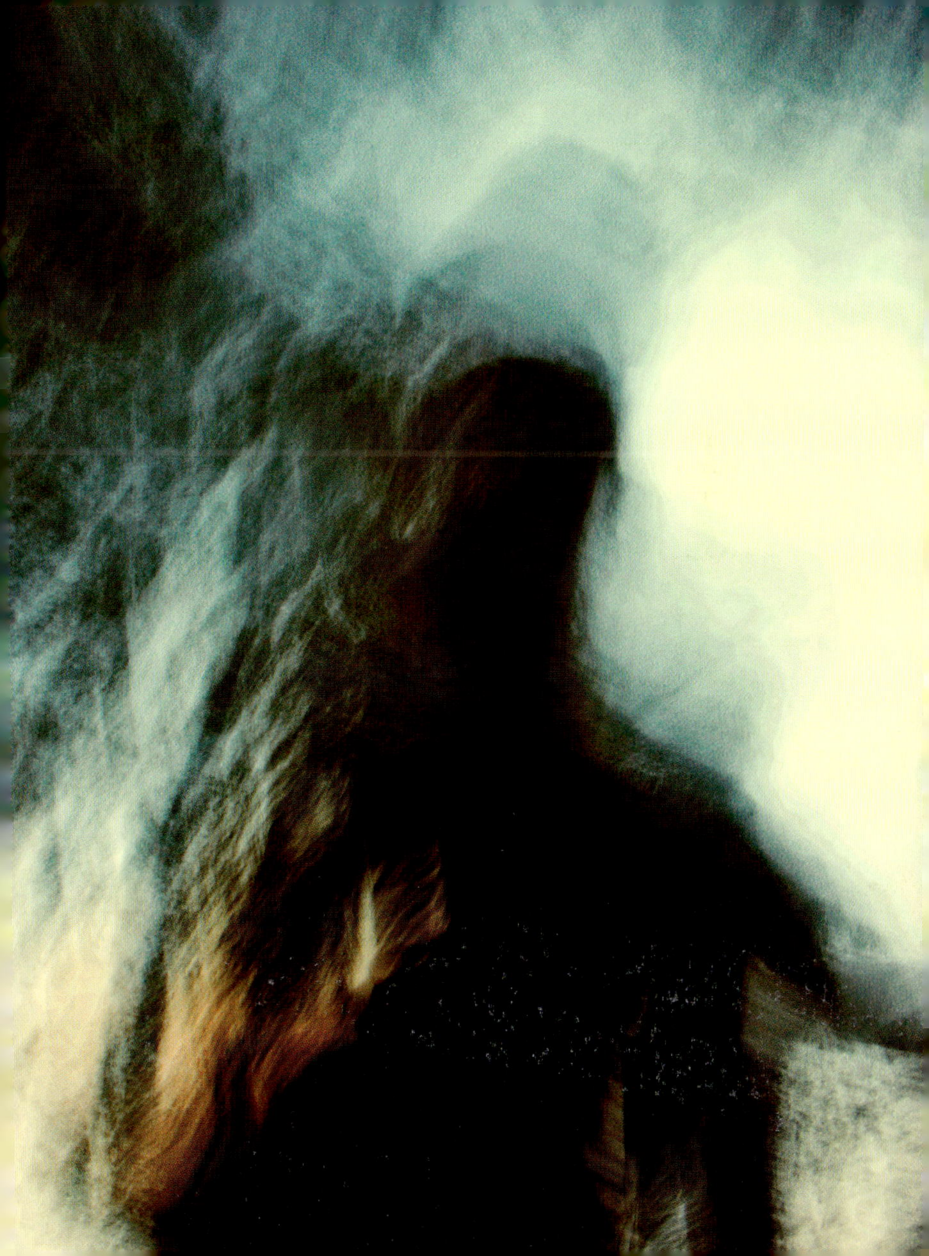

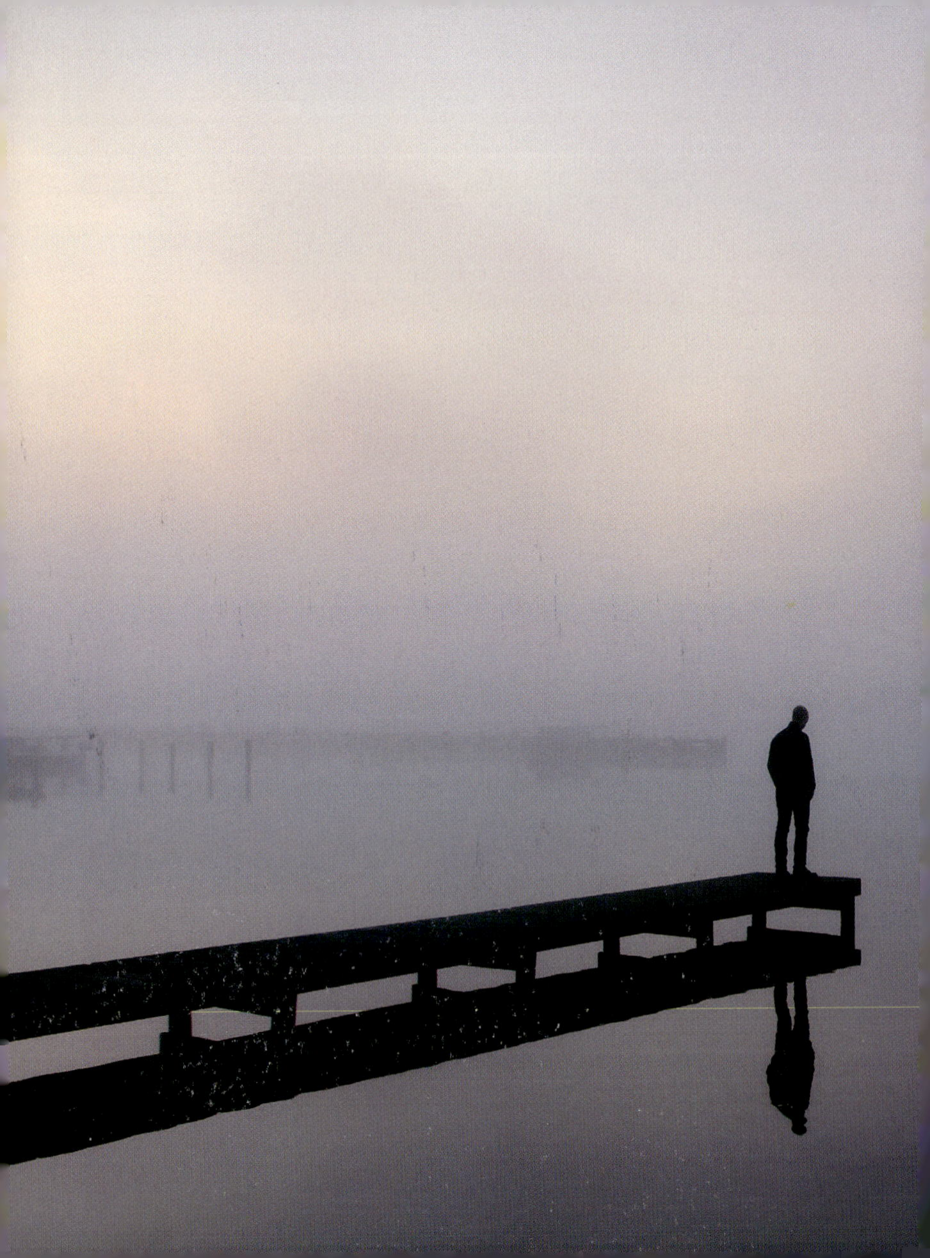

PARTE 2

Encontros e experiências

Capítulo 5

CONTATOS COM A VIDA APÓS A MORTE

Nós podemos ter uma compreensão do que as pessoas acreditam ser a vida após a morte, mas sabemos realmente o que acontece lá? O modo como reagimos ao que ouvimos a respeito depende muito das nossas crenças pessoais ou da nossa religião. Existe uma vasta gama de relatos de experiências de quase morte, encontros com anjos e experiências fora do corpo. Desde encontros pessoais até pesquisas nos campos parapsíquicos, este capítulo oferece informações sobre o que nos aguarda na vida após a morte.

CAPÍTULO 5: CONTATOS COM A VIDA APÓS A MORTE

ENCONTROS

Seis semanas após sua morte, meu pai apareceu para mim num sonho... Foi uma experiência inesquecível, e que me obrigou pela primeira vez a pensar sobre a vida após a morte.

Carl Jung

Ao longo da história, as pessoas têm contado suas experiências pessoais no mundo espiritual por meio do contato com os antepassados, o trabalho parapsíquico e lançando mão da energia parapsíquica do universo com o intuito de ver o mundo fora de nós mesmos. Encarar essas experiências com a mente aberta não só nos ajuda a acelerar nossos próprios processos de cura nesta vida, como pode até contribuir para aqueles que fazem parte das nossas vidas futuras.

Muitas pessoas têm receio de contar aos outros sobre essas experiências por medo de ser alvo de piadas ou de passar por algum tipo de represália espiritual. Mas o próprio segredo do contato em si pode se tornar tão terapêutico quanto a experiência real. Para muitos daqueles que vivenciaram esse contato, é como se estivessem na presença da pessoa amada no mundo espiritual, num relacionamento tão íntimo quanto aquele que tiveram em vida. Mas, como acontece com qualquer cavalo de pelo negro, quanto mais luz incide sobre ele, mais percebemos que todos eles escondem segredos semelhantes.

Existem certos tipos de encontros que muitas pessoas vivenciam, e alguns deles são descritos aqui.

Abaixo: Todos nós temos segredos bizarros, mas uma experiência sobrenatural é algo que muitas vezes não contamos a ninguém por medo de sermos ridicularizados ou desprezados pelas outras pessoas.

COMUNICAÇÃO COM OS ESPÍRITOS

Embora as experiências de quase morte (ver página 21) sejam classificadas como uma das provas mais contundentes de vida após a morte ou de reino espiritual, é a comunicação com os espíritos (ver página 24) - a comunicação com o mundo espiritual - que tem mais chance de convencer as pessoas da existência de alguma forma de consciência após a morte.

DRMO

O dr. Allan Botkin, um psicólogo clínico com quase vinte anos de experiência no tratamento de traumas psicológicos e relacionados a perdas, utiliza a técnica psicológica de Dessensibilização e Reprocessamento de Movimentos Oculares (DRMOs ou EMDR na sigla em inglês) para induzir o contato com os espíritos. Ele descobriu por acidente que essa técnica pode ajudar o cliente a experimentar um autêntico contato espiritual com alguém já falecido, o que o ajuda a entender melhor sua perda ou tristeza. Essa técnica ajuda na cura psicológica, muitas vezes levando-o a adotar um sistema de crença totalmente novo. Nas comunicações pós-morte induzidas (CPMs ou ADCs na sigla em inglês), a maioria das pessoas acredita que a sua reconexão é real, mas elas não têm de acreditar na sua autenticidade para se beneficiar dos efeitos terapêuticos profundos desse método.

O contato com os espíritos sem nenhum tipo de intermediário parapsíquico, tais como canalizadores ou médiuns, já provou ser uma experiência tão capaz de mudar a vida do ser humano quanto a descoberta da eletricidade.

A comunicação pós-morte

Entre 1988 e 1995, os escritores e pesquisadores norte-americanos Bill e Judy Guggenheim entrevistaram duas mil pessoas de todos os Estados Unidos e Canadá, desde crianças até idosos, que vivenciaram a comunicação pós-morte (CPM). Os entrevistados têm vários tipos de antecedentes educacionais, sociais, econômicos, religiosos e profissionais. Os Guggenheim estimam que pelo menos 50 milhões de americanos já tiveram uma ou mais experiências de CPM. Em seu estudo, eles coletaram mais de 3.300 relatos em primeira mão de CPMs, de pessoas que passaram por essa experiência de modo espontâneo e direto. Não havia nenhum tipo de intermediário, tais como hipnotizadores,

CAPÍTULO 5: CONTATOS COM A VIDA APÓS A MORTE

COMUNICAÇÃO COM OS ESPÍRITOS

videntes, médiuns ou dispositivos de qualquer espécie, nessas experiências.

Visitas de espíritos

A seguir é transcrito um relato verdadeiro de uma comunicação pós-morte feito por um cliente que compartilhou esta experiência comigo no meu trabalho como astróloga sensitiva. Os nomes, lugares e detalhes pessoais foram todos alterados para preservar a identidade dos envolvidos.

Anna é uma profissional de arrecadação de fundos que tinha 28 anos de idade e morava em Londres, na Inglaterra. Depois que a mãe morreu de câncer, ela descreveu uma inesperada aparição da mãe apenas seis meses depois. Era uma manhã de terça-feira. Anna tinha acabado de sair da cama e ainda estava meio sonolenta, mas, quando olhou no espelho do banheiro, viu sua mãe em pé no corredor atrás dela. Havia um brilho suave ao redor da mãe, que sorriu, acenou e soprou um beijo para, em seguida, desaparecer.

Anna esfregou os olhos, achando que estava sonhando, e não pensou mais a respeito até alguns dias depois, quando seu irmão mais novo telefonou para convidá-la para tomar um café e pôr a conversa em dia. O irmão de Anna estava na universidade, estudando medicina, e raramente conseguiam passar algum tempo juntos. Durante o café, ele disse à irmã, quase envergonhado, que tinha visto a mãe na terça-feira pela manhã, enquanto andava pelo estacionamento, a caminho da faculdade. Ele tinha certeza de que era a mãe, porque ela acenou do jeito que sempre fazia, com ambas as mãos, em seguida jogou um beijo e desapareceu. Anna contou sua própria experiência ao irmão e ambos ficaram chocados ao constatar a semelhança na experiência de ambos. Daquele momento em diante eles se tornaram mais próximos, ambos acreditando que tinham realmente visto o espírito da mãe.

Outra cliente, embora constrangida ao admitir, revelou que ela sempre sentia o cheiro do perfume da sua mãe falecida quando estava sentada no jardim, relaxando. Ela primeiro pensou que se tratava do perfume das flores ou que a vizinha usava a mesma fragrância. Mas, quando sentiu o cheiro do mesmo perfume um pouco antes de um acidente de bicicleta quase fatal, ela se convenceu de que o espírito da mãe tinha ajudado a salvá-la de alguma forma.

Esquerda: As formas mais comuns de CPMs são através os sentidos. Podemos vislumbrar o nosso ente querido falecido numa rua cheia de gente ou sentir o cheiro do seu perfume no ar da noite.

CAPÍTULO 5: CONTATOS COM A VIDA APÓS A MORTE

APARIÇÕES ESPIRITUAIS DO VOO 401

Talvez o caso mais extraordinário e conhecido de comunicação pós-morte relacione-se com os fantasmas do voo 401.

Quando o voo 401 da Eastern Air Lines caiu num pântano da Flórida em dezembro de 1972, 101 pessoas morreram. No entanto, duas dessas pessoas – o piloto, Bob Loft, e o engenheiro de voo, Don Repo – têm sido objeto de numerosas aparições relatadas. Não que tenham sido vistos vivos; parece que seus fantasmas assombram os aviões de companhias aéreas que foram equipadas com peças recuperadas do voo 401. Os espíritos de Loft e Repo foram descritos em detalhes. Eles não foram apenas relatados por pessoas que os conheceram pessoalmente, mas também foram identificados, depois das aparições, por pessoas que só viram suas fotografias. No entanto, foi só quando algumas peças não danificadas da aeronave foram recolocadas em outros aviões que os misteriosos incidentes começaram a ser registrados.

As estranhas histórias dos aviadores fantasmas do voo 401 circulam entre as companhias aéreas. Um relato sobre acontecimentos paranormais surgiu em 1974, no Boletim de Notícias da US Flight Safety Foundation. John G. Fuller, autor *best-seller* do livro *The Ghost of Flight 401*, levou a cabo uma investigação exaustiva sobre os fantasmas dos dois aviadores com o auxílio de funcionários céticos da companhia aérea.

Embora a Eastern Air Lines tenha se recusado a se pronunciar sobre o assunto, pesquisadores entrevistaram vários indivíduos que alegaram ter encontrado o malfadado par de aviadores em outros aviões construídos pela Lockheed. Parece até que Loft e Repo dedicaram suas vidas após a morte à tarefa de zelar pelos passageiros e tripulantes dos aviões de passageiros construídos pela Lockheed.

Direita: Os espíritos dos pilotos de avião mortos num acidente comunicaram-se com a tripulação de outros voos para ajudá-los a evitar perigo semelhante.

APARIÇÕES ESPIRITUAIS DO VOO 401

CAPÍTULO 5: CONTATOS COM A VIDA APÓS A MORTE

REENCARNAÇÃO, VIDAS PASSADAS E PERÍODO ENTRE AS VIDAS

O dr. Michael Newton, autor best-seller de Journey of Souls *e* Destiny of Souls, *é um hipnoterapeuta que começou a fazer regressão em seus clientes para acessar as memórias de suas vidas anteriores.*

Ele acredita que é possível perceber o mundo espiritual através de sujeitos hipnotizados ou em estado alterado de consciência. Clientes nesse estado alterado também são capazes de dizer o que sua alma estava fazendo entre suas vidas na Terra. Seus livros representam dez anos de pesquisas e teorias, e ajudam as pessoas a entender o propósito por trás de suas escolhas de vida e como e por que nossa alma, e as almas daqueles que amamos, vivem eternamente.

A hipnoterapia de Michael Newton é projetada para ajudar o cliente a se reconectar com sua alma. Ele acredita que cada pessoa é muito mais que seu aspecto físico com que ela se identifica. Ele sugere que somos uma combinação das energias, experiências e aprendizagens de inúmeras vidas anteriores. Cada vida é um conjunto de experiências contrastantes que incorpora a variedade de lições que nosso eu interior, eterno, procura aprender na sua busca por desenvolvimento e aperfeiçoamento. O eu eterno, sempre em busca de crescimento e novos níveis de compreensão, é o eu anímico.

Ele acredita que quase três quartos de todas as almas que habitam corpos humanos na Terra hoje ainda estão em estágios iniciais de desenvolvimento. As almas deixam de encarnar na Terra quando atingem a maturidade plena. A alma avançada é aquela que é paciente, serena e tem conhecimentos excepcionais, além de muitas vezes trabalhar em profissões de auxílio. A alma avançada irradia serenidade, bondade e compreensão para com outros, como Madre Teresa de Calcutá. Não sendo motivada pelo interesse próprio, ela pode ignorar as suas próprias necessidades físicas e viver em circunstâncias muito precárias.

Estudos de caso

O falecido dr. Ian Stevenson ocupou o cargo de presidente no Departamento de Psiquiatria da Escola de Medicina da University of Virginia. Durante 40 anos, ele investigou crianças que se lembravam espontaneamente de vidas passadas (ver página 239). A maioria vivia em países em que a reencarnação é

REENCARNAÇÃO, VIDAS PASSADAS E PERÍODO ENTRE AS VIDAS

Acima: Muitas pesquisas estão sendo realizadas hoje para investigar para onde nossa alma vai depois da morte.

uma parte aceita da cultura, mas vários de seus casos envolviam pessoas na Europa, onde a ideia não é considerada parte da religião e, portanto, é mais uma curiosidade.

Gladys Deacon

Um dos casos relatados foi o de Gladys Deacon, que fez um relato de sua vida passada no jornal *Sunday Express*, em 1935.

CAPÍTULO 5: CONTATOS COM A VIDA APÓS A MORTE

REENCARNAÇÃO, VIDAS PASSADAS E PERÍODO ENTRE AS VIDAS

O dr. Stevenson entrevistou-a em 1963. Uma das observações mais interessantes daqueles que trabalham com terapias de vidas passadas é a de que as fobias desta vida estão normalmente relacionadas à maneira como o indivíduo morreu numa vida passada, e esse foi certamente o caso de Gladys.

Gladys nasceu em 1900 numa família católica apostólica romana, numa cidadezinha da Inglaterra. Ela lembrava que, na infância, sempre adorou o nome Margaret, e mais tarde descobriu que seus pais quase tinham dado esse nome a ela. Quando criança, ela fez uma viagem de trem com o irmão para Dorset, um lugar que nunca tinha visitado antes, e comentou sobre como tudo lhe parecia familiar. Ela conta que disse ao irmão que já tinha morado ali antes, e lembrou-se de correr por uma colina muito rápido com duas moças segurando suas mãos e que todas caíram e ela machucou a perna. Lembrou-se de que ela se chamava Margaret na época, e estava com um vestido branco até os tornozelos, estampado com pequenas folhas verdes. A fonte das memórias de uma aparente vida passada de Gladys permaneceu um mistério pelos 17 anos seguintes.

Durante outra viagem a Dorset, em 1928, aos 28 anos, Gladys inesperadamente confirmou as lembranças de sua vida passada. Ela viajava com seu patrão de carro quando foi

Esquerda: Memórias da infância às vezes podem ser de uma vida passada.

CAPÍTULO 5: CONTATOS COM A VIDA APÓS A MORTE

preciso trocar o pneu do veículo não muito longe de Poole. Enquanto eles esperavam, foram convidados para tomar um chá num *cottage* nas proximidades. Foi então que Gladys viu-se num velho retrato, exatamente como ela se descrevera para o seu irmão muitos anos antes, até mesmo com o mesmo vestido estampado que tinha visto em sua visão.

Na época, ninguém acreditou nela, mas ela finalmente descobriu que a criança, Margaret, tinha morrido de um ferimento grave na perna, causado por uma corrida pela colina com duas empregadas da casa que tinham tropeçado e caído em cima dela. Margaret nunca mais se recuperou e morreu dois meses depois.

Na parte de trás do retrato estava escrito, "Margaret Kempthorne, nascida em 25 de janeiro de 1830, falecida em 11 de outubro de 1835". Gladys nasceu no dia 11 de outubro, 65 anos depois de Margaret ter morrido. Isso foi o suficiente para convencê-la da autenticidade da sua lembrança de vida passada.

Erkan Kilic

Erkan Kilic nasceu em Adana, na Turquia, em 13 de março de 1962, apenas alguns dias após o acidente de avião fatídico que matou o dono de uma boate de 35 anos chamado Ahmet Delibalta. Erkan nasceu numa família com mais 15 irmãos e, antes que aprendesse a falar, ele já demonstrava um grande medo de aviões. Esse medo podia ser desencadeado pela visão de um avião no céu ou pelo ronco de turbinas, e durou até ele ter cerca de 3 anos de idade.

Quando Erkan tinha essa idade, ele relatou detalhes de sua morte, numa vida

Direita: Após um acidente de avião nas montanhas Toros, uma alma reencarnada se lembrava de como realmente morreu.

REENCARNAÇÃO, VIDAS PASSADAS E PERÍODO ENTRE AS VIDAS

passada. Disse à sua mãe, Latife, que em sua vida anterior ele tinha ido a Istambul para encontrar um cantor para a sua boate. No caminho de volta, o avião caiu nas Montanhas Toros. Erkan também contou que, quando era Ahmet, ele não morreu no acidente, mas mais tarde, ao congelar até a morte nas montanhas. O dr. Stevenson ficou particularmente impressionado com essa declaração, pois as pessoas ligadas a esse caso pensavam que todas as vítimas do acidente tinham morrido no impacto. Somente aqueles muito familiarizados com a investigação sabiam que alguns passageiros, incluindo Ahmet Delibalta, tinham sobrevivido e depois congelado até a morte.

CAPÍTULO 5: CONTATOS COM A VIDA APÓS A MORTE

EXPERIÊNCIAS FORA DO CORPO

O dr. Charles Tart é um psicólogo transpessoal particularmente interessado em estados alterados de consciência e bem conhecido por sua pesquisa em parapsicologia.

Um de seus estudos de caso envolvia uma jovem que teve várias experiências fora do corpo (EFCs, ver páginas 30-4) no período de quatro noites em que ficou no laboratório do sono dirigido pelo médico. Parecia que as experiências fora do corpo ocorriam durante um estado cerebral diferente do sonho e da vigília, caracterizado pela desaceleração da atividade alfa predominante.

O caso da Senhorita nº 2

A Senhorita nº 2 veio de um lar desfeito e tinha ficado internada durante várias semanas para fazer um tratamento psiquiátrico, cerca de um ano antes do estudo do sono. O experimento visava unicamente a compreensão dos fenômenos de EFC, e os problemas psicológicos da Senhorita nº 2 não estavam sendo estudados.

Direita: Relatórios de EFCs ajudam os pesquisadores a entender o mundo espiritual.

EXPERIÊNCIAS FORA DO CORPO

CAPÍTULO 5: CONTATOS COM A VIDA APÓS A MORTE

EXPERIÊNCIAS FORA DO CORPO

A Senhorita nº 2 acordou uma ou duas vezes durante a noite. Cada vez que acordava, ela dizia que se via flutuando perto do teto, embora aparentemente estivesse acordada. Essa condição durava de alguns segundos a um minuto e meio. Ela muitas vezes observou seu corpo físico deitado na cama e depois caiu no sono. Até onde conseguia se lembrar, essas experiências vinham ocorrendo várias vezes por semana ao longo de toda a sua vida.

Quando criança, ela não percebia que havia algo incomum sobre elas. Presumia que todos tinham EFCs e nunca pensou em mencioná-las a alguém. O dr. Tart propôs uma experiência para ver o que estava realmente acontecendo. Ele conta que entrou em seu escritório pelo corredor e, em sua mesa, abriu uma tabela de números aleatórios, numa página também aleatória. Então jogou uma moeda sobre a página, novamente ao acaso, e copiou os primeiros cinco dígitos imediatamente acima de onde a moeda tinha caído. Ele anotou os dígitos com letras de cinco centímetros numa folha de papel, com tinta preta. Colocou esse número aleatório de cinco dígitos numa pasta opaca, que levou para o quarto da Senhorita nº 2. O médico então tirou o papel da pasta e colocou-o sobre uma prateleira alta, sem, em nenhum momento, expor o papel a ela. O papel só ficaria visível a alguém cujos olhos estivessem a aproximadamente dois metros do chão ou mais acima, mas não era visível à Senhorita nº 2. Ao longo da noite, as ondas cerebrais da Senhorita nº 2 foram registradas, e no início da manhã, ali pelas seis horas, a senhorita nº 2 acordou, e sem saber que o dr. Tart tinha colocado o papel em seu quarto, disse imediatamente que o número era 25132. Esses eram os números que o dr. Tart tinha aleatoriamente escolhido. Em termos de probabilidade, havia uma chance em 100.000 de que ela acertasse o número.

O dr. Tart acredita que a EFC é uma experiência parapsíquica válida e que a prova da autenticidade da experiência paranormal está por fim levando a ciência e o mundo espiritual a caminharem juntos.

Esquerda: Estados alterados de consciência são o principal gatilho das EFCs e das viagens da alma.

CAPÍTULO 5: CONTATOS COM A VIDA APÓS A MORTE

EXPERIÊNCIAS DE QUASE MORTE

A vida continua, e ela é infinita.

Edgar Cayce

Existem inúmeros livros atualmente que apresentam vários estudos de casos sobre relatos e casos de EQM (ver página 21). Um dos pesquisadores originais desse fenômeno, o dr. P. M. H. Atwater, começou seu trabalho em 1978, e seus livros, tais como *Beyond the Light*, tornaram-se clássicos sobre o tema e uma leitura recomendável.

Edgar Cayce

Um homem que teve mais experiências de quase morte do que qualquer outra pessoa foi o grande médium e místico americano Edgar Cayce (1877-1945). As experiências de Cayce revelam aspectos sobre a natureza do "túnel" tantas vezes descrito em experiências de quase morte (ver página 21). De acordo com Cayce, durante um estado de transe autoinduzido, ele fez milhares de visitas ao Outro Mundo e, em muitas dessas viagens, ele se deparou com os chamados Registros Akáshicos, onde todo o conhecimento está armazenado. Esse lugar tem sido descrito por muitas pessoas que relatam experiências de quase morte. Cayce revelou que sua mente inconsciente, que ele identificava como a alma, deixava seu corpo e explorava a dimensão onde todas as mentes inconscientes estão conectadas – uma dimensão semelhante ao conceito de Jung de inconsciente coletivo. Nesse reino do pensamento, da imaginação, dos sonhos, do pós-morte, e de estados de quase morte, todas as coisas são possíveis. Edgar Cayce descreveu suas viagens em quatro publicações diferentes.

Cayce descreve uma visita na qual ele entrava no túnel de luz como se passasse através de uma imensa coluna e, enquanto subia por essa coluna, seres de ambos os lados o chamavam para ajudá-lo ou para tentar atrair sua atenção. Cayce acredita que qualquer desvio da coluna e do feixe de luz significaria que ele não seria capaz de retornar ao corpo. À medida que Cayce passava, surgia mais luz, movimento, sons, música, risos e canto de pássaros, até que restou apenas luz, cor e uma luminosidade perfeita. Ele lembra que de repente se deparou com os Registros Akáshicos, uma sala sem paredes ou teto. Ele teve consciência de receber nas

Direita: O médium e ocultista Edgar Cayce disse ter feito milhares de EQMs usando o transe hipnótico.

EXPERIÊNCIAS DE QUASE MORTE

CAPÍTULO 5: CONTATOS COM A VIDA APÓS A MORTE

EXPERIÊNCIAS DE QUASE MORTE

mãos um grande livro cujo conteúdo sabia que sempre desejara saber: os segredos do universo. Essa experiência de quase morte deixou Cayce convicto de que todos nós podemos acessar o grande reservatório de todo o conhecimento através do trabalho espiritual nesta vida. Ele passou, então, a escrever sobre práticas espirituais, como a canalização e a mediunidade, numa tentativa de provar que isso era possível.

Carl Jung

O psicoterapeuta Carl Jung (1875-1961) era fascinado por sonhos e pelo inconsciente, mas ele também teve o que poderia ser descrito como uma EQM. Em seu famoso relato, Jung viu-se suspenso muito acima da Terra. Então, vindo da direção do que parecia ser o contorno da Europa, ele viu uma imagem do seu médico (o dr. H.) flutuando até ele. Ele estava emoldurado por uma corrente de ouro ou uma coroa de louros dourada. Jung soube no mesmo instante que era o médico que aparecia para ele numa forma divina semelhante a um "avatar". (Um avatar é uma manifestação ou encarnação de um deus na Terra, como o deus hindu Vishnu.) Houve então uma troca silenciosa de pensamentos entre os homens. Segundo Jung, o médico tinha recebido a incumbência, da própria Terra, de lhe entregar uma mensagem. Era um protesto contra Jung ir embora, e que ele não tinha autorização de deixar a Terra e devia retornar. No momento em que Jung ouviu isso, sua EQM chegou ao fim.

Depois dessa experiência, Jung sentiu uma resistência violenta ao seu médico, porque ele tinha lhe trazido de volta à vida. Além disso, o fato de o médico ter aparecido dessa forma sugeria a Jung que o amigo estava prestes a morrer. E não muito tempo depois, o médico, de fato, faleceu.

Ernest Hemingway

O escritor norte-americano Ernest Hemingway (1899-1961) teve uma experiência de quase morte que foi um encontro próximo com a própria morte, e essa experiência transformou toda a sua visão da vida. Ele contou que a EQM aconteceu durante a I Guerra Mundial, depois que ele foi ferido por estilhaços, enquanto lutava às margens do rio Piave, perto de Fossalta, na Itália. Da sua casa de repouso em Milão, ele escreveu uma carta para a família, fazendo esta declaração enigmática: "Morrer é uma coisa muito simples. Eu vi a morte de frente e de fato sei". Anos mais tarde, Hemingway contou a um amigo o que tinha ocorrido naquela fatídica noite de 1918. Ele se lembrava de que um morteiro austríaco explodiu na escuridão. "Eu morri então. Senti minha alma ou algo assim saindo do meu corpo, como se alguém puxasse um lenço de seda de um bolso por

Esquerda: Jung passou por uma EQM depois de um ataque cardíaco. Sua vívida experiência foi interrompida por seu médico, que pediu a Jung para retornar à Terra.

CAPÍTULO 5: CONTATOS COM A VIDA APÓS A MORTE

Acima: A EQM de Ernest Hemingway lhe deu inspiração para um de seus personagens em Adeus às Armas.

uma das pontas. Ele adejou no ar e em seguida voltou e entrou de novo, e eu não estava mais morto."

Profundamente afetado por essa experiência de quase morte ao longo de sua vida, ele admitiu que nunca mais seria tão arrogante ou descuidado quanto fora um dia. Em seu livro *Adeus às Armas*, seu personagem Frederic Henry sofre um confronto semelhante com a morte. "Houve um clarão, como a porta de uma fornalha sendo aberta e um estrondo, que começou branco e logo ficou vermelho e rolou como se levado por um vento impetuoso. Procurei respirar, mas a respiração não vinha e me senti arrancado de mim mesmo e distante, muito distante, e todo o tempo um corpo solto ao vento. Eu saí de mim mesmo totalmente e sabia que estava morto, mas que era um erro pensar que tinha morrido de vez. Depois flutuei e, em vez de me afastar, eu me senti deslizar de volta para mim. Respirei e estava de volta"...

Arthur Yensen

Em 1932, Arthur E. Yensen, um cartunista de jornal, decidiu reservar algum tempo para pesquisar sua tirinha semanal. Como o seu personagem principal era um vagabundo, Yensen decidiu tornar-se um deles por um tempo. Perambulou por todos os Estados, até que, um dia, um jovem num carro conversível lhe deu uma carona a caminho de Winnipeg. Em alta velocidade, eles sofreram um terrível acidente e o carro capotou. Ambos foram arremessados do carro, antes que ele caísse numa vala. O motorista escapou ileso, mas Yensen foi ferido e perdeu a consciência, assim que duas testemunhas correram em seu auxílio. Ele se lembrava de que a paisagem gradualmente desapareceu e em vez disso ele viu um mundo mais brilhante e bonito. Por quase um minuto pôde ver os dois mundos ao mesmo tempo. Por fim, quando a Terra tinha se desvanecido, ele encontrou o que pensava ser o céu. A distância havia montanhas cobertas de neve e um lago cintilante de água dourada e transparente. Além de algumas árvores, viu um grupo de pessoas tocando e cantando. Algumas delas vieram cumprimentá-lo e informá-lo de que ele estava no mundo espiritual. Era como se ele já tivesse estado ali antes, e recordou o que estava do outro lado das montanhas. Aquela era sua verdadeira morada, e agora parecia que na Terra ele tinha sido apenas um visitante. Embora não quisesse ir embora, disseram-lhe que ele deveria retornar para continuar o seu trabalho, e, quando sua missão estivesse concluída na Terra, ele poderia voltar e ficar para sempre.

Arthur Yensen mais tarde tornou-se ativo na política, uma autoridade em jardinagem, agricultura orgânica e nutrição, e foi escolhido como um dos "mais ilustres cidadãos" de Idaho. Ele violou as regras da faculdade onde ensinava contando sua EQM em sala de aula para provar que a vida tem um propósito. Ironicamente, Yensen ainda questionava se tinha ou não cumprido sua missão de vida, quando finalmente retornou para "casa" em 1992, depois de ter beneficiado milhares de pessoas.

Alice Morrison-Mays

Uma dona de casa chamada Alice Morrison-Mays quase morreu depois de dar à luz seu terceiro filho. Duas semanas depois do parto, ela caiu em coma e foi levada para o hospital. Ela se lembra de que viu, de algum lugar acima dela, perto do teto, quando começaram a erguer suas pernas para que todo o sangue corresse para o coração e os pulmões. Ela se lembra com clareza de ficar com raiva, até que a cena mudou e ela não estava mais no

CAPÍTULO 5: CONTATOS COM A VIDA APÓS A MORTE

quarto. Estava num lugar bonito e atemporal, com cores mutantes e um "arco-íris de som" flutuando no ar, quando se deu conta de presenças amorosas pairando perto dela. Os seres pareciam "sem forma", e nuvens e cores delicadas moviam-se através e ao redor de todos eles. Eles disseram que eram seus guias e auxiliares. Ela se deu conta de uma "imensa presença" vindo em sua direção, um "ser de luz" que permeava tudo. "Explicaram-lhe" que ela poderia permanecer ali se quisesse; essa era uma escolha que ela poderia fazer. Ela se deu conta mais uma vez de que era necessário fazer uma escolha e ela sabia que deveria voltar pelo bem do filho. Quase instantaneamente ela voltou a entrar no corpo através de um cordão de prata, na parte superior da cabeça, e ouviu alguém perto dela dizer, "Conseguimos trazê-la de volta". Depois lhe disseram que tinham retirado "dois pedaços de placenta grandes como grapefruits do corpo dela".

Com exceção do marido, Morrison-Mays não contou a ninguém sobre a monumental experiência que tinha acabado de viver. Após uma operação no quadril 12 anos depois, Morrison-Mays entrou em um estado alterado de consciência e ficou, durante seis meses, saindo e entrando do corpo. Durante essa longa experiência, ela recebeu lições do "Outro Lado". Sua vida foi profundamente afetada desde então e ela tornou-se conhecida por sua cura e experiências espirituais.

Dianne Morrissey

Reconhecida por suas pesquisas no campo da paranormalidade, a falecida dra. Dianne Morrissey (1949-2009) tinha 28 anos quando foi eletrocutada e vivenciou uma profunda EQM. Sua experiência transformou toda a sua vida.

Durante sua EQM, ela via seu corpo físico, sua alma e seu corpo espiritual simultaneamente. Assim que saiu do corpo físico, notou que seu corpo espiritual estava ligado ao seu corpo físico por um "cordão de prata". Mais tarde, viu seu corpo espiritual deitado em uma espécie de "cama celestial", muito acima da Terra. Segundo descreveu, ela estava em comunhão com a "luz" e consciente de cada grão de areia em cada planeta, em cada galáxia, em cada universo. Essa luz tinha dentro dela o conhecimento de todos os livros em todas as línguas, desde o começo da Criação até o fim dos tempos. Quando retornou ao corpo físico, ela sabia que algo dentro dela era imortal, e que ela nunca poderia morrer de fato. Então, com um solavanco, ela aterrissou em seu corpo.

Direita: A visita ao reino espiritual, seja induzida ou acidental, deixa a maioria das pessoas com sentimentos de alegria ou uma sensação de enlevo.

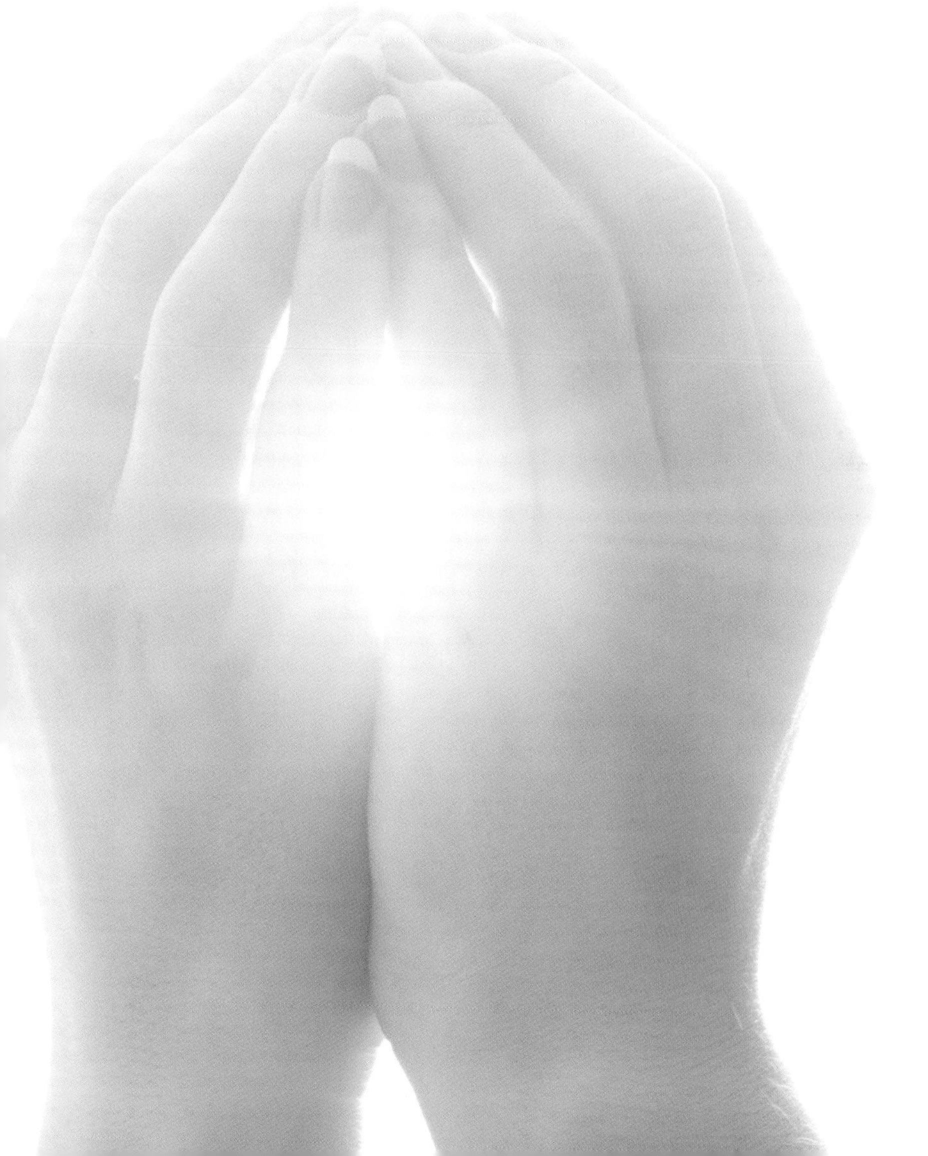

CAPÍTULO 5: CONTATOS COM A VIDA APÓS A MORTE

EXPERIÊNCIAS DE QUASE MORTE

Mais tarde, ela admitiu que só havia sido mandada de volta para ajudar as pessoas a se sentir melhor com relação à morte, e para ajudá-las a constatar que a morte não é um fim, mas um recomeço.

Durga Jatav

Em 1986, os pesquisadores dr. Ian Stevenson e dr. Satwant Pasricha documentaram 16 casos de experiências de quase morte entre indianos. A seguir está um deles.

Quando Durga tinha cerca de 20 anos, ele ficou doente por várias semanas, sofrendo do que foi diagnosticado como febre tifoide. Quando seu corpo "ficou frio" por algumas horas, a família achou que ele tinha morrido. Os médicos o trouxeram de volta à vida, mas, três dias depois, ele disse à sua família que, no momento em que o corpo dele estava frio, ele foi levado por dez pessoas. Tentou escapar, mas as pessoas cortaram as pernas dele na altura dos joelhos para detê-lo. Ele foi então levado para um lugar onde havia em torno de 50 pessoas. Uma delas consultou uma lista e disse que o nome de Durga não estava lá. Os guias foram orientados a levá-lo de volta. Mas Durga respondeu que não podia voltar sem pés. Mostraram a ele, então, vários pares de pernas. Um deles ele

Esquerda: Muitos sujeitos retornam à Terra sabendo que podem ajudar outras pessoas a se reconciliarem com a morte.

CAPÍTULO 5: CONTATOS COM A VIDA APÓS A MORTE

reconheceu e, num passe de mágica, elas voltaram a se encaixar no seu corpo. Ele foi, então, mandado de volta com a orientação de não dobrar as pernas, para que elas pudessem se consolidar no lugar.

Poucos dias depois que Durga foi ressuscitado, a irmã e um vizinho notaram marcas nos joelhos dele que não existiam antes. Eram cicatrizes profundas que apareceram na parte da frente dos joelhos e ainda eram visíveis em 1979, quando o dr. Stevenson entrevistou-o, quase 30 anos depois. A irmã mais velha de Durga, que também foi entrevistada, confirmou o relato de Durga sobre a morte aparente do irmão e o ressuscitamento.

Em nenhum momento houve sangramento ou dor nos joelhos, exceto pelo desconforto quando seguia a "recomendação" de manter os joelhos numa posição fixa. O raio X tirado em 1981 mostrou que não havia nenhuma anormalidade abaixo da superfície da pele.

Direita: Os relatos de EQMs, frequentemente incluem imagens borradas, luzes brilhantes, pessoas e uma sensação de paz.

EXPERIÊNCIAS DE QUASE MORTE

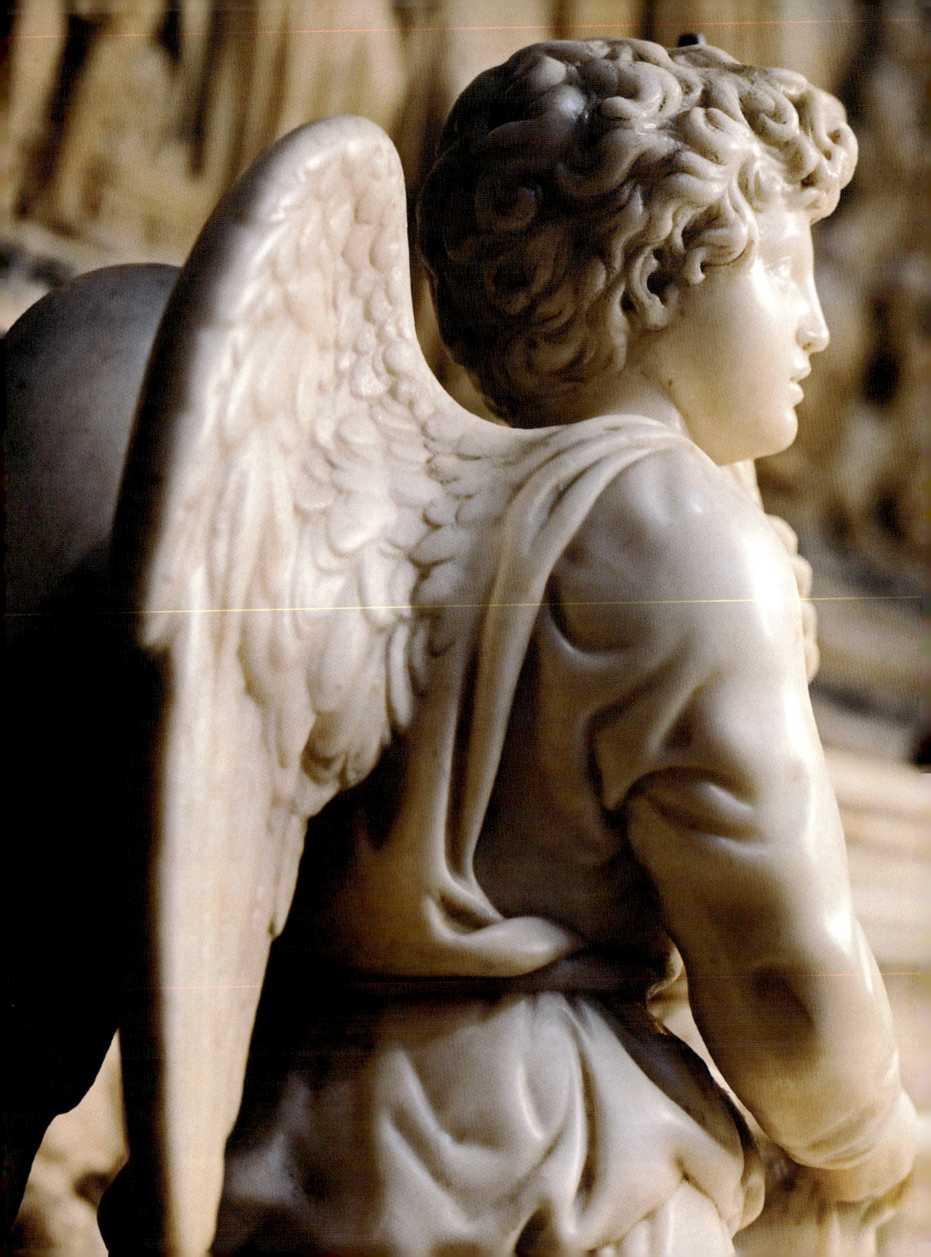

CONTATO COM ANJOS

O mundo espiritual não só é a morada das almas ou dos espíritos dos mortos, mas consiste também em vários planos sobrepostos habitados por guias, guardiões e anjos. O artista Michelangelo (1475-1564) certa vez comentou que viu um anjo no mármore e o esculpiu até libertá-lo.

Desde os primeiros anjos, como as deusas aladas do Antigo Egito até os querubins da arte do século XVIII, o símbolo do anjo e sua mensagem mudaram consideravelmente ao longo dos anos. Originalmente, as mensagens dos anjos vinham dos deuses pagãos. "Anjo" significava "mensageiro", e um anjo era simplesmente um intermediário entre dois mundos. Mais tarde, o cristianismo adotou o mensageiro como se fosse criação sua, e os anjos passaram a ser considerados serviçais celestes de Deus.

Entre as celebridades que acreditavam em anjos estão a mística irlandesa Lorna Byrne, cujo livro de memórias *Angels in My Hair* já vendeu mais de meio milhão de exemplares em 50 países, e a britânica Diana Cooper, cujo guia espiritual Kumeka revelou a ela a verdade sobre os orbes (ver página

Acima: Em muitas religiões, os anjos são considerados mensageiros de Deus que vêm à Terra. Esses mensageiros são retratados como querubins na arte barroca.

Esquerda: Os anjos da guarda velam por nós, e dizem que todos temos um anjo que nos acompanha durante toda a vida.

CAPÍTULO 5: CONTATOS COM A VIDA APÓS A MORTE

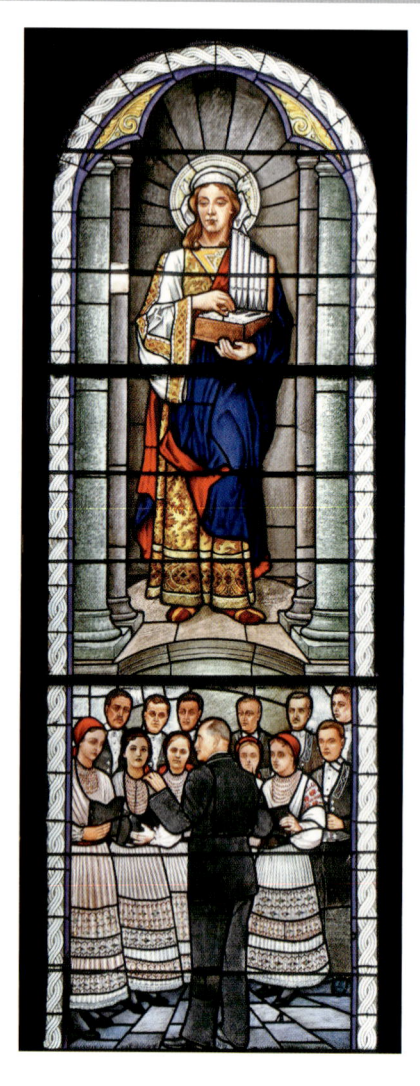

29), Atlântida, anjos e ascensão. A escritora americana Doreen Virtue é criadora da Terapia dos Anjos, baseada na ideia de que a comunicação com os anjos é a chave para a cura.

Existem muitos relatos de pessoas que viram ou encontraram anjos. Conheça alguns deles.

Santa Cecília

A virgem Cecília (século III d.C.), uma menina de grande talento musical, era filha de um senador romano. Como era o costume, um casamento foi arranjado com um elegante jovem Valeriano, que ainda acreditava no panteão dos deuses romanos. Cecília já havia se convertido ao cristianismo. Na noite de núpcias, Valeriano queria consumar o casamento, mas Cecília disse que ela estava sob a proteção de um anjo, que guardava a sua virgindade. Valeriano, ansioso para ver o anjo e para se deitar com sua amada, concordou em visitar um bispo cristão e ser batizado. Sua conversão ao cristianismo iria lhe garantir a visão do anjo e a consumação do casamento. Ao voltar para casa, o anjo coroou o casal com rosas, em seguida partiu

Esquerda: Santa padroeira da música, Cecília cantou com os anjos ao morrer como mártir.

Direita: A assinatura de Joana d'Arc. Suas visões de anjos e arcanjos supostamente levaram ao fim da Guerra dos Cem Anos.

para o Céu. Mas outra família e os amigos de Valeriano queriam ver o anjo também e por isso concordaram em ser batizados. Como as conversões ao cristianismo tornaram-se numerosas, Cecília foi presa pelo prefeito romano, que ainda era pagão, e condenada à morte por asfixia em vapores d'água. Por razões desconhecidas, ela escapou do seu terrível destino, mas um carrasco tentou decapitá-la três vezes sem conseguir separar a cabeça do corpo e ela levou vários dias para morrer. Quando morreu, dizem ter cantado com os anjos, e se tornou posteriormente patrona da música.

Joana d'Arc

Reverenciada como uma heroína política na França desde os tempos de Napoleão, Joana d'Arc (1412-1431) continua sendo um símbolo de coragem feminina e execução injusta. Mas o mais importante sobre a cruzada religiosa que ela empreendeu no final da Guerra dos Cem Anos é o fato de que ela acreditava totalmente na ideia de que Deus estava enviando suas mensagens por meio dos anjos. Suas visões dos anjos, entre eles os arcanjos Miguel e Gabriel, além de muitas outras hostes, também levaram à especulação de que talvez os anjos e o mundo espiritual possam ajudar aqueles que querem mudar o curso da História para melhor.

Teresa d'Ávila

A reformadora carmelita Teresa d'Ávila (1513-1582) contribuiu muito para reavivar o culto da espiritualidade mística na Igreja Católica. Ela fugiu de sua casa perto de Madri na esperança de conseguir seu martírio sob os punhais dos invasores árabes. Mas foi encontrada a tempo e enviada para um convento. Como muitos místicos, ela começou a sofrer de uma variedade de doenças nutricionais, mas sua dedicação ao estudo de manuscritos medievais dava-lhe tempo para recontar todas as suas "experiências místicas" ou êxtases. Um deles foi seu encontro com um anjo que despertou sua alma para reunir-se a Deus. Ela descreveu que viu um anjo perto dela. Ele não era alto, mas era muito bonito e tinha uma longa lança de ouro, cuja ponta estava em chamas. O anjo fincou a lança em seu coração e, quando retirou a ponta incandescente, ela se sentiu como se estivesse removendo com ela suas entranhas, mas deixando-a inflamada com um grande amor a Deus.

CAPÍTULO 5: CONTATOS COM A VIDA APÓS A MORTE

CONTATO COM ANJOS

Emanuel Swedenborg

Swedenborg (1688-1772), um cientista do século XVIII que se tornou místico, afirmava ter escrito a maior parte dos seus livros sob a orientação dos anjos. Uma dessas obras, *The Delights of Wisdom Pertaining to Conjugal Love*, está cheio de longos diálogos com anjos sobre a sabedoria do amor, incluindo alusões ocultas à transcendência mística através da união sexual. Swedenborg contou que os anjos aprovavam certas formas de sexo, mas somente se elas rompessem o controle da mente. Ele também escreveu extensivamente sobre a vida após a morte, com base no que acreditava serem suas próprias experiências reais no mundo dos anjos, alegando que esse mundo era de muitas maneiras muito semelhante ao mundo terreno. Seu trabalho também revela que os anjos no Céu não têm uma existência etérea ou efêmera, mas sim uma vida ativa de serviço ao próximo. Eles muitas vezes dormem, comem, amam, respiram, falam, leem, trabalham, brincam e prestam culto. Vivem uma vida de verdade num corpo espiritual. De acordo com Swedenborg, na Terra só veem os anjos aqueles que têm os olhos espirituais abertos.

Esquerda: Teresa d'Ávila é famosa por suas experiências extasiantes com um anjo.

Abaixo: Com os olhos espirituais abertos, o místico Swedenborg escreveu a maioria de seus trabalhos sob a orientação dos anjos.

William Blake

"Guardado por um anjo doce", como no seu poema "O Anjo", William Blake (1757-1827), poeta, pintor e místico, desde uma idade bem precoce discutia suas visões e comunicações com seres celestiais.

Ele via anjos, tanto em sua mente quanto nos campos. Contou ao pai quando criança que viu uma "árvore cheia de anjos, asas angelicais brilhantes salpicando cada galho como estrelas". Seus pais batiam nele por causa das suas fantasias, mas os arcanjos lhe davam coragem e apoio para produzir sua arte e escrita – os anjos gostavam de suas obras.

CAPÍTULO 5: CONTATOS COM A VIDA APÓS A MORTE

Muitos pensavam que Blake era louco, inclusive o poeta William Wordsworth. Mas as pinturas de Blake o mostram sob uma nova luz, uma vez que Satanás foi descrito como o Anjo do Apocalipse. As representações de anjos feitas por Blake são espirituais e inusitadas. Os anjos não são apenas seres espirituais, mas cheios de falhas humanas também.

Rudolf Steiner

O místico e escritor austríaco Rudolf Steiner (1861-1925) começou a sua carreira espiritual na Sociedade Teosófica e acabou desenvolvendo seu próprio sistema de crença, conhecido como antroposofia (ver página 46). Steiner acreditava em todas as entidades espirituais e descrevia muitas de suas visões ou experiências com esses seres. Ele acreditava que os anjos são os nossos guias invisíveis e companheiros ao longo da vida. Descreveu como eles interagem com outras hierarquias espirituais e acreditava que, através dos sonhos, configuramos nosso futuro com o nosso guia angélico. Ele acreditava que os anjos vêm até nós para que possamos nos libertar espiritualmente.

Billy Graham

Conselheiro espiritual evangélico de muitos presidentes americanos, Graham tornou-se uma das poucas estrelas da mídia, no século XX, ligadas à religião. Seu trabalho converteu muitos céticos a aceitar Jesus Cristo como seu salvador. Sua obra, *Angels, God's Secret Agents*, abriu o caminho para o surgimento da nova crença de que os anjos podem nos ajudar em tudo o que fazemos, e até mesmo lutar por nós. Compartilhando suas cruzadas angelicais com mais de duzentos milhões de pessoas em todo o mundo, ele acredita

Esquerda: William Blake buscou a inspiração dos arcanjos para criar sua arte de cunho espiritual.

CONTATO COM ANJOS

Direita: A crença nos anjos é o cerne da filosofia mística bem-sucedida de Rudolf Steiner.

CAPÍTULO 5: CONTATOS COM A VIDA APÓS A MORTE

CONTATO COM ANJOS

que os anjos estão do nosso lado para nos defender com suas "espadas". Seus anjos cristãos reavivados desde então se tornaram uma fonte de tranquilidade e proteção em tempos de medo. Essa recente paixão pelo retorno dos anjos está hoje presente na consciência coletiva e pode proporcionar uma cura poderosa e auxílio espiritual, bem como um conforto e orientação.

Vassula Ryden

Mais conhecida pela sua compilação de milhares de mensagens de Deus em 1985, Vassula acredita em seu próprio anjo guardião. Ao fazer uma lista de compras quando morava em Bangladesh, com sua família, ela sentiu uma sensação de formigamento nos dedos e uma presença invisível guiou sua mão para escrever numa caligrafia, estilo e conteúdo totalmente diferentes de seu próprio. As palavras eram: "Eu sou seu anjo da guarda e meu nome é Daniel". Ela conta que o anjo voltou alguns dias depois, e eles passaram muitas horas se comunicando. Acreditando que ela foi chamada por Deus para promover a unidade dos cristãos, ela dedica-se agora ao trabalho de organizar eventos mundiais, numa tentativa de conciliar todas as denominações cristãs.

Elisabeth Kubler Ross

Os anjos estão muitas vezes presentes nos relatos dos indivíduos que passaram por experiências de quase morte. Isso foi pesquisado extensivamente por Elisabeth Kubler Ross na década de 1960, resultando em seu livro *On Death and Dying*.

Na década de 1990, Ross se interessou pelo fato de que as crianças veem anjos quando se aproximam da morte. Sejam eles "amigos imaginários" ou anjos da guarda, ela acredita que a partir do momento em que chegamos ao fim desta existência física, estamos na presença desses guias, que

Esquerda: Os anjos foram aparentemente responsáveis pela cruzada evangélica de Billy Graham em todo o mundo.

Acima: Depois do contato com seu anjo da guarda, Vassula Ryden passou a promover a unidade cristã.

esperam por nós e nos ajudam na transição desta vida para a próxima. Isso está em sintonia com as ideias de Platão, Pitágoras e muitos dos mais antigos místicos e filósofos que acreditavam em *daimons* ou guias espirituais (ver páginas 129 e 131).

Estigmatizados e anjos

Estigmatizados também relatam visões vívidas de anjos e outras entidades espirituais. Um dos primeiros casos registrados foi o de São Francisco de Assis, no século XIII. Enquanto orava durante um jejum, um serafim apareceu para ele. O anjo de seis asas em uma cruz então transformou-se na visão de Jesus crucificado. Depois que o anjo partiu, São Francisco descobriu uma profunda ferida na lateral do corpo, as marcas de pregos de ferro e feridas sangrando em seus pés e mãos. Um outro padre, que estava orando com Francisco, na ocasião, foi o primeiro a relatar o fenômeno dos estigmas, quando ele comentou que o anjo lhe deu a dádiva das cinco chagas de Cristo.

Padre Pio

O padre carismático Pio (1870-1968) vivia como um apóstolo do Novo Testamento em San Giovanni Rotondo, Foggia, na Itália e era conhecido pelos seus milagres e experiências místicas. Ele expulsou o diabo do corpo de algumas pessoas, foi espancado por demônios em sua cela e conversou com anjos que o visitaram para orientá-lo enquanto tratava os doentes. Muitos céticos tentaram provar que ele era um impostor, e, à medida que seu culto se intensificava, o mesmo acontecia com seus delírios, e a maior parte dos psicólogos e cientistas o consideraram psicótico. Então, em 1918, ele recebeu seus primeiros estigmas visíveis, que estranhamente ficaram com ele pelos 50 anos seguintes e ninguém jamais conseguiu provar que ele os falsificou.

Garbandal

A região montanhosa da Cantábria, no norte de Espanha, não é a região mais conhecida da Europa, nem é muito visitada, exceto por uma pequena aldeia conhecida como Garbandal, que se mantém inalterada há mais de 50 anos e onde uma extraordinária aparição de anjos ocorreu.

Uma noite de verão na década de 1960, numa estrada de terra na periferia da pequena aldeia, quatro meninas de 12 anos ouviram um trovão ribombar acima delas. Elas olharam para o céu e ofegaram de medo e temor quando viram um anjo dourado surgindo das nuvens. Era 18 de junho de 1961, e nos

Direita: Um dos primeiros casos de estigmas registrados, São Francisco acreditava que seus ferimentos tinham sido uma dádiva de um serafim.

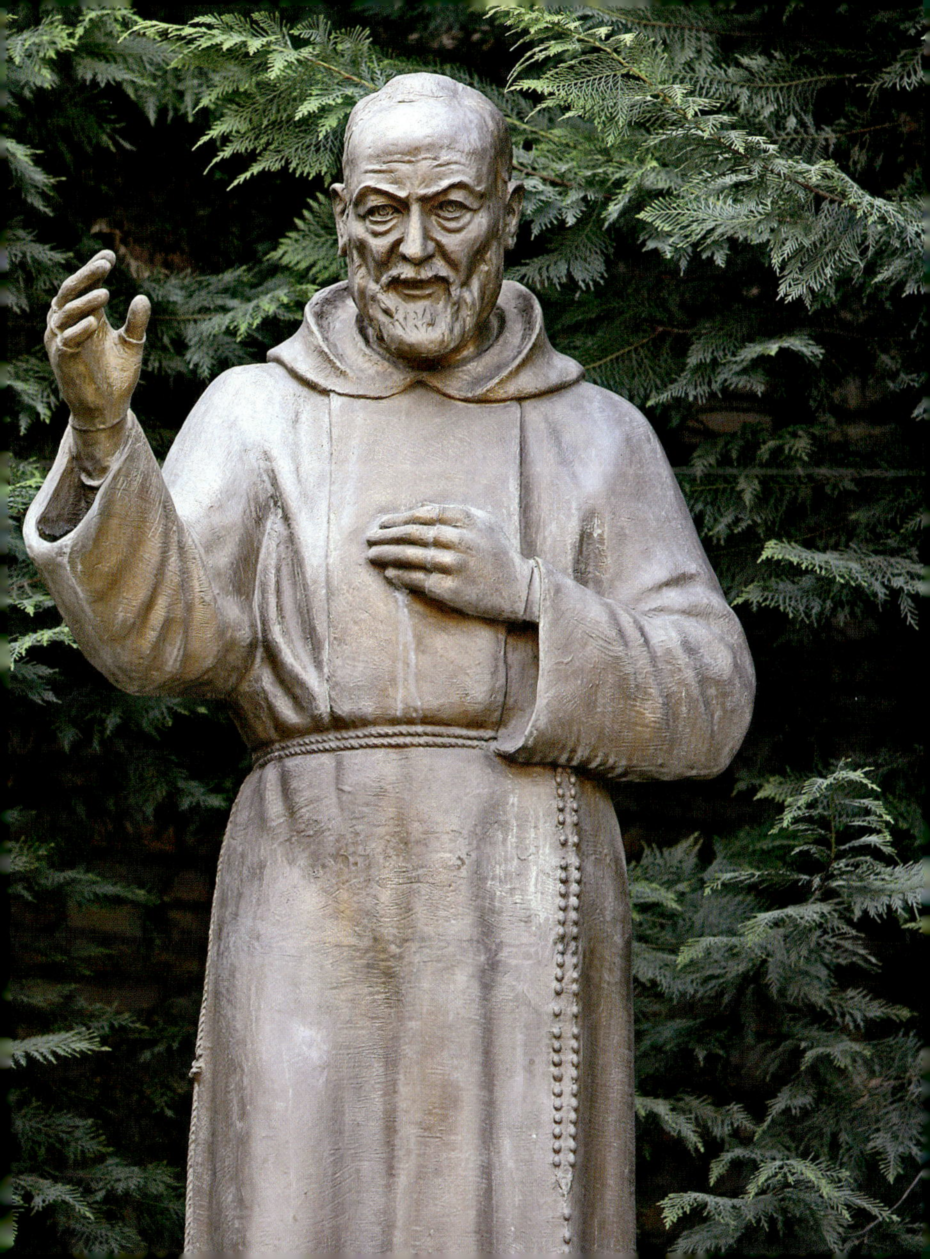

CAPÍTULO 5: CONTATOS COM A VIDA APÓS A MORTE

oito dias seguintes, Conchita, Maria, Jacinta e Maria-Cruz relataram visões repetidas do arcanjo Miguel, que transmitiu a mensagem de que elas em breve receberiam a visita da Virgem Maria. As meninas logo ficaram famosas por suas visões, não apenas entre os crentes católicos, mas no mundo todo.

Logo após a visita do arcanjo, a Virgem Maria apareceu como Nossa Senhora do Carmo, padroeira da Ordem Carmelita. As meninas caíram em transe e assim começaram suas peregrinações em êxtase em torno da aldeia. Elas caminhavam por todas as ruas da aldeia, às vezes correndo por encostas íngremes, às vezes até mesmo de costas. À medida que suas façanhas surpreendentes ficavam conhecidas, mais e mais curiosos chegavam para presenciar esses estranhos êxtases e pedir que as meninas oferecessem objetos pessoais à Virgem Maria, para que os abençoasse. Elas transmitiam mensagens divinas para o mundo, sobre milagres, avisos e castigos, e sobre como as pessoas deviam se voltar para suas almas em busca de sua verdade espiritual. Em seus transes, as meninas eram insensíveis à dor, luzes brilhantes e outros estímulos externos e, embora muitos céticos tentassem provar que tudo era uma fraude, elas pareciam realmente extasiadas com suas visões sobrenaturais.

Direita: A visita do Arcanjo Miguel a quatro meninas tornou a pequena aldeia de Garabandal um próspero centro de peregrinação.

CONTATO COM ANJOS

273

CAPÍTULO 5: CONTATOS COM A VIDA APÓS A MORTE

CONTATO COM ANJOS

Perto da aldeia há uma colina íngreme onde fica um grupo de nove pinheiros. Foi ali que um anjo com um cálice dourado disse às meninas que iria lhes ministrar a Sagrada Comunhão e que elas deveriam contar isso ao mundo, para que todos pudessem testemunhar o milagre. Em 18 de julho de 1962, a cidade estava repleta de visitantes, todos esperando para ver o acontecimento. À meia-noite, Conchita entrou em transe e caiu de joelhos no meio da multidão. Lâmpadas e tochas incidiram sobre ela. *Flashs* espocaram. Em várias revistas, livros e websites pode-se ver uma foto tirada de um antigo vídeo de uma hóstia que aparece na boca aberta de Conchita, supostamente colocada lá por um anjo. Uma testemunha, um agricultor espanhol, escreveu: "Eu estava em pé a menos de um metro da menina... Seu rosto era angelical. Eu posso atestar que ela ficou ali, imóvel, sem mover as mãos ou a língua. Nessa posição ela recebeu a Hóstia Sagrada (...) Eu era descrente até aquele dia".

Com a cobertura maciça da imprensa, a curiosidade pública e mais tarde as acusações de fraude, a controvérsia tornou Garabandal um número circense. Mas as aparições terminaram e a controvérsia se acalmou. São Pio de Pietrelcina e Madre Teresa de Calcutá acreditaram e apoiaram essas aparições e, embora a Igreja Católica nunca as tenha refutado, elas nunca foram totalmente aprovadas também. Garabandal é hoje um centro de peregrinação, atraindo milhares de pessoas do mundo inteiro. As pessoas vão lá para ser abençoadas por Nossa Senhora do Carmo, outras na esperança de ver um anjo. Mas o que quer que tenha acontecido nessa aldeia simples nas montanhas, esse é um dos lugares do mundo onde os anjos parecem nos trazer o conforto e a proteção que todos nós estamos procurando.

Donna Gatti

A agente de cura contemporânea e aficionada por anjos Donna Gatti dirige uma escola para iluminação espiritual conhecida como Angel Academy, nos Estados Unidos. Sua primeira experiência mística ocorreu quando ela tinha 4 anos de idade. O contato com um anjo conhecido como Dália mudou sua vida e levou-a a entrar em contato com arcanjos como Miguel e Uriel. Durante uma experiência de quase morte ocorrida durante uma cirurgia, ela se viu fora do corpo, observando a certa distância os médicos que tentavam salvá-la. No plano astral, ela parecia capaz de voar e se viu cercada por um oceano de

Esquerda: Um controvertido milagre ocorreu em 1962 entre os pinheiros de uma colina na aldeia de Garabandal.

CAPÍTULO 5: CONTATOS COM A VIDA APÓS A MORTE

luz branca. Foi então que viu dois anjos que lhe ofereceram ajuda para voltar para casa. Desde então, ela tem visto anjos grandes como torres e outros do tamanho da cabeça de um alfinete.

Pesquisadores da Baylor University, em Waco, Texas, entrevistaram, em 2008, 1.700 pessoas e constataram que 55% dos entrevistados, incluindo um em cada cinco que afirmaram não ser religiosos, acreditam que já foram protegidos por um anjo da guarda alguma vez na vida. Uma pesquisa de 2007 descobriu que 68 por cento dos americanos acreditam que "anjos e demônios estão ativos no mundo", e uma pesquisa de 2011 feita pela US Associated Press revelou que 77% dos americanos adultos acreditam em seres etéreos.

Esquerda: Hoje acredita-se que os anjos não sejam apenas guardiões e agentes de cura, mas guias entre este mundo e o outro. A visão de um anjo é considerado um sinal de capacidade parapsíquica.

CONTATO COM ANJOS

O ARCANJO MIGUEL

Miguel é normalmente representado na história do Antigo Testamento derrotando Satanás, o antigo dragão serpentiforme, e expulsando-o do Céu, juntamente com os anjos caídos. Normalmente mostrado empunhando uma espada, ele é o guerreiro espiritual supremo e braço direito de Deus. As aparições mais lendárias de Miguel incluem a do monte Gargano, na Itália, no início do século VI d.C., que levou a um festival anual realizado em sua homenagem. Ele foi visto três vezes no século VIII por Saint Aubert, bispo de Avranches na França, que foi instruído por Miguel para construir uma igreja numa pequena ilha ao largo da costa da Normandia, agora conhecida como Monte de Saint--Michel. Várias curas milagrosas foram relatadas quando a igreja estava sendo construída, e Monte Saint-Michel continua sendo um dos maiores centros de peregrinação católica do mundo. Miguel era a princípio um anjo de cura, mas posteriormente se tornou conhecido como protetor e líder do exército de Deus contra as forças do mal.

Direita: Santuários cristãos dedicados ao arcanjo Miguel surgiram pela primeira vez no século IV d.C.

CAPÍTULO 5: CONTATOS COM A VIDA APÓS A MORTE

CANALIZAÇÃO

Canalização é a capacidade de entrar em contato com guias espirituais e agir como um veículo para informações, seja em favor de outras pessoas ou de si mesmo.

A canalização, no entanto, é também um termo que se usa em referência a um indivíduo que possui informação canalizada, seja ela uma ideia, uma inspiração criativa, uma solução ou uma força de cura, em resultado de seu próprio contato com o reservatório de conhecimento universal ou com um espírito. O canalizador também pode acessar informações do mundo parapsíquico através de divindades, plantas, animais, e até mesmo paisagens.

A canalização por meio do transe é praticada por xamãs em muitas culturas nativas como um meio de viajar para o mundo espiritual. Os xamãs modernos costumam usar tambores, danças rodopiantes, meditação e buscas de visão para alcançar esse estado mais profundo. A maioria dos canalizadores da atualidade permanece em um estado alterado de consciência, em vez de um

Direita: A canalização de espíritos ainda é uma parte muito importante de muitas sociedades xamânicas de hoje.

CANALIZAÇÃO

CAPÍTULO 5: CONTATOS COM A VIDA APÓS A MORTE

Esquerda: A fundadora da teosofia, Helena Blavatsky, acreditava que a verdade espiritual pode ser descoberta por meio da canalização de mestres ascensionados.

CANALIZAÇÃO

estado inconsciente. No estado consciente, o canalizador está no controle da via de comunicação e pode interromper o contato a qualquer momento.

Guias espirituais

Os guias espirituais são uma ou mais entidades que assistem, ensinam, curam e ajudam o canalizador em sua jornada para uma maior consciência. O número de guias espirituais que uma pessoa tem varia de acordo com as experiências dessa pessoa. Alguns canalizadores se comunicam com sua alma gêmea. Mestres espirituais podem se apresentar por muitos nomes e se conectar com mais de uma pessoa por vez. Às vezes os espíritos vêm para o canalizador por uma finalidade específica, tais como habilidades criativas, questões de cura, desenvolvimento espiritual e resolução de problemas. Entre os canalizadores mais conhecidos estão a médium americana já falecida Jane Roberts (1929-1984) e seu guia espiritual Seth; a britânica Margaret McElroy, que agora mora na Índia, e seu guia espiritual Maitreya; e o americano J.Z. Knight e Ramtha (ver página 284).

Mestres ascensionados

Quando a alma de um indivíduo alcança um elevadíssimo estado espiritual ou pertence a um reino espiritual próximo à Alma do Mundo, muitas vezes ele é chamado de "mestre ascensionado", um termo cunhado pela Sociedade Teosófica durante o século XIX. Essa aparente "ascensão" a coisas mais elevadas permite que a alma ou espírito do indivíduo – ou, como dizem alguns, até mesmo a sua consciência – preste serviço à humanidade. A partir de seu lugar espiritualmente elevado no céu, mestres ou gurus, como Jesus ou Madre Teresa, podem nos ajudar em nossa própria jornada através da vida. Segundo os teosofistas, os mestres ascensionados são semelhantes aos santos do cristianismo ou os bodhisattvas do budismo.

No século XIX, Madame Blavatsky, a fundadora da teosofia (ver página 157), chamou a atenção das pessoas para a existência de líderes espirituais ascensionados quando canalizou mensagens de seres chamados "Mahatmas". Esses mestres eram seres muito evoluídos que viviam no Himalaia. Ela comentou que "deles partiam todas as verdades teosóficas". Seu conhecido guia espiritual era "Koot Hoomi" ou "Kuthumi".

Sucessores de Blavatsky na Sociedade Teosófica, Annie Besant e Charles W. Leadbeater ampliaram o conceito de mestres ascensionados e escreveram muitas das suas supostas biografias e vidas passadas. O mais conhecido deles é Saint Germain, também conhecido como "Mestre Rakozi" ou "Mestre R", que se acredita ter ascendido depois da sua suposta encarnação final como *sir* Francis Bacon. De acordo com os teosofistas ele é também filho da rainha Elizabeth I e do senhor Dudley. Suas encarnações anteriores incluíam um sumo sacerdote de Atlântida, Merlin e Cristóvão Colombo.

CAPÍTULO 5: CONTATOS COM A VIDA APÓS A MORTE

Em meados do século XVIII na França, o Conde Saint Germain passou muito tempo na companhia do rei Luís XV e de Madame Pompadour. Famoso por conjurar diamantes em seu bolso, o Conde aparentemente revelou o segredo do elixir da vida a vários cortesãos. Conhecido como alquimista, por volta do século XIX seu status de lenda também incluía o de mestre ascensionado.

Seres celestiais

Acredita-se que seres celestiais sobreviveram à morte em seus próprios planetas ou em outros universos e vieram do mundo espiritual para iluminar os habitantes da Terra que estiverem dispostos a ouvir.

O *Livro de Urântia* é uma obra espiritual e esotérica que se originou em Chicago, entre 1924 e 1955. Existe ainda muita especulação a respeito de quem é o autor, ou autores, e controvérsias sobre suas afirmações. Urântia foi o nome dado ao planeta Terra, e a intenção do livro é unir religião, ciência e filosofia num novo sistema de crença em todo o mundo. Seu conteúdo foi supostamente transmitido por seres celestiais. Dois músicos notáveis, Stockhausen e Jimi Hendrix, carregavam Urântia com eles onde quer que fossem. Vários grupos espiritualistas cultuam o "Pai/Mãe" Divinos de Urântia, que supostamente apareceu um dia neste planeta em forma humana.

Inspirado em Urântia, a Missão de Ensino, um grupo de estudo dos ensinamentos de Urântia baseado nos Estados Unidos, diz trabalhar com alguns desses mestres celestes. Esse grupo destina-se a buscadores sinceros que queiram se ligar a um professor avançado e desenvolver um relacionamento pessoal com Deus. Um desdobramento da Missão de Ensino é o Centro para a Consciência Crística, no qual os seguidores acreditam que recebem a amor e ensinamentos do Pai Divino conhecido como Miguel Crístico, e da Mãe Divina, conhecida como Nebadônia. (Nébadon é o nome do universo de onde os seres celestiais se originaram.)

Existem também dois outros seres espirituais que se comunicam com o Centro dos seguidores. Estes são Aurora, um ser celestial que ajuda as pessoas a se tornarem mais cooperativas, tolerantes, pacientes e aceitar as outras pessoas. E Welmek, professor celestial que um dia viveu uma vida humana num planeta com uma civilização muito avançada, e oferece uma nova visão sobre a forma como o universo opera. Suas mensagens profundas e amorosas são inspiradoras.

A GRADE

Outra maneira atual de acessar informações do plano espiritual é ler a "grade cristalina".

Essa "grade" é um pouco como uma central telefônica que conecta a todos e tudo que existe no universo, vibrando em certas frequências. Esse conceito desenvolveu-se a partir do conceito de geometria sagrada, uma arte-ciência que se dedica ao estudo das aplicações da energia harmônica do universo através de números e padrões simbólicos.

Esses padrões permeiam toda a natureza e todas as consciências e são considerados o código universal da criação.

Quando uma pessoa canaliza uma informação, ela está acessando esses padrões ou se ligando à frequência da "grade". Por exemplo, se você quer canalizar um espírito específico, basta sintonizar sua assinatura energética e ouvir sua mensagem. Obviamente você tem que encontrar essa frequência primeiro, que é um pouco como sintonizar uma estação de rádio. Cada "estação" ou vibração abrange uma frequência específica de informações, que tem correspondências com cores, chakras, auras e simbolismo oculto.

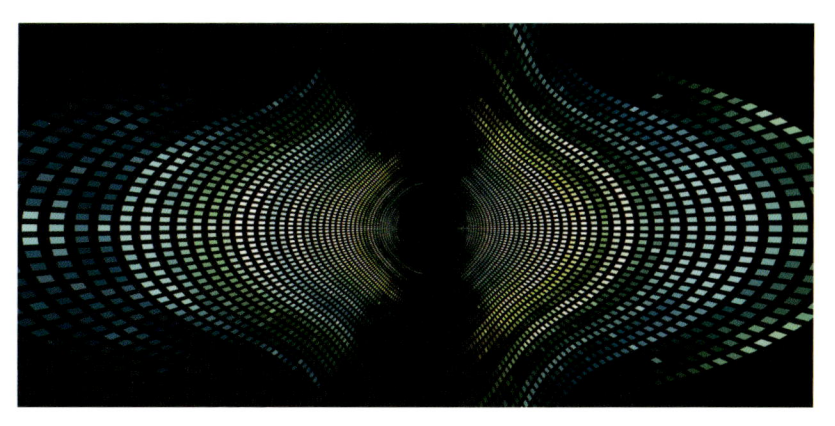

Acima: Explorar a energia das Harmônicas Celestiais é uma maneira de acessar o mundo dos espíritos.

CAPÍTULO 5: CONTATOS COM A VIDA APÓS A MORTE

CANALIZADORES FAMOSOS

Muitos afirmaram ser capazes de canalizar entidades espirituais, entre eles Jane Roberts e J. Z. Knight.

Jane Roberts

Em 1963, a autora e poeta americana Jane Roberts começou a receber importantes mensagens de uma personalidade masculina que acabou por se identificar como Seth. Logo depois, Jane informou que estava ouvindo mensagens em sua cabeça e começou a ditá-las em estado de transe. Ela dizia que Seth primeiro assumia o controle do seu corpo e falava através dela, enquanto seu marido escrevia as palavras que ela falava. O casal se referia a essas experiências como "leituras" ou "sessões".

Jane afirma que ela também canalizava as visões de mundo de Rembrandt e Paul Cézanne por meio da escrita automática, numa máquina de escrever antiquada.

Durante cerca de 20 anos, até sua morte em 1984, Jane realizou regularmente sessões de transe em que falou em nome de Seth. As mensagens de Seth que eram canalizadas através de Jane consistiam principalmente em monólogos sobre uma ampla variedade de temas espirituais, políticos e religiosos.

J. Z. Knight

A americana J. Z. Knight atraiu celebridades como Shirley MacLaine e Linda Evans com os seus ensinamentos. Ela afirma fazer uma ponte entre a antiga sabedoria e o poder da consciência com as últimas pesquisas científicas. Criticada pelo matemático Martin Gardner por ensinar uma "metafísica de jardim de infância", J.Z. dirige uma escola de iluminação em Washington, nos Estados Unidos. O "guia espiritual" ou mestre ascensionado conhecido como Ramtha, supostamente lhe apareceu pela primeira vez em 1977.

De acordo com Knight, Ramtha foi um guerreiro que lutou na Lemúria em Atlântida mais de 35.000 anos atrás. Ramtha contou que liderou um exército de dois milhões e meio de soldados e conquistou a maior parte do mundo conhecido (que passou por muitos cataclismos geológicos). De acordo com Ramtha, ele liderou o exército por dez anos até que foi traído e quase morto. Ramtha diz que passou os sete anos seguintes em isolamento, recuperando-se e observando a natureza. Ele

CANALIZADORES FAMOSOS

acabou por desenvolver muitas habilidades, incluindo a profecia e a experiência fora do corpo. Ensinou aos seus soldados tudo que sabia durante 120 dias, despediu-se deles, elevou-se no ar e, num clarão de luz brilhante, subiu ao céu. Ele fez uma promessa a seu exército de que ele voltaria para ensinar-lhes tudo o que tinha aprendido.

Acima: O guia espiritual de Ramtha apareceu pela primeira vez para J. Z. Knight em 1977.

CAPÍTULO 5: CONTATOS COM A VIDA APÓS A MORTE

OS XAMÃS E A CURA ESPIRITUAL

O xamanismo é baseado na premissa de que o mundo visível é permeado por forças invisíveis ou espíritos que afetam a vida dos vivos. Existe atualmente um renascimento da prática xamânica, chamado neoxamanismo ou xamanismo "core", introduzido pelo antropólogo americano Michael Harner, na década de 1980.

O xamã

Embora usem métodos variados, dependendo de suas necessidades geográficas e culturais, os xamãs compartilham a crença comum de que a chamada "realidade" é preenchida por forças invisíveis, como espíritos e demônios que influenciam a vida dos vivos de modo tanto positivo quanto negativo, e desempenham um papel fundamental na sociedade ou cultura em questão. Os xamãs podem deixar seu corpo mortal para entrar em contato com esse mundo espiritual, e podem curar doenças e se comunicar com guias espirituais, muitas vezes animais.

Totens, como rochas ou pedras, são comumente usados pelos xamãs. Esses itens muitas vezes têm seu próprio "espírito" e poderes mágicos. Alguns xamãs afirmam ter aprendido os poderes de cura de plantas diretamente com o espírito dessas plantas. Na Bacia Amazônica peruana, xamãs conhecidos como *curanderos* usam músicas para evocar espíritos, mas antes de um espírito poder ser evocado ele deve ensinar ao xamã sua própria canção. Espíritos podem ser animais, plantas, ou até mesmo rochas. Entre os povos da Sibéria conhecidos como *selkups*, o pato marinho é um espírito animal que pertence ao mundo superior e inferior. Da mesma forma, para muitos nativos americanos, o jaguar é um espírito animal, porque anda na terra, nada na água e sobe em árvores. Os jaguares pertencem a todos os três mundos, céu, terra e Mundo Inferior.

Depois que um iniciado se torna um xamã e está pronto para entrar em contato com o mundo espiritual, ele é implantado com talismãs mágicos. Para viajar para o mundo espiritual, o xamã precisa primeiro entrar num estado de transe, geralmente induzido por auto-hipnose, tabaco, drogas (como cogumelos alucinógenos, Datura, beladona e ayahuasca), percussão rápida, tendas de suor, buscas de visão e outros rituais nativos.

Trabalhos contemporâneos

Existem três categorias diferentes de xamãs contemporâneos:

1. Xamãs tradicionais que seguem rigorosamente as práticas indígenas de acordo com a sua cultura.
2. Xamãs que tentam fundir antigos rituais tradicionais com ideias ocidentais, entre elas as cerimônias da Nova Era e outros elementos místicos adequados ao praticante moderno.
3. Os xamãs que podem ter se afastado da sua cultura nativa, mas que são chamados a servir a comunidade local e redescobrir o seu patrimônio xamânico.

Esquerda: Estados de transe induzidos por drogas, percussão, música ou cânticos levam os xamãs ao mundo espiritual.

CAPÍTULO 5: CONTATOS COM A VIDA APÓS A MORTE

OS XAMÃS E A CURA ESPIRITUAL

Xamãs e agentes de cura da atualidade

Existem muitos agentes de cura e xamãs nos dias de hoje, mas como exemplo vou citar aqui duas abordagens muito diferentes do xamanismo. A primeira é uma fusão de técnicas; a segunda é um método mais radical, vulgarmente conhecido como "cirurgia espiritual" ou "parapsíquica".

Robin Gress

Xamã e agente de cura, Robin Gress estudou com o fundador da Foundation for Shamanic Studies, Michael Harner, durante três anos. Psicoterapeuta qualificada, o trabalho de cura de Robin combina clarividência, inteligência e compaixão. Sua consciência natural e conexão com realidades não físicas lhe permitem acessar facilmente e atravessar os reinos xamânicos e, com a ajuda de seus aliados espirituais, proporcionar uma cura transformacional aos seus clientes. Sua prática de cura combina as principais técnicas xamânicas, tais como a recuperação da alma, a recuperação da energia animal, extração, despossessão e o trabalho com ancestrais, junto com sua mediunidade e habilidades de canalização.

Esquerda: Os xamãs contemporâneos trabalham com uma ampla gama de técnicas, desde contato com ancestrais até a recuperação da alma.

CAPÍTULO 5: CONTATOS COM A VIDA APÓS A MORTE

João de Deus

Intitulando-se médium e agente de cura, João de Faria, também conhecido como "João de Deus", é um dos muitos cirurgiões espirituais que atuam na América do Sul. Numa cidade perto de Brasília, João de Deus realiza "intervenções cirúrgicas", que podem ser "invisíveis" ou "visíveis". Alegando agir como um canal para o poder de cura de Deus, ele diz que não tem nenhuma lembrança do que ocorre durante as operações.

Na década de 1970, João foi persuadido por guias espirituais e o médium Chico Xavier a deixar sua cidadezinha natal para ajudar mais pessoas. Ele foi aconselhado a se mudar para a pequena cidade de Abadiânia. Em 1978, João montou seu Centro de Cura, que a princípio se resumia a uma cadeira do lado de fora da sua casa, na estrada principal da cidade. As pessoas viajavam quilômetros para serem curadas e não demorou muito para que a fama de João se expandisse não apenas por todo o país, mas por todo o mundo. Desde 1965, milhões de pessoas já consultaram João de Deus e milhares relataram que foram curadas. Embora muitos afirmem terem sido curados fisicamente, outros também relatam que essa cura foi emocional e espiritual.

João de Deus sempre incentiva a investigação médica e científica do seu trabalho para ajudar a humanidade. Ele até convida médicos e cirurgiões para assistir às suas sessões de cura e monitorar o seu trabalho. Oferece no Centro dois tipos de "cirurgia", sendo a "invisível" geralmente a opção mais popular. Nesse caso, o paciente senta-se numa sala sozinho e medita enquanto João de Deus faz contato com o mundo espiritual em outra sala. Ele recomenda a meditação como parte da cura em curso e pede ao paciente para fazer visitas frequentes a uma determinada cachoeira nos arredores, como parte do processo de cura. A cirurgia "visível" não é tão popular, nem tão bem documentada. Nesse método, João de Deus aparentemente opera literalmente o paciente, que recebe um "anestésico espiritual" composto de água mineral magnetizada e combinada com a força espiritual dos voluntários que meditam em outra sala. João de Deus insiste em dizer que, se os pacientes seguirem o tratamento que ele indica, serão curados.

João de Deus diz que também pode realizar cirurgias espirituais a distância, quando o paciente está doente demais para fazer a viagem. Ele então realiza a cirurgia invisível num paciente substituto, enviando assim a energia de cura ou "procedimento cirúrgico" via mundo espiritual.

O trabalho de João de Deus sempre esteve sob o escrutínio de muitos, e, apesar de todas as curas constatadas, ele já chegou a ser preso por praticar medicina sem diploma.

OS XAMÃS E A CURA ESPIRITUAL

Acima: João de Deus incentiva seus pacientes a banhar-se numa cachoeira nas proximidades, como parte do tratamento.

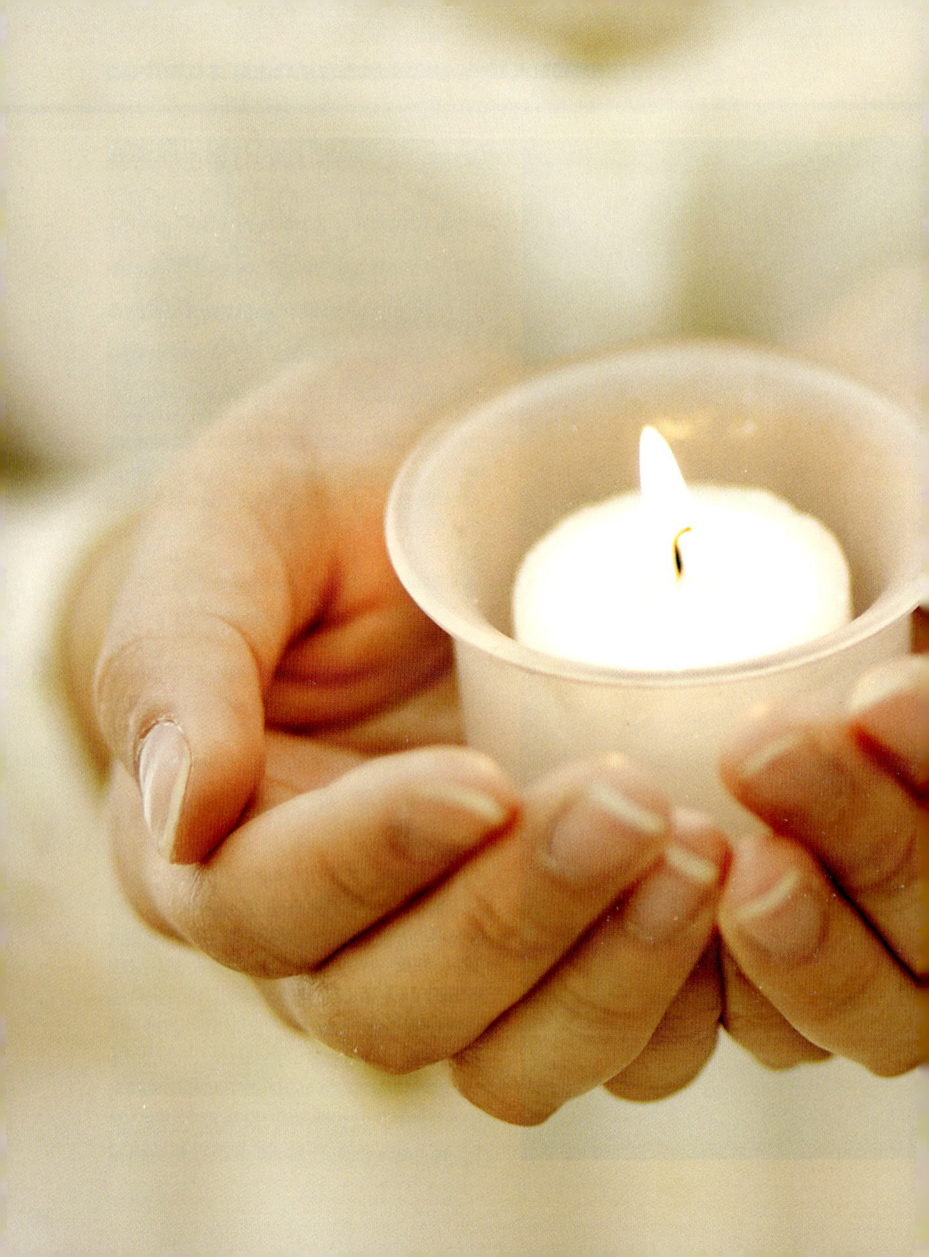

Capítulo 6
EXPERIÊNCIA E CURA

O conhecimento pessoal do Outro Mundo só vem com a crença e o respeito por si e pelos outros. Este capítulo oferece exercícios e rituais fáceis para você dar os primeiros passos no caminho rumo à experiência da vida após a morte. Com um pouco de tempo, dedicação e uma mente aberta, você pode empreender seu próprio trabalho com o mundo espiritual para cura e conforto – em seu benefício e da sua alma, e em benefício de outras pessoas também.

CAPÍTULO 6: EXPERIÊNCIA E CURA

PODER PARAPSÍQUICO

Minha alma é de outro lugar, tenho certeza disso, e tenho a intenção de acabar lá.

Rumi

O acesso ao seu poder parapsíquico inato permite que você explore a Alma do Mundo (ver página 118), o campo de energia cósmica que flui através de todas as coisas, conectando tudo no universo como uma coisa só, incluindo passado, presente e futuro.

Benefícios

Quando desenvolve e usa suas capacidades parapsíquicas, você pode aproveitar o poder do mundo espiritual para a autocura, para superar a tristeza de perder alguém, para entrar em contato com o espírito de entes queridos e para compreender a jornada da sua própria alma, nesta vida, na vida após a morte e nas vidas futuras também.

Este capítulo inclui exercícios e rituais passo a passo, para ajudá-lo a desenvolver seus poderes parapsíquicos inatos. Você pode aprender o básico do trabalho parapsíquico, tais como canalização, escrita automática, contato e encontro com seu guia espiritual ou anjo e recebimento de mensagens dos seus guias espirituais. Este capítulo inclui orientações práticas sobre regressão a vidas passadas e ao período entre vidas, bem como um exercício de prática xamânica de recuperação da alma, que você pode fazer sozinho.

Direita: A bola de cristal pode ajudá-lo a conectar-se com o mundo espiritual.

VOCÊ TEM PODERES PARAPSÍQUICOS?

Sim, você tem.

Todo mundo tem, porque todo mundo tem alma e, portanto, a capacidade inata de se conectar com esse reino espiritual dentro nós mesmos. Como diz o autor de livros de autoajuda dr. Wayne Dyer: "Nós somos seres espirituais vivendo experiências humanas".

O mundo parapsíquico pode não ser muito evidente porque é invisível. Mas o invisível se tornará claro para nós se começarmos a perceber o mundo aparente ao nosso redor de uma maneira diferente.

A capacidade parapsíquica, ou mediunidade, é a capacidade de "ver entre as coisas", entre árvores e casas, os espaços entre mesas e cadeiras, a lacuna entre a Terra e a estrela mais distante. Esse "lugar entre-coisas" é onde existe unidade e tudo está interligado. Esse espaço entre cada átomo, célula ou onda eletromagnética está unido pelo espírito ou alma e conecta tudo. Aqueles que afirmam que as capacidades parapsíquicas não existem ou que não as têm ainda precisam descobri-las dentro de si. Se você sente que não encontrou ainda sua capacidade parapsíquica inata, então é hora de desenvolvê-las.

No entanto, primeiro você precisa aprender o básico. Não fique tentado a saltar para a seção que mais lhe interessa. Siga os exercícios na ordem apresentada neste capítulo e você vai estar pronto para escolher uma das técnicas para conectá-lo ao mundo espiritual.

Comece aprendendo sobre o mundo parapsíquico ao seu redor e prossiga com rituais ou exercícios que tanto aumentam a sua própria crença interior quanto elevam a sua alma. Antes de passar para o trabalho de desenvolvimento parapsíquico, você precisa saber mais sobre como se proteger de energias negativas, tanto no mundo "real" quanto de outros reinos também. Depois você pode começar a ativar o seu eu parapsíquico.

CAPÍTULO 6: EXPERIÊNCIA E CURA

O USO DO PODER PARAPSÍQUICO PARA ENTRAR EM CONTATO COM A VIDA APÓS A MORTE

Canalizadores, médiuns e sensitivos usam os poderes parapsíquicos para ter acesso ao mundo espiritual. Mas o que é poder parapsíquico? É a capacidade de explorar o mundo sobrenatural através da clarividência, da percepção extrassensorial, do sexto sentido ou de outros meios paranormais.

Como acontece com qualquer poder, seja ele político, religioso ou científico, há sempre aqueles que abusam dele ou se corrompem. É por isso que é muito importante ter certeza absoluta de que, ao usar o poder parapsíquico para acessar o mundo espiritual, você está visando o bem de todos, incluindo o seu próprio.

Por centenas de anos, ao menos no mundo ocidental, o contato com espíritos e outras entidades espirituais tem sido associado com o mal e considerado heresia pela Igreja. Às vezes é difícil deixar de lado essa noção, por isso tantas pessoas, quando começam sua busca espiritual, se sentem culpadas ou envergonhadas por fazer algo que, em algumas tradições, é ainda considerado "ruim". Essa é uma mentalidade que precisamos superar se quisermos trabalhar de fato com a nossa alma, porque é através dos nossos "sentidos" parapsíquicos que podemos entrar em contato com ela e descobrir a nossa ligação com o universo.

Nosso poder parapsíquico inato revela informações que, normalmente, estariam indisponíveis ou ocultas. Essa capacidade paranormal de perceber coisas que não são normalmente captadas pelos cinco sentidos nos coloca em contato com o mundo sobrenatural ou espiritual. É por isso que você também deve aprender a se proteger de energias deletérias do mundo parapsíquico e da invasão negativa daqueles que o rodeiam e que podem provocar dúvida, medo ou desprezo com relação à sua crença.

Você tem que acreditar

Como qualquer trabalho ou paixão, se não acreditarmos no que estamos fazendo, não vamos conseguir o que queremos nem obter os resultados que procuramos. A crença

O USO DO PODER PARAPSÍQUICO PARA ENTRAR EM CONTATO COM A VIDA APÓS A MORTE

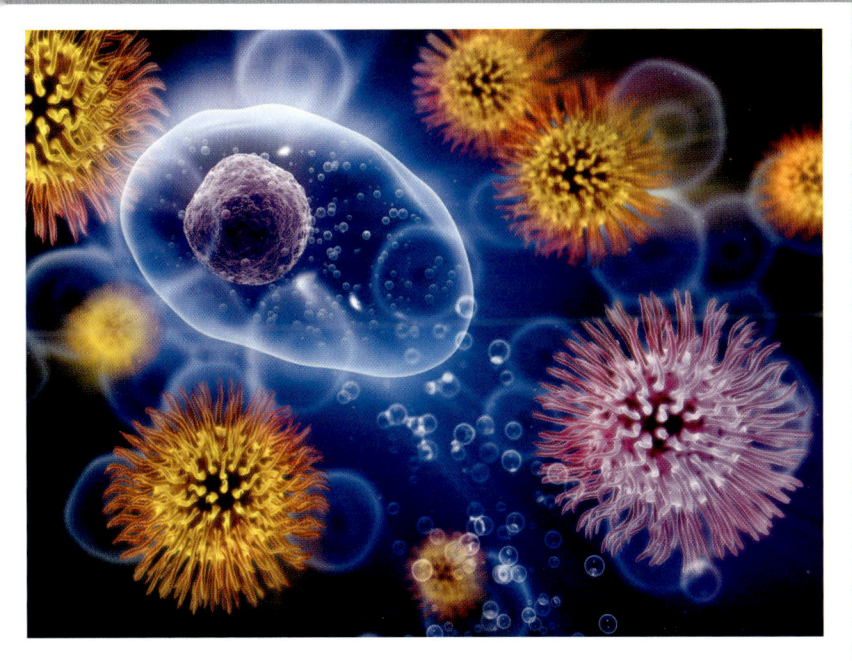

Acima: A crença na vida após a morte pode ajudá-lo a perceber a sua conexão com todas as coisas.

gera pensamentos, sentimentos e consciência, que são acompanhados por ação e resolução.

Então, a primeira coisa a pensar é: em que tipo de vida após a morte você acredita? Alguma das diferentes crenças citadas neste livro inspirou você a seguir um novo caminho ou você já encontrou o seu? Você quer canalizar espíritos ou mestres ascensionados (ver página 281), conhecer seu anjo da guarda (ver página 339) ou simplesmente praticar a cura espiritual para curar a si mesmo ou outras pessoas? Ou, como muitos grupos neopagãos, você simplesmente anseia por se sentir em comunhão com a Alma do Mundo e a interligação entre todas as coisas?

Depois que você tiver escolhido a sua crença, pode começar a trabalhar por meio da conexão entre a sua alma e o universo. Esse é o momento em que, como qualquer médium sabe, a mágica acontece, a sua luz brilha e a cura se inicia.

CAPÍTULO 6: EXPERIÊNCIA E CURA

COMO ACREDITAR

Não há regras quando se trata de crença, exceto que você deve senti-la lá no fundo, forte em seu coração e na sua alma. Essa crença é que a vida após a morte, o mundo espiritual ou outras realidades são acessíveis se você se abrir para perceber os espaços invisíveis entre as coisas.

Nós todos sabemos que a Terra gira em torno do Sol. Todos sabemos que, sem esse astro, não haveria vida na Terra como nós a conhecemos. Sabemos disso, por isso acreditamos, e porque também foi "provado" pela ciência, que confiar é muito mais forte do que conhecer. Mas muito antes de Galileo ser colocado em prisão domiciliar no século XVI por tentar demonstrar que a Terra gira em torno do Sol, não havia muitas pessoas que acreditassem nisso. Na verdade, a ideia de um sistema centrado no Sol era ridicularizada, desprezada e considerada herética. Proposta pela primeira vez no século III a.C. pelo filósofo grego Aristarco, levou mais de mil anos para encontrar uma "razão" científica que confirmasse a crença. Se você estivesse disposto a esperar mil anos ou mais para conseguir provas da "vida após a morte" e começar a acreditar, então é improvável que estivesse lendo este livro. Então, comece a acreditar agora.

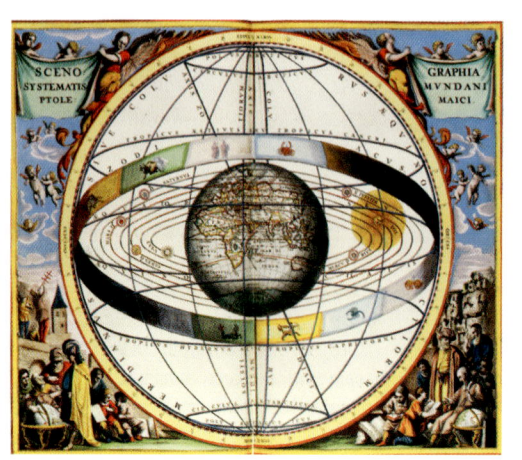

Esquerda: Até o século XVI, a maioria das pessoas acreditava que o Sol girava em torno da Terra.

Direita: Molde a sua crença pessoal com base nas ideias que acha mais inspiradoras.

Exercício da crença

Você pode acreditar que todo mundo tem "alma" e que os nossos entes queridos falecidos estão cuidando de nós. Você pode acreditar que a vida após a morte é um lugar cheio de luz, ou que somos todos estrelas no céu. Você pode acreditar que a vida após a morte é cheia de espíritos ou que o universo é "um todo" e que o mundo espiritual faz parte dessa totalidade. Você pode acreditar que a sua alma está ligada à Alma do Mundo e é parte dela (ver página 118), e que você é uma centelha brilhante da luz do universo. O exercício a seguir vai ajudá-lo a explorar as suas crenças.

1. Faça uma lista de todas as coisas sobre a vida após a morte em que você acredita, sem pensar muito sobre isso.
2. Olhe pela janela ou para um céu sem nuvens por alguns minutos, quando estiver calmo e relaxado, e maravilhe-se com sua infinitude. Se o universo é infinito, isso significa que você também é.
3. Agora anote as coisas em que você não acredita – o que pode levar mais tempo. Você pode precisar consultar as ideias e conceitos deste livro novamente para ajudá-lo a decidir o que é certo para você ou o que está errado. Você pode não acreditar nos antigos deuses ou espíritos, mas pergunte a si mesmo: por que você não acredita?
4. Anote os nomes de entes queridos, antepassados ou um personagem histórico que fascine você. E se você os conheceu, anote como era seu relacionamento com eles antes e como você sente que ele é agora. Por exemplo, você pode ter perdido sua mãe há alguns anos. Você ainda tem sentimentos profundos de amor, ódio, medo ou ressentimento em relação a ela? Você chegou a um acordo com esses sentimentos, se forem negativos? Se não chegou, por que não? Um pouco de autoconhecimento ajuda você a ser mais aberto com relação às crenças que está começando a "modelar".

Tudo em que você acredita, creia com todo o seu coração, e sua alma vai cuidar para que isso seja verdade para você. Por último, você precisa acreditar em si mesmo.

CAPÍTULO 6: EXPERIÊNCIA E CURA

Exercício do ver para crer

Eis um exercício simples para ajudar você a começar a "ver" de uma forma diferente.

1. Primeiro pratique esta técnica: estenda o dedo no comprimento do braço para que ele fique no nível dos seus olhos. Concentre-se em seu dedo por alguns segundos, em seguida tire o dedo, mas mantenha o foco no local onde ele estava, o "espaço" entre você e tudo que está a distância. Logo seus olhos vão focalizar algo a distância. Com a prática, você pode aprender a manter o olhar num "ponto vazio" pelo tempo que desejar.
2. Em seguida, estenda o dedo novamente, mas, desta vez, não tire o dedo. Em vez disso, desvie o seu foco para um objeto a distância, que esteja além do seu dedo – talvez uma árvore, uma parede ou outro edifício. Seu dedo vai ficar fora de foco, mas ele ainda estará lá, ele ainda existe, mesmo que você não esteja olhando diretamente para ele.
3. Agora pratique isso com um amigo. Peça a seu amigo para ficar parado e, de uma distância de 1 a 2 metros, focalize o rosto dele. Então, quando estiver pronto, peça para ele se afastar lentamente para a direita ou esquerda dos seus olhos. Continue a sustentar o olhar no ponto em que ele estava (como você fez antes com o dedo). Desta vez, o "espaço vazio" é muito

COMO ACREDITAR

maior, por isso você vai literalmente expandir sua capacidade de ver "entre as coisas". Não vai demorar até que comece a "ver" com a sua capacidade parapsíquica.

Abaixo: Técnicas como a de "ver" entre os objetos podem ajudar você a entrar em sintonia com seu poder parapsíquico.

CAPÍTULO 6: EXPERIÊNCIA E CURA

PROTEÇÃO PARAPSÍQUICA

Somos todos seres sensíveis, capazes de sentir o bem e o mal que nos rodeia. A proteção parapsíquica nos oferece toda uma gama de técnicas de valor inestimável para nos manter "impermeáveis" a muitas influências externas.

Essas influências externas incluem pessoas negativas ou manipuladoras, bem como energias espirituais deletérias ou tumultuadas no ambiente. É importante que você encontre uma forma de proteção parapsíquica que funcione com você e a que possa recorrer sempre que necessário.

Em primeiro lugar, para aprender como se proteger da negatividade de outras pessoas no dia a dia, faça os exercícios de ligação com a terra e da bolha protetora, apresentados nas próximas páginas.

Esquerda: Precisamos aprender a nos proteger da energia negativa do plano terreno antes de poder fazer isso em qualquer outro.

Direita: Os exercícios de aterramento ajudam a relaxar a mente, permanecendo consciente da energia parapsíquica.

PROTEÇÃO PARAPSÍQUICA

Ritual de aterramento

Ao fazer um trabalho parapsíquico, é importante estar consciente do mundo natural ao seu redor. Isso significa que você não só está física, emocional e mentalmente em sintonia com ele, mas também sabe que pode voltar a um local seguro a qualquer momento, durante o trabalho espiritual.

Sente-se de pernas cruzadas no chão ou numa cadeira confortável com os pés apoiados no chão. Feche os olhos e relaxe.

1. Imagine que você está literalmente enraizado no lugar. Pela sua coluna crescem as fortes raízes de uma árvore, que penetram profundamente na terra. Agora imagine que você é essa árvore, com seus ramos cheios de folhas e flores, e espíritos da natureza. Esses espíritos são seus tutores e estão lá para protegê-lo de qualquer energia negativa.
2. Assente a parte inferior do seu corpo mais na cadeira ou no chão e agora sinta a força do seu tronco, de milhares de anos de idade, e das suas raízes, descendo até o chão abaixo de você. Você estabeleceu uma forte ligação com a terra e ela nunca poderá ser desfeita.
3. Agora levante-se, feche os olhos e desta vez imagine que as raízes estão ligando seus pés com o chão e a terra abaixo de você. Você pode imaginar isso mesmo ao caminhar, como se cada passo que dá restabelecesse sua ligação com suas raízes.
4. Depois que você imaginou isso por alguns minutos, pode fazer uma respiração profunda, relaxar e, lentamente, abrir os olhos.

CAPÍTULO 6: EXPERIÊNCIA E CURA

Acima: Imagine uma bolha invisível de luz mantendo-o seguro e protegido.

Bolha protetora

Este ritual de proteção ajudará você a se defender das energias negativas das pessoas ao seu redor. Nosso espaço pessoal é exatamente isso, e este é um ótimo exercício para se fazer todas as manhãs, antes do trabalho ou de qualquer viagem ou reunião com pessoas estranhas, ou situações sociais em que você se sentir vulnerável.

1. Sente-se num lugar tranquilo, com os olhos fechados. Concentre a mente numa luz branca brilhante imaginária, como se fosse uma esfera imóvel na sua frente. Veja-a ficar cada vez mais brilhante até estar maior do que um balão.

2. Gradualmente veja a luz começar a envolvê-lo, abrangendo todo o seu corpo numa enorme bolha brilhante, não apenas

PROTEÇÃO PARAPSÍQUICA

acima, mas atrás e ao seu redor, e abaixo de você também. Visualize a superfície exterior da luz tornar-se um cristal de proteção ao seu redor.

3. Diga a si mesmo: "Esta luz vai me proteger de todas as energias negativas. Este campo de luz vai ficar comigo para sempre. Nenhum pensamento negativo vai perdurar em mim".

4. Mantenha a imagem por alguns minutos e depois abandone-a gradualmente. Antes de deixar sua bolha de proteção imaginada, diga: "Minha bolha está sempre ao meu redor, mesmo que eu não possa vê-la". Agora abra os olhos e volte à normalidade.

Você pode, a qualquer momento durante todo o dia, recordar a imagem da bolha para reforçar a sua proteção em torno de você.

ACESSANDO O MUNDO ESPIRITUAL COM SEGURANÇA

Antes de iniciar qualquer viagem ao mundo espiritual pela primeira vez, se você se armar com um arsenal de autodefesa parapsíquica, praticamente nada poderá prejudicá-lo. Não são apenas os fatores desconhecidos do reino espiritual que podem retardar o seu progresso ou criar ceticismo. São a própria desconfiança e desprezo enraizados na psique ocidental (em particular) que podem impedir o seu desenvolvimento parapsíquico.

Deixe bem claro, desde o início, os seguintes pontos:

- Aceite que você é responsável por suas escolhas.
- Este trabalho está sendo feito pelo bem dos outros, assim como pelo seu.
- Só você controla seus pensamentos e seus pensamentos não controlam você.
- Você realmente acredita em si mesmo e no seu poder.
- Lembre-se de que, se você for negativo, vai atrair energia negativa para você.
- Se você for positivo, vai receber energia positiva.
- Você sempre vai manter a objetividade e nunca se envolver emocionalmente com espíritos ou clientes.

CAPÍTULO 6: EXPERIÊNCIA E CURA

DESENVOLVIMENTO DO PODER PARAPSÍQUICO

Muitas vezes conhecida como mediunidade, percepção extrassensorial, intuição, clarividência, sexto sentido, a percepção parapsíquica é a capacidade de "ver" através do véu da realidade ilusória.

Muitos sensitivos, médiuns ou canalizadores vivenciam o mundo espiritual através dos sentidos: visão, audição, tato e audição.

Esses sentidos tornam-se canais para o sexto sentido.

DESENVOLVIMENTO DO PODER PARAPSÍQUICO

A maioria das energias da natureza, como o ar, por exemplo, não é captada pelos nossos sentidos, portanto não surpreende que você não perceba as energias do plano espiritual. Nós vemos o que queremos ver, ouvimos o que queremos ouvir.

Os exercícios das próximas páginas vão intensificar três dos seus sentidos mais importantes – o tato, a visão, e a audição – e torná-lo mais consciente de coisas que você normalmente não vê, toca ou ouve. Isso significa que você pode em breve começar a interagir com outros campos de energia, sejam espirituais ou materiais.

Sons

Muitos médiuns "ouvem" vozes espirituais porque sintonizam uma frequência diferente e ouvem sons que a maioria não ouve. Para desenvolver a audição parapsíquica, ouça todos os sons ao seu redor enquanto estiver sentado em silêncio na sua casa. Uma alternativa é encontrar um lugar tranquilo na natureza e ouvir os muitos sons que irradiam do silêncio aparente. Você ouvirá sons por mais silencioso que lhe parecer o ambiente. Depois que estiver em sintonia com a sua audição parapsíquica, você começará a captar o que vem dos "espaços entre" as coisas e que você normalmente conhece como sons. Na natureza, você pode ouvir trovões a distância, quando normalmente não teria ouvido, o farfalhar de folhas ao vento, um galho caindo sobre a terra macia. Quando você estiver mais em sintonia com a sua audição parapsíquica, você pode ouvir um telefone tocando antes do seu telefone tocar de fato, vozes de espíritos sussurrando na chuva, um tilintar musical nas árvores ou o bater de asas dos pássaros quando não vê nenhum pássaro.

Esquerda: Entrar em sintonia com a natureza é uma ótima maneira de chegar mais perto do mundo espiritual.

CAPÍTULO 6: EXPERIÊNCIA E CURA

Toque

Eis um exercício simples para maximizar o seu sentido do tato.

1. Coloque uma folha, uma fruta ou um cristal na palma da mão. Todos esses objetos têm o seu próprio campo de energia eletromagnético. Sente-se calmamente, feche os olhos e se concentre no objeto e no que sente na palma da mão. Ele é quente, macio, frio, duro? Faz sua mão ficar mais quente ou mais fria? O objeto parece ter uma energia diferente da sua?
2. Agora toque o objeto com os dedos da outra mão. Aos poucos afaste-os cerca de 5 a 8 centímetros do objeto e você logo conseguirá sentir a energia sutil, quer seja quente, fria ou vibrante, sendo atraída para o seu próprio campo de energia.

Continue a fazer esse exercício para tornar mais sensível o seu tato parapsíquico. Alguns médiuns recebem mensagens do mundo espiritual tocando ou segurando os objetos de entes queridos, sejam falecidos ou simplesmente ausentes, para tentar entrar em contato com eles ou descobrir onde estão. Isso é conhecido como psicometria.

Visão

Deixamos de ver muita coisa, mesmo no mundo material. Eis um exercício para ajudá-lo a começar a perceber as coisas e os "espaços entre as coisas", de maneira diferente.

Mantenha o dedo na sua frente, com o braço estendido, no nível dos olhos, e olhe para ele. Enquanto você se concentra,

Esquerda: O cristal de quartzo branco tem um poderoso campo de energia eletromagnético.

DESENVOLVIMENTO DO PODER PARAPSÍQUICO

Acima: Às vezes a gente só vê o que quer ver e não o que realmente existe.

tome consciência de tudo ao seu ao redor, mas sem focar a atenção em nada que não seja o seu dedo. Comece a observar outras coisas no cômodo ou na paisagem. Gradualmente aumente a sua consciência das coisas em torno de você enquanto ainda se concentra em seu dedo. Isso vai exercitar a sua consciência periférica enquanto você olha pelos cantos dos olhos e suas pupilas ainda estão focadas bem na sua frente. Perceba as coisas que estão quase atrás de você.

Clarividência

A clarividência é muitas vezes conhecida como "segunda visão" ou a capacidade de "ver claramente" com o "olho interior". Os clarividentes podem obter informações sobre as pessoas, trabalhar com os espíritos, encontrar objetos perdidos ou revelar segredos. Os "poderes paranormais", ou *sidhis*, são relatados em antigos textos hindus como uma espécie de consciência perfeita alcançada através da meditação. No mundo

CAPÍTULO 6: EXPERIÊNCIA E CURA

da mediunidade, a palavra "clarividente" geralmente é usada quando o médium vê espíritos, em vez de apenas senti-los.

Desenvolva sua sensibilidade parapsíquica

Antes de mais nada, qual o seu "grau" de sensibilidade parapsíquica? Tente ler as seis afirmações que se seguem sem pensar muito sobre cada uma delas, antes de concordar ou discordar.

- Muitas vezes eu "sei" quando alguém está prestes a telefonar.
- Muitas vezes eu "vejo" o que as pessoas estão fazendo, mesmo quando estão longe.
- Sinto imediatamente se alguém é bondoso ou bem-intencionado ou se é pouco confiável.
- Se um amigo tem um problema e precisa de ajuda, eu sei antes de ele me dizer.
- Sou capaz de ler a mente das pessoas.
- Eu tenho sonhos que acabam por se tornar realidade.

Se você respondeu sim em pelo menos três dessas declarações, então é porque seus poderes parapsíquicos já estão bem desenvolvidos.

Exercício para desenvolver o sexto sentido

Este exercício vai ajudá-lo a acreditar na sua intuição ou sexto sentido. Confie na sua percepção psíquica por um dia e evite, o quanto puder, tomar decisões lógicas.

Por exemplo, quando vai trabalhar pela manhã, você tem uma escolha a fazer: você

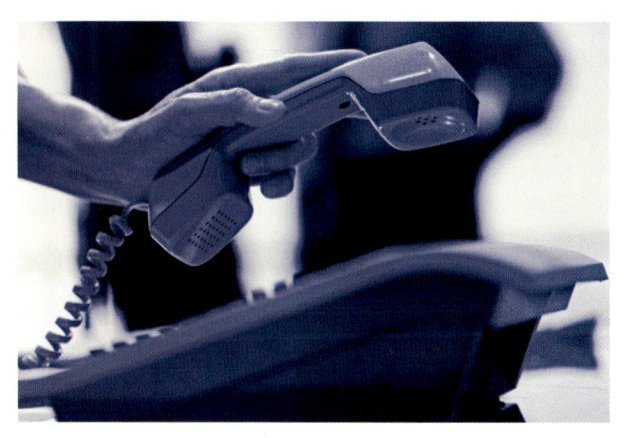

Esquerda: Uma indicação de que você tem poderes parapsíquicos bem desenvolvidos é saber instintivamente que alguém está prestes a telefonar para você.

Direita: Imagine o que você quer que aconteça ao longo do dia e você pode realmente fazer isso acontecer.

DESENVOLVIMENTO DO PODER PARAPSÍQUICO

pode tomar um transporte público ou ir a pé. Se optar pelo transporte, pode chegar atrasado. Está chovendo, há uma longa fila, as pessoas parecem impacientes. Se você caminhar, pode demorar mais e tomar chuva, mas sabe exatamente quanto tempo vai demorar para chegar lá. Em vez de tentar descobrir o que fazer com base na lógica, ouça a sua intuição. O que a sua "alma" ou vozinha interior está lhe dizendo?

Siga sua intuição durante o dia, enquanto vai até o seu café ou loja favorita. Antes de chegar lá, deixe o seu sentido "parapsíquico" informá-lo sobre o que pode acontecer. Você pode "ver" um belo vestido esperando para ser comprado, ou um par de sapatos que "fala" com você, quando passa pela loja? Alguém que você conhece vai conversar com um amigo numa esquina ou você vai esbarrar num desconhecido atraente?

Durante todo o dia, procure seguir a sua intuição, seguir os seus palpites. Trabalhe com o seu sexto sentido até que se torne uma experiência diária. Você pode não estar sempre certo, mas, com a prática, o seu sexto sentido pode ficar muito melhor.

Meditação

Praticada em muitas tradições espirituais orientais, a meditação propicia um estado mais profundo de consciência em que você percebe outros planos e a capacidade de sentir energia espiritual.

Como meditar

1. Num lugar calmo, sente-se de pernas cruzadas no chão ou numa cadeira de espaldar reto, com ambos os pés no chão e as palmas das mãos voltadas para baixo sobre cada coxa.
2. Imagine que há um fio preso ao topo da sua cabeça e que se estende na direção do céu. Feche os olhos. Tome consciência dos seus pés no chão, as mãos sobre as coxas e qualquer som a distância. Tome consciência de cada parte do seu corpo. Lentamente, concentre-se primeiro nos dedos dos pés, em seguida vá subindo, levando a consciência para cada parte do seu corpo. Observe como ele se sente – está quente, frio, agitado ou calmo? Não se julgue nem aos seus sentimentos. Simplesmente observe os seus pensamentos passando pela sua cabeça, como se fosse um observador de si mesmo. Imagine esses pensamentos como pássaros voando nos ramos da árvore da vida.
3. Agora volte a atenção para a respiração. Cada vez que inspirar lentamente, conte um, então quando expirar, conte dois, e assim por diante. Se sua mente divagar, volte a atenção para a respiração e comece no um novamente.
4. Concentre-se em cada entrada e saída do ar e na contagem. Faça isso por cinco minutos.
5. Continue a respirar dessa maneira, mas pare de contar e observe o silêncio da sua mente. Observe como você fica calmo. Fique consciente dessa atenção plena, mas não se apegue a ela mentalmente. Você vai logo descobrir que, se repetir essa meditação todos os dias por dez minutos, vai começar a notar que está consciente de tudo o que você faz ou diz na vida diária, também.

Em vez de contar suas inspirações e expirações, você pode repetir mentalmente um mantra para bloquear os pensamentos negativos. Pode ser uma simples afirmação, como "Meu sexto sentido está despertando" ou algo mais espiritual, como *Om mani padme ohm* (que significa "Todos saúdam a joia do lótus").

DESENVOLVIMENTO DO PODER PARAPSÍQUICO

OS BENEFÍCIOS DA MEDITAÇÃO

- Sua mente, pensamentos e emoções se acalmam.
- Ajuda a alcançar um estado de alerta passivo.
- Permite que você se comunique com um nível diferente de consciência.
- Facilita o acesso ao mundo espiritual.
- Propicia a atenção plena e o torna mais consciente e menos apegado ao mundo material.
- Permite que você tenha uma nova visão da verdadeira natureza da realidade.
- Deixa você mais sensível à sua capacidade parapsíquica.
- Diminui a frequência das ondas cerebrais ao nível alfa.
- Permite que a energia do seu corpo sutil se funda com a sua energia universal.

Esquerda: A meditação ajuda a nossa mente a se aquietar.

CAPÍTULO 6: EXPERIÊNCIA E CURA

Visualização

Você já experimentou algumas técnicas de visualização simples como as apresentadas neste capítulo. A seguir, conheça um ritual de visualização mais profundo para ajudá-lo a atingir um estado de consciência mais amplo e abrir sua mente para os reinos espirituais.

Sente-se calmamente em algum lugar e feche os olhos. Pense em alguém que você ama. Imagine essa pessoa em sua mente – a forma do seu rosto, seu cabelo, as roupas que ela usa, as coisas que faz. Na sua tela mental, crie uma imagem dela fazendo alguma coisa, como um minifilme em sua cabeça. Em seguida, imagine-a falando com você. Ouça a voz dela, a sua risada, e então imagine-a tocando, beijando ou abraçando você. Você pode praticar fazendo isso a qualquer hora do dia.

Quanto mais praticar, mais vai se preparar para o momento em que estiver pronto para abrir sua imaginação para o mundo espiritual. Na verdade, a nossa imaginação faz parte da nossa mente, do lado direito do nosso cérebro, o responsável por criar essas imagens visuais. A imaginação, de acordo com Jung, é a ligação entre a mente consciente e a inconsciente. Como tal, é o canal através do qual tudo o que nós ainda não sabemos (o inconsciente) chega até nós, mas também através da qual nós nos conectamos com ele. As técnicas de visualização estimulam e abrem a imaginação, o canal de comunicação mais misterioso de todos. Se você achar que é difícil visualizar, continue praticando. Não vai demorar muito para conseguir.

Visualização com uma cor

O exercício de visualização a seguir vai abri-lo para o poder da imaginação, utilizando especificamente a cor amarela, um poderoso símbolo da comunicação em si. Reserve pelo menos dez minutos para este exercício.

1. Sente-se em silêncio. Crie uma imagem mental de uma enorme bolha acima da sua cabeça, preenchida com a cor amarela, como o Sol. Mentalmente, você alcança e perfura a bolha com o dedo até que ele esteja dentro da bolha. Agora imagine a cor lentamente fluindo através do seu dedo para a sua mão. Imagine a cor amarela fluindo suave e silenciosamente através do seu braço, até o seu ombro. Agora ela flui através do seu peito, do seu outro braço, para dentro da sua cabeça e depois na direção das pernas, até fluir por todo o seu corpo e preenchê-lo com a cor amarela.

DESENVOLVIMENTO DO PODER PARAPSÍQUICO

Acima: O amarelo é um símbolo da energia solar e do poder da força vital.

2. Agora imagine-se com a sensação de estar completo, sábio, concentrado, centrado e preenchido com uma luz como a do Sol. Fique com essa imagem por alguns minutos. Aos poucos, deixe a cor amarela fluir lentamente através de seu corpo, em direção à ponta dos dedos, de modo que ela possa voltar para a bolha.

Como o amarelo simboliza o Sol, não esqueça que, cada vez que ele brilha, você está sendo banhado com a vibrante energia solar e com a energia universal também.

Rituais de proteção espiritual

Antes de tentar entrar em contato com o mundo espiritual, é importante estar bem energizado e em sintonia com a energia da Alma do Mundo (ver página 118). É a conexão da sua alma com a Alma do Mundo, ou energia universal, que lhe dá força parapsíquica e poder pessoal. A realização desses rituais de proteção na ordem apresentada dará a você a garantia de que está bem preparado.

O ritual de proteção nº um coloca você tanto em contato com a Alma do Mundo quanto com a sua luz dourada de proteção, de modo que, sempre que entrar em contato com o mundo espiritual, estará abençoado e seguro.

Depois de ter se aperfeiçoado no ritual de proteção espiritual nº um, comece a praticar os rituais de proteção espiritual nº dois e três. Você deve realizar todos os três rituais conscientemente, cada vez que estiver prestes a estabelecer contato com o mundo espiritual. Eles não levam muito tempo e, como os exercícios de proteção parapsíquica anteriores (ver páginas 302-5), fazem parte da prática do trabalho parapsíquico.

Praticar esses rituais regularmente é um pouco como ser um esportista – você precisa de treino, seja iniciante ou um praticante experiente. Os jogadores de tênis não conseguiriam correr uma partida inteira pela quadra de tênis se antes não tivessem feito exercícios para ficar em forma. Antes de jogar, eles se alongam, tonificam os músculos e se preparam psicologicamente. De um jeito parecido, depois que você criou sua bolha de luz parapsíquica ao seu redor, por meio do ritual de proteção nº um, a próxima coisa que deve fazer é reservar alguns minutos para praticar os rituais de proteção espiritual nº dois e três.

Direita: Exercícios suaves, como a criação de uma bolha de luz parapsíquica ao seu redor, vão ajudá-lo a invocar o seu próprio poder pessoal.

DESENVOLVIMENTO DO PODER PARAPSÍQUICO

Ritual de proteção espiritual nº um: Revigore a sua alma

Esta é uma técnica com base na simples visualização da cor mencionada anteriormente (ver página 314), e é um importante ritual de proteção parapsíquica quando se trabalha no reino espiritual. Mais uma vez, demore tanto tempo quanto quiser, mas cerca de cinco minutos é suficiente para reavivar a energia da sua alma.

1. Sente-se calmamente e feche os olhos. Imagine uma bolha de luz dourada pairando acima de sua cabeça. Imagine que ela flutua um pouco mais para baixo, bem na sua frente, a uma distância de um braço. Imagine que você fura a bolha de luz dourada, que está cheia de paz, calma e harmonia. A partir do seu dedo, deixe que ela flua através da sua mão, do seu braço e do seu ombro, até o topo da cabeça. Em seguida, lentamente, deixe que permeie todo o seu corpo, preenchendo todos os poros, emanando de todos os seus chakras, da sua aura e das suas energias sutis, até que você esteja cercado e impregnado por uma luz dourada de proteção.
2. Agora imagine a Alma do Mundo (ver página 118) na bolha. Ela é leve, linda e de tirar o fôlego, e sua luz combina magia, a

Direita: Imagine uma bolha de luz dourada para lhe propiciar paz, proteção e contato espiritual.

CAPÍTULO 6: EXPERIÊNCIA E CURA

energia do universo e a sua própria essência. Imagine que você queira se conectar com essa Alma do Mundo, porque ela é tudo de bom, perfeita e verdadeira.

3. Mantenha essa imagem na mente por alguns minutos.
4. Para desfazer a conexão da bolha da Alma do Mundo, simplesmente imagine a cor amarela fluindo agora para fora de você. Aos poucos, ela flui através do seu corpo, em direção ao seu braço, enquanto você o estica em direção à bolha em torno de você. Imagine toda a cor amarela voltando para a bolha. Agora volte a soltar o braço e imagine a bolha desaparecendo no ar à sua volta. Quando abrir os olhos, relembre sua interligação com esse reino desconhecido.
5. Agradeça à Alma do Mundo ou ao universo pela sua ajuda e proteção.

Você pode repetir essa técnica de visualização a qualquer momento que se sentir "desconectado" do universo. Pratique-a pelo menos uma vez ao dia, durante quatro semanas, enquanto for iniciante, para fortalecer a sua conexão com a alma. Posteriormente, realize-a uma vez por mês, perto da Lua cheia, para aumentar a sua percepção parapsíquica.

Ritual de proteção espiritual nº dois: Reafirme a sua crença

Para assegurar que a sua intenção seja positiva e seu espírito e alma, fortes, as afirmações a seguir são um meio de facilitar o contato com outros reinos.

1. Em primeiro lugar, sente-se calmamente num cômodo tranquilo. Acenda uma vela

Esquerda: Na Lua cheia, conecte-se com o universo por meio de uma técnica de visualização.

Direita: Velas são usadas em rituais porque invocam o poder de forças espirituais.

DESENVOLVIMENTO DO PODER PARAPSÍQUICO

ou incenso se você sentir vontade, para criar uma atmosfera mais espiritual. Se preferir fazer o ritual à luz do dia, sente-se perto de uma janela aberta e deixe a luz natural incidir sobre você ou sente-se num jardim ou em meio à natureza. Feche os olhos.

2. Primeiro você deve afirmar a sua crença e confiança em si mesmo. Diga em voz alta, sete vezes, cada uma das seguintes declarações:
   - Estou cheio de autoconfiança e boas intenções.
   - Eu posso transformar qualquer problema em oportunidade.
   - Sinto-me bem com meu eu único.
   - Quando mudo as minhas crenças, minha vida muda.

3. Agora você deve afirmar a crença na sua conexão com a sua alma e com o amor do mundo espiritual. Diga em voz alta, sete vezes, cada uma das seguintes afirmações:
   - Eu conheço a minha alma e a sua jornada, e acredito nelas.
   - Eu conheço os espíritos e as almas que invoco e acredito neles.
   - Eu sei que este trabalho é para minha cura e conforto e acredito nisso.
   - Eu conheço a alma do universo e acredito nela.
   - Eu conheço a interconexão entre todas as coisas e acredito nela.
   - Eu sei que tudo o que eu disse é verdadeiro.

4. Agora coloque as mãos juntas, em oração, e dê graças à fonte divina, à divindade ou ao ser espiritual que você preferir. Se não houver nenhum, então apenas dê graças ao cosmos ou ao universo.

Ritual de proteção espiritual nº três: Espaço sagrado

1. Primeiro você precisa providenciar um "altar" ou um espaço sagrado onde possa reverenciar divindades, seus guias espirituais ou espíritos ancestrais. Espíritos iluminados sempre lhe presentearão com sabedoria, proteção e orientação, graças ao amor que têm por você, mas nem todos os espíritos ancestrais vão desejar fazer contato e alguns preferem a solidão,

CAPÍTULO 6: EXPERIÊNCIA E CURA

enquanto outros podem não estar em condições de fazer contato no momento em que você quiser. É claro que eles ainda assim querem que você receba cura e conforto do mundo espiritual, e a maioria quer manter um "relacionamento" com você, que ainda está no plano físico. Mesmo que você tivesse um relacionamento "ruim" com o seu pai em vida, a alma dele não tem mais as inibições e complexos humanos que tinha antes e terá afeto por você, mesmo que as lembranças que você tem dele não sejam muito boas. Honrando-o e respeitando-o, os pensamentos e sentimentos ruins que você tiver com relação a ele aos poucos vão se desvanecendo e você vai curando o seu eu interior. Mesmo que externamente você sinta ou

DESENVOLVIMENTO DO PODER PARAPSÍQUICO

demonstre raiva pelo seu pai ou não consiga perdoá-lo, o trabalho interior com a sua alma gradativamente vai curar o seu espírito e o relacionamento com seu pai.

2. Este espaço sagrado pode ser simplesmente uma prateleira ou até uma parede. Coloque imagens de divindades e fotos de pessoas falecidas que você considera sua "família", seja sanguínea ou espiritual. Só coloque fotos de pessoas falecidas nesse espaço, não de pessoas vivas.
3. Visite esse espaço sagrado sempre que quiser fazer um trabalho espiritual. Faça uma pequena oferenda, talvez uma flor ou algum objeto sentimental que o conecte com suas divindades prediletas ou seus entes queridos, ou algo que lhe agrade. Pode ser uma carta ou uma citação de que goste, qualquer coisa que tenha um significado especial para você.
4. Depois simplesmente converse com as divindades, seus guias espirituais ou ancestrais em voz alta ou baixa. Agradeça a eles por tudo o que você tem, e peça que guiem a sua alma e o protejam.
5. Então sente-se e ouça em silêncio as mensagens que lhe forem transmitidas. Você pode sentir uma presença ou apenas ter uma intuição. Pode ser que não sinta nem perceba nada, mas com o passar dos dias pode receber sinais, como um acontecimento sincrônico (aqueles que significarem algo especial para você). Eles podem estar tentando entrar em contato com você de maneira simbólica.

Se voce fizer isso todos os dias por alguns minutos, começará a notar um progresso real na sua capacidade de sentir o mundo espiritual e também na abertura da sua percepção e capacidade parapsíquicas.

Esquerda: Providencie um espaço sagrado para cultuar divindades, seus guias espirituais ou espíritos ancestrais.

CAPÍTULO 6: EXPERIÊNCIA E CURA

APRENDA SOBRE A AUTO-HIPNOSE

Hipnose vem da palavra grega "hipnos", que significa "sono". A hipnose é muito semelhante às técnicas de meditação induzidas pelo transe.

A hipnose, no entanto, pode levar a um nível mais profundo de percepção, desbloqueando a porta para o inconsciente, onde as memórias, as vidas passadas e até vislumbres de vidas futuras estão armazenadas num reservatório universal de conhecimento.

Em 1843, o neurocirurgião escocês James Braid (1795-1860) cunhou o termo "neuro-hipnotismo" (o sono do sistema nervoso). O trabalho de Braid acabou por influenciar um médico rural francês, Ambroise-Auguste Liebeault (1823-1904), que foi posteriormente reconhecido como o fundador da hipnoterapia. A hipnose se tornou parte da psicoterapia tradicional e, em 2005, a Associação Americana de Psicologia publicou o seguinte parecer: "Na hipnose, a pessoa [o sujeito] é orientada por outra [o hipnotizador] para responder a sugestões de mudanças na experiência subjetiva, alterações na percepção, sensação, emoção, pensamento e comportamento. As pessoas podem aprender a hipnotizar a si mesmas, administrando os procedimentos de hipnose em si próprias".

APRENDA SOBRE A AUTO-HIPNOSE

Auto-hipnose: Escada para a alma

Atualmente, a hipnose é usada para ajudar a reduzir o estresse e incentivar mudanças no estilo de vida. Também é usada para estabelecer contato com o eu superior ou guias espirituais, e para acessar lembranças de vidas passadas.

Técnica de auto-hipnose

Antes de começar, peça a proteção e orientação de uma fonte superior, e então faça os rituais de proteção espiritual nº um e dois para se preparar para o trabalho parapsíquico (ver páginas 317-319).

1. Agora acenda sua vela favorita ou coloque objetos sagrados num lugar especial, acenda um incenso ou faça orações que irão ajudá-lo a ter certeza de que está sendo acompanhado, protegido e orientado.
2. Em seguida, encontre um lugar confortável e, mais importante, deixe claro para si mesmo quais são as suas intenções antes de começar. Por exemplo, você pode dizer a si próprio que tem o objetivo específico de se lembrar de uma vida passada que será útil para você descobrir o motivo pelo qual tem certos problemas nesta vida.
3. Quando você estiver calmo e relaxado, é hora de libertar-se das preocupações mundanas. Imagine uma luz dourada ao seu redor, como a bolha protetora que você usou no ritual de proteção nº um. Desta vez, você poderá usá-la como uma fonte de cura para feridas emocionais.
4. Visualize a sua bolha de luz dourada ao seu redor e imagine e sinta a luz se movendo devagar ao longo do seu corpo. À medida que ela permeia os seus dedos, mãos, braços e, então, todo o seu corpo, vai se movendo para baixo, na direção dos dedos dos pés. Ela está relaxando e curando você. Enquanto essa luz dourada se move através de você, diga a si mesmo (em voz alta ou em sua cabeça): "Esta luz dourada está agindo, a cada segundo, em cada centímetro e em cada célula do meu corpo para me curar e me nutrir".
5. Em seguida, feche os olhos e conte lentamente de 20 até 1. Faça isso inspirando e expirando a cada número. Imagine, enquanto conta, que você está descendo uma bela escada dourada até o seu porão-parapsíquico.
6. Sua mente está mergulhando cada vez mais fundo enquanto você desce a escada. Se não conseguir se lembrar em que

Esquerda: Um estado alterado de consciência, tal como o da hipnose, pode levá-lo a descobrir o seu lar espiritual.

CAPÍTULO 6: EXPERIÊNCIA E CURA

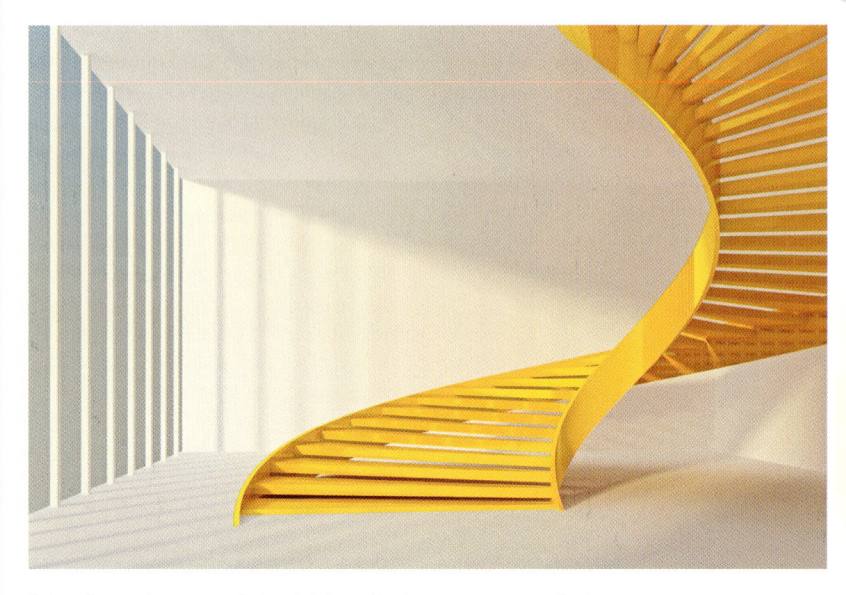

Acima: Descendo uma escada imaginária, você vai encontrar o centro de si mesmo.

número você está, não importa, basta deixar a sua mente "encontrar" um número e continue até chegar ao último degrau e ao número um. Esteja ciente da sua intenção de encontrar o seu porão-parapsíquico a cada degrau que desce. Se você não sentir que "chegou" a uma profundidade suficiente, inicie desde o início novamente.

7. Você vai saber intuitivamente quando chegar ao fim da escada. Agora deixe sua imaginação levá-lo a um jardim de cura, paz e amor. Ele representa o centro de quem você é. É o lugar onde vive a sua alma e é onde agora você é amparado por um poder divino do universo, ou a Alma do Mundo.

8. Assim que entrar, peça à Alma do Mundo para orientar e proteger você, em seguida vá para o jardim de cura e relaxe. Fique lá por um tempo, em paz, sentindo-se revitalizado e seguro.

9. Quando você estiver pronto para deixar o jardim, inicie a contagem de 1 a 20. Faça isso tão lentamente quanto fez ao descer a escada dourada. Mas, quando chegar aos

APRENDA SOBRE A AUTO-HIPNOSE

três últimos degraus, diga em voz alta, "Vou sair deste estado ao chegar ao três, sentindo-me relaxado e cheio de energia. Um – Estou saindo deste estado revitalizado e cheio de energia. Dois – Agora estou abrindo os olhos, totalmente energizado. Três – Estou agora no meu estado de consciência normal, consciente da minha jornada".

Siga esse ritual por algumas semanas antes de avançar para qualquer tipo de regressão. Pouco a pouco, à medida que se tornar mais fácil e mais natural, você pode começar a ir além de simplesmente alcançar esse estado hipnótico e começar a realmente se beneficiar desse estado, o que você vai aprender nas próximas páginas.

Acima: Usando a auto-hipnose você pode acessar o centro do seu ser – um jardim de cura, paz e amor.

CAPÍTULO 6: EXPERIÊNCIA E CURA

A LEMBRANÇA DE VIDAS PASSADAS

Alguma vez você já achou que foi uma celebridade numa vida anterior? Você às vezes tem lembranças que parecem não ser desta vida? Você está aberto à ideia de reencarnação – que você viveu outras vidas antes desta e que viverá outras?

Atualmente, alguns terapeutas e psicólogos concluíram que, se um indivíduo acredita que viveu uma vida anterior, pode ser benéfico explorar essa experiência de uma existência anterior, a fim de compreender o seu propósito ou papel nesta vida.

Lembranças de experiências de vidas passadas

Se você responder sim à maioria ou a todas as perguntas a seguir, então há chances de que você esteja se lembrando de uma vida passada.

Acima: Nossas lembranças às vezes podem pertencer a uma vida passada, não à vida presente.

- Você tem um desejo irresistível de visitar um determinado lugar, mas não sabe por quê?
- Existe algum lugar que você nunca gostaria de visitar, mas não sabe por quê?
- Você tem déjà-vus?
- Você adora ler sobre certos períodos da História?
- Você tem horror de certos períodos da História?
- Você tem fobias irracionais?
- Já aconteceu de você conhecer uma pessoa e ter a impressão de que já a conhece de outra vida?
- Existe alguma cidade ou parte do seu país com que você se identifica profundamente?
- Você reconhece "almas antigas" – pessoas sábias que podem ter vivido neste planeta em muitas outras encarnações?

A LEMBRANÇA DE VIDAS PASSADAS

CHECK LIST DA EXPERIÊNCIA DE VIDAS PASSADAS

Abaixo está uma lista das características mais comuns da crença ou experiência de uma vida passada ou da lembrança de uma reencarnação anterior, como se considera nos círculos psicológicos.

- Lembrança de uma existência ou encarnação antes da atual.
- Conhecimento de informações que você não poderia saber normalmente sobre o passado.
- A capacidade repentina de falar uma língua desconhecida para você.
- A existência de marcas de nascimento/cicatrizes que são inexplicáveis e podem estar relacionadas a ferimentos graves ou fatais de vidas passadas.
- Lembranças de uma vida passada que têm semelhanças com esta vida.
- Conhecimento inexplicável de lugares, localizações e edifícios relacionados com uma vida passada.
- Preferência por alimentos, sabores, roupas semelhantes às de uma vida passada.
- Existência de uma fobia ligada a problemas de uma vida anterior, ou ao modo de morte numa vida anterior.
- Reconhecimento de pessoas desconhecidas que eram membros da família de uma vida anterior.

Um dos sinais mais comuns de uma vida passada é ter um *déjà-vu* – a sensação de que você se encontrou com uma pessoa antes ou visitou um lugar anteriormente. Às vezes, essa sensação de *déjà-vu* é um sinal de uma vida passada que envolveu uma determinada pessoa ou um lugar específico.

A expressão francesa "déjà-vu" significa "já visto". Esse termo foi criado por Emile Boirac (1851-1917) em seu livro de pesquisa parapsíquica *L'Avenir des Sciences Psychiques*. Quando experimentamos o *déjà-vu*, temos a sensação de que estamos vivenciando algo que já aconteceu conosco antes, talvez em outra dimensão ou tempo. Você reconhece alguma coisa naquele momento, quase como se você estivesse testemunhando você mesmo fazendo algo uma fração de segundo antes de fazê-lo. É algo ao mesmo tempo familiar e estranho. O *déjà-vu* pode se referir

CAPÍTULO 6: EXPERIÊNCIA E CURA

à experiência de vidas futuras bem como de passadas, porque você pode vivenciar algo que vai acontecer, não apenas algo que já aconteceu no passado.

Muitos cientistas e psicólogos têm tentado provar que o *déjà-vu* é meramente uma falha neurológica entre a memória de curto prazo e a memória de longo prazo, enquanto os parapsicólogos acreditam que ele esteja relacionado a experiências de vidas passadas. Outras formas de *déjà-vu* incluem o *déjà-vecu* (já vivido), o *déjà-senti* (já sentido) e o *déjà-visite* (já visitado).

Símbolos

Se você já teve sonhos vívidos e detalhados em que estava em tempos e lugares diferentes, pode achar que eles podem conter símbolos e metáforas que precisam ser interpretados, de modo que o seu significado e mensagem possam se tornar claros. Esses símbolos são tão importantes quanto experiências aparentemente reais. Por meio do mundo simbólico, temos um acesso direto ao mundo espiritual, o que é uma razão pela qual os símbolos têm sido tão importantes na maioria das religiões e cultos esotéricos, e para artistas e escritores. A palavra "símbolo" vem do grego antigo e significa "colocar junto". Os símbolos são arquétipos universais justapostos, representando o que denominamos "desconhecido". Por isso, muitas vezes, representam o espaço entre as coisas que rotulamos no dia a dia. Por exemplo, mesa e cadeira são palavras para algo que reconhecemos, mas entre a mesa e a cadeira existe uma forma, uma sensação que é frequentemente irreconhecível, mas pode ser descrita de uma maneira simbólica. Assim, os sonhos são muitas vezes símbolos do que já aconteceu ou acontecerá.

Seus talentos, habilidades, gostos, aversões, coisas que o atraem ou repelem também podem ser pistas de vidas passadas. Você pode se sentir atraído por certas pessoas ou culturas, mesmo que não tenha uma experiência pessoal delas. Pode achar que é capaz de aprender determinados assuntos ou línguas estrangeiras, enquanto outras são mais difíceis. Ou pode ter um intenso interesse em determinados períodos e acontecimentos históricos. Essas atrações e aversões sugerem algum tipo de experiência anterior da coisa em questão.

Companheiros de alma

É bastante comum reencarnarmos com os mesmos companheiros de alma, que podem ser cônjuges, familiares ou até mesmo pessoas com quem você trabalha. Com essas almas aprendemos lições espirituais e, embora nosso relacionamento com elas possam mudar a cada vida, as almas são as mesmas. Por exemplo, o seu marido nesta vida pode reencarnar como sua filha em outra. Neste sentido nós nunca perdermos os nossos amores. Almas gêmeas, no entanto, encontram e perdem uma a outra ao longo de muitas vidas. Existe, porém, um pequeno ritual para você tentar fazer essa conexão com a sua alma gêmea nesta vida.

A LEMBRANÇA DE VIDAS PASSADAS

Acima: Encontrar a sua alma gêmea pode ser uma experiência que mudará a sua vida.

Encontre a sua alma gêmea

"Almas gêmeas" são supostamente uma alma que se dividiu em duas, em algum momento na sua jornada entre as vidas. As almas gêmeas são verdadeiros espelhos uma da outra e, quando se encontram na vida, as duas pessoas descobrem uma afinidade incrível, mas raramente se lembram

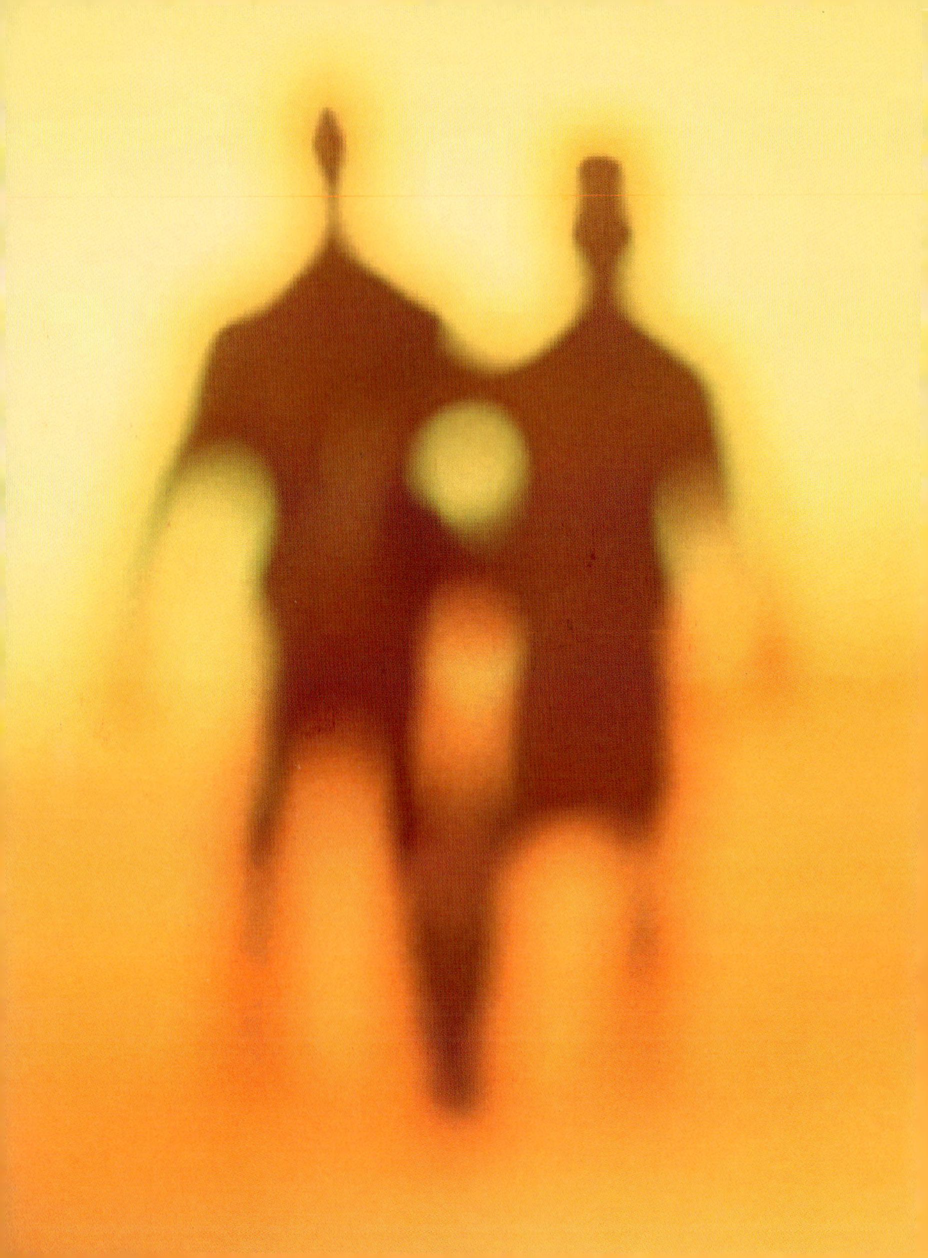

A LEMBRANÇA DE VIDAS PASSADAS

de que foram uma só alma. As "chamas gêmeas", por outro lado, quando se encontram, sentem imediatamente que já se conheciam antes. Geralmente se apaixonam perdidamente, depois seguem caminhos separados de novo, porque cada alma precisa evoluir ainda mais antes que possa se comprometer numa reunião final. As almas gêmeas, quando se encontram, tendem a ficar uma com a outra por toda a vida.

Se você sente que não encontrou a sua alma gêmea e gostaria de mandar uma mensagem para o universo para encontrá-la, então comece com este ritual simples.

1. Coloque um porta-retratos vazio (que pode ter a aparência que você preferir) numa estante ou mesinha, afastado de outras fotos. Perto dali, acenda duas velas, uma à esquerda do porta-retratos; a outra, à direita.
2. Fique de pé ou sente-se entre as velas acesas e feche os olhos. Permita que a luz do universo entre em você, como descrito no ritual de proteção espiritual (ver página 317) e em seguida comece a visualizar rostos em sua mente. Quem você vê? Para começar, você pode não "ver" ninguém. Mas pode ter uma intuição ou um momento de consciência simbólica. Por exemplo, o nome do lugar que você deve ir nas suas próximas férias, o nome de alguém escrito em neon, uma vaga de emprego ou um novo esporte que você deve experimentar. Esse tipo de informação pode orientá-lo para um curso de ação que leve à sua alma gêmea, ou permita que ela encontre você.
3. Agora envie uma mensagem bonita à sua alma gêmea, como "Iremos ficar juntos nesta vida e nada ou ninguém poderá nos separar; deixe que a luz do universo brilhe dentro de nós, de modo que possamos nos encontrar".
4. Agora, abra os olhos e olhe para o porta-retratos vazio, sabendo que, em breve, você encontrará aquela pessoa que o fará se sentir completo. Se você tiver sorte, pode até vislumbrar uma imagem da sua alma gêmea já em sua mente.

Esquerda: Encontrar a sua alma gêmea requer ação, imaginação e, acima de tudo, a crença de que você pode encontrá-la.

CAPÍTULO 6: EXPERIÊNCIA E CURA

EXERCÍCIO SUAVE DE REGRESSÃO A VIDAS PASSADAS

Desde o best-seller de Raymond Moody, Life after Life, de 1970, as revistas, livros e noticiários estão cheios de relatos de experiências de quase morte ou de pós-morte (ver página 21).

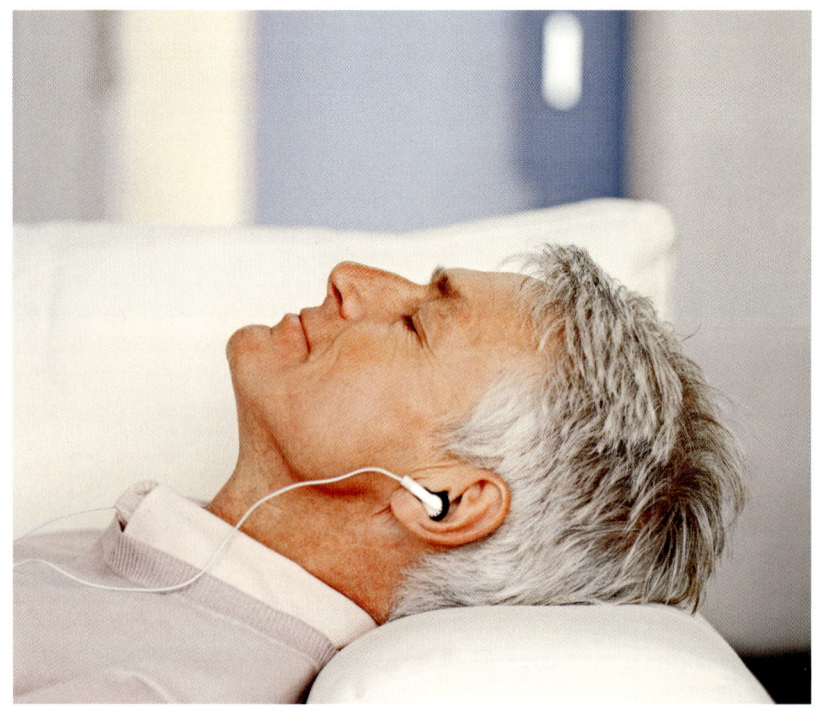

Acima: Uma visita suave e relaxante ao passado pode ajudar a autoconsciência no presente.

EXERCÍCIO SUAVE DE REGRESSÃO A VIDAS PASSADAS

Se você estiver interessado em tentar fazer uma regressão a uma vida passada, a técnica abaixo é de um tipo bem suave. Por favor, observe que, se você tiver problemas de ansiedade ou qualquer mau presságio sobre o que pode descobrir, é melhor que procure um terapeuta de regressão a vidas passadas. Trate este exercício como uma aventura para descobrir onde sua alma já esteve, em vez de buscar um evento negativo. Tudo o que você vir ou recordar de uma vida passada será valioso para você no presente.

Se, em algum momento, você se sentir desconfortável, então simplesmente oriente o seu eu a voltar à "contagem" e volte a subir a escada para o mundo material.

Certifique-se de ter concluído os rituais de proteção espiritual nº um e dois (ver páginas 317-319). Em seguida, siga a técnica de auto-hipnose (ver página 323), até chegar ao jardim de cura.

A seção seguinte é o seu roteiro básico de regressão a vidas passadas. Você pode querer gravar a sua própria voz lendo esse roteiro, para poder ouvir enquanto estiver em seu jardim de cura, ou simplesmente lembrar-se (não é muito difícil) e repetir o roteiro em voz alta ou em sua cabeça enquanto realiza o exercício.

Roteiro de regressão a vidas passadas

Agora que estou no jardim da cura, vejo um templo dourado com muitas janelas em arco, como claustros, em torno de um jardim. Eu escolho uma janela, que está aberta, ou parece "falar" comigo, e que eu acho estranhamente familiar. Eu olho pela janela e vejo um palco onde uma peça está sendo encenada ou assisto a uma cena de um filme.

Agradeço aos guias espirituais que estão ao meu lado para me apoiar e me proteger. Mesmo que eles sejam invisíveis para mim, eu sei que estão ali.

Agora eu posso olhar através da janela e começar a ver personagens da minha história, acontecimentos, pessoas que eu não conheço. Estou assistindo a tudo como um observador objetivo. Vejo os resquícios de uma vida passada, símbolos, sinais, palavras faladas, rostos e eu ainda posso experimentar sentimentos relacionados a esses momentos.

Eu me afasto da janela quando acho que já vi o suficiente por uma sessão. Agradeço aos meus guias espirituais e o cosmos por me protegerem, e agora volto a subir a escada.

Use a subida pela escada como foi descrito no exercício de auto-hipnose (ver página 323), para trazê-lo de volta a um estado de consciência. Não tenha pressa para retornar ao seu estado de consciência. Uma vez que a contagem esteja concluída, relaxe um pouco, em seguida anote o que você viu.

Se em algum momento da sessão você se sentir apreensivo, volte a subir a escada dourada.

CAPÍTULO 6: EXPERIÊNCIA E CURA

Não espere resultados imediatos. Para que a regressão a vidas passadas funcione, você precisa observar e não julgar nada enquanto estiver acontecendo. Depois que você "despertar", analise o que aconteceu e determine quais partes significam algo para você, se é que alguma coisa significa. Não reflita sobre as imagens antes que tenha se passado pelo menos uma semana. A prática repetida pode levar à cura emocional em sua vida atual ou a aceitar uma perda, mas não force nada. Se você tiver qualquer dúvida sobre a regressão, não tente repeti-la até ter certeza de que você está psicologicamente pronto, ou trabalhe com um terapeuta qualificado que possa tranquilizá-lo ao longo do processo.

Direita: Fazer uma viagem a uma vida passada é como ver em cada janela um aspecto diferente da sua própria alma.

EXERCÍCIO SUAVE DE REGRESSÃO A VIDAS PASSADAS

CAPÍTULO 6: EXPERIÊNCIA E CURA

ANJOS

O contato com um espírito guardião pessoal, seja um anjo cristão ou um daimon pagão (ver páginas 129 e 131), é a confirmação de que existe sempre alguém para zelar por nós e nos confortar.

Anjos da guarda e *daimons*

O anjo da guarda era conhecido como *daimon* na mitologia grega e nas tradições neoplatônicas e mais tarde esotéricas. O *daimon* é o espírito guardião que acompanha nossa alma e nos guia desde o nascimento, levando-nos a conhecer a nossa verdadeira vocação e destino. Posteriormente, na religião judaico-cristã, ele tornou-se conhecido como "anjo", da palavra grega que significa "mensageiro".

Seu anjo está com você desde muito tempo, guiando a sua alma ao longo de muitas vidas. Contudo, muito poucos de nós estamos conscientes desse companheiro da nossa alma. Ao desenvolver seus poderes parapsíquicos, você pode reconhecer a presença

Direita: De acordo com muitas tradições, cada um de nós tem um anjo da guarda que nos auxilia quando precisamos de conforto ou proteção.

ANJOS MAIS CONHECIDOS

Camael – anjo da alegria

Cathetel – anjo do jardim

Charoum – anjo do silêncio

Ecanus – anjo dos escritores

Elijah – anjo da inocência

Hadraniel – anjo do amor

Hael – anjo de bondade

Isda – anjo da nutrição

Liwet – anjo das invenções

Nisroc – anjo da liberdade

Paschar – anjo da visão

Pistis Sophia – anjo da criação e da sabedoria

Perpetiel – anjo do sucesso

Raziel – anjo dos mistérios

Samandiriel – anjo da imaginação

Sofiel – anjo da natureza

Uriel – Anjo da criatividade

Yofiel – anjo da beleza divina

Zagzagel – anjo da sabedoria

ANJOS

CAPÍTULO 6: EXPERIÊNCIA E CURA

do seu anjo da guarda ou *daimon* pessoal. No entanto, se preferir dar um nome ao seu anjo, a lista da página 336 vai ajudá-lo a decidir qual deles é o seu.

Se algum desses nomes lhe chamar a atenção, o anjo em questão, bem como a qualidade que ele representa, pode ter um significado especial para você. Mas muitas vezes o amigo imaginário que você tinha quando criança é o seu verdadeiro anjo da guarda. Se você conseguir se lembrar do nome que deu a ele, pode ser que ele seja o mesmo anjo com quem você quer entrar em contato agora.

ANJOS

*Esquerda:
A imaginação é a chave para chegar ao nosso anjo da guarda.*

Direita: Os arco-íris eram considerados pontes para o reino divino dos anjos.

Encontre o seu anjo da guarda

O exercício seguinte irá ajudá-lo a encontrar seu anjo da guarda ou divindade. Antes de começar, realize os rituais de proteção espiritual nº um e dois (ver páginas 317-319).

1. Encontre um lugar tranquilo para se sentar confortavelmente, onde você não será perturbado. Feche os olhos e relaxe.
2. Imagine que está numa praia, com as ondas de um mar azul lambendo suavemente a areia. Quando você se afasta da praia e olha para as montanhas, vê uma carruagem dourada, puxada por dois garanhões brancos. Há alguém sentado na carruagem. Você não consegue ver quem é, mas sabe que ele está lá para proteger e cuidar de você. Quando você se aproxima da carruagem, um arco-íris aparece. Uma das suas extremidades vai muito além do horizonte e a outra termina apenas a alguns passos de onde você está.
3. Você caminha em direção ao arco-íris e fica dentro do seu espectro de cores, que irradiam através de você. Todo o seu ser está repleto da luz do arco-íris e você se sente em comunhão com o universo.
4. Peça para o seu anjo ou divindade aparecer. Você quer saber quem ele é. Você agora pode ver, ouvir, tocar ou sentir uma

CAPÍTULO 6: EXPERIÊNCIA E CURA

figura ao seu lado, banhada na luz do arco-íris. Mentalmente ou em voz alta, pergunte ao anjo o nome dele e peça que venha até você. O nome pode estar numa forma simbólica ou você pode ouvir, ver ou sentir alguém sussurrando um nome para você. Pode ser um nome estranho ou muito comum. O anjo pode ser seu amigo imaginário da infância. Depois de receber o nome dele, peça que lhe mostre sinais nas próximas semanas de que ele é verdadeiramente o seu anjo da guarda.

5. Agradeça ao anjo pelo nome e veja o arco-íris desaparecendo lentamente e a carruagem com os garanhões brancos se afastando à distância, transportando para longe o seu anjo da guarda. Agora gradualmente volte à sua consciência normal, subindo a escada como no exercício da auto-hipnose (ver página 323) e abrindo os olhos. Por fim, anote o nome do seu anjo, mesmo que seja um nome estranho, com letras estranhas ou um código. Ele terá um significado para você em algum momento dos próximos dias ou semanas.

Nas semanas seguintes, busque os sinais de que seu anjo está com você. Por exemplo, você pode pegar uma revista em uma loja e abri-la aleatoriamente, e ali na página encontrar o nome de seu anjo ou algum símbolo que você pode associar a esse nome. E se for um nome incomum, fique alerta para significados simbólicos. Por exemplo, digamos que o nome do seu anjo seja Traiz. Você pode sair para passear num parque um dia e conhecer uma garota chamada "Taís". Esse tipo de sincronicidade é um sinal de que o anjo está ali perto de você.

Você pode chamar o seu anjo da guarda a qualquer momento para orientá-lo. O mais importante é usar a imaginação para interpretar os símbolos que você vê na sua vida diária. É bem provável que seu anjo não apareça para você como uma pessoa ou uma imagem. Você pode ouvir uma voz, sentir uma presença ou sentir em alguns momentos, intuitivamente, que está sendo protegido. Sua imaginação é a sua ligação com o seu mundo parapsíquico. É através da imaginação e da interpretação dos símbolos que você vai conseguir encontrar o seu anjo da guarda e pedir sua orientação na vida.

Direita: Os anjos podem não aparecer do jeito que você espera, embora a presença de uma pena branca ou pomba possa significar que um anjo está por perto.

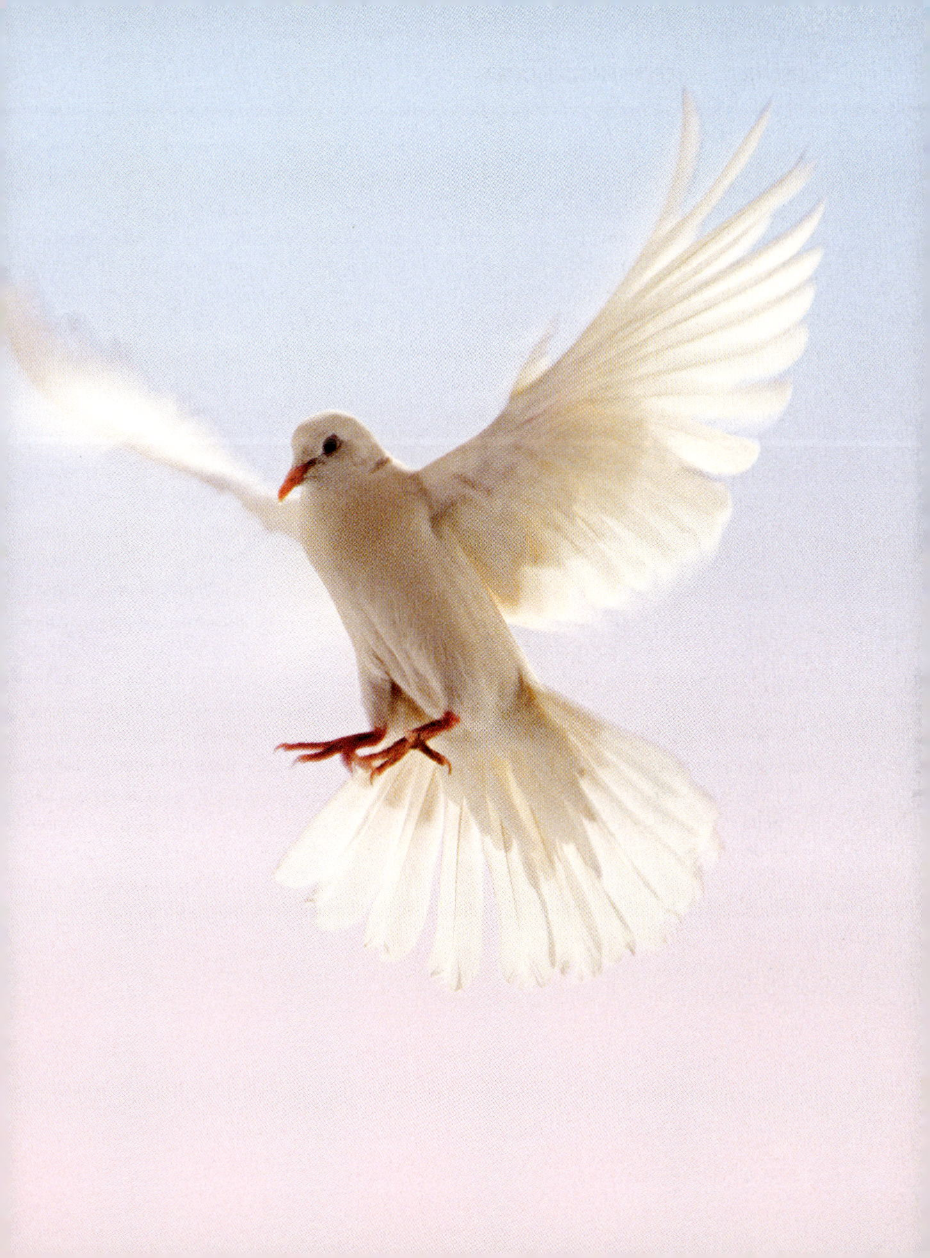

CAPÍTULO 6: EXPERIÊNCIA E CURA

GUIAS ESPIRITUAIS, DIVINDADES E MESTRES ASCENSIONADOS

Além de saber que um anjo ou guardião especial está zelando por nós, também podemos fazer contato com outros espíritos, deuses e deusas que nos ajudam a atravessar tempos difíceis e nos apontam o caminho certo quando temos que fazer escolhas.

Quando entrar em contato com espíritos ou divindades, afirme que você está fazendo isso para o bem de todos e de tudo no universo e agradeça aos espíritos pela orientação.

Divindades

Alguns de nós preferem evocar uma divindade escolhida dos muitos panteões diferentes de deuses reverenciados ao longo da História, como o panteão hindu, os deuses gregos ou os deuses nórdicos.

Obviamente, existem milhares de diferentes divindades, então essa é uma escolha individual, que depende do sistema de crença. Por exemplo, você pode preferir evocar Cibele, a deusa da Terra grega, ou Maya, a deusa hindu da ilusão, e simplesmente adicionar o nome dela ao ritual a seguir.

Como acontece com qualquer trabalho parapsíquico, se você estiver realmente à procura de bons guias, serão os "mocinhos" que virão até você. Se alguma vez você achar que está sob qualquer forma de influência negativa, não dê prosseguimento a este trabalho. Por favor, certifique-se de ler sobre a proteção parapsíquica (ver página 316) antes de realizar qualquer trabalho com espíritos. Os guias espirituais podem aparecer de muitas formas diferentes, tanto como imagens simbólicas quanto no nosso mundo cotidiano, ou como uma experiência visual, oral ou outra experiência intuitiva ou imaginária que nos dê a sensação de sua presença no reino parapsíquico.

No ritual a seguir, você fará contato com o mundo espiritual para encontrar esses guias, por isso antes faça os seus rituais espirituais de proteção nº um, dois e três (ver páginas 317-320), para que o fortaleçam e possibilitem a assistência do seu guia espiritual.

Para ajudá-lo a encontrar o seu guia espiritual ou divindade, realize a técnica de visualização a seguir, muito simples.

GUIAS ESPIRITUAIS, DIVINDADES E MESTRES ASCENSIONADOS

Encontre o seu guia espiritual ou divindade escolhida

Depois de realizar os rituais espirituais de proteção nº um, dois e três (ver páginas 317-320), feche os olhos e relaxe. Agora imagine a bolha de luz dourada em torno de você, como fez no ritual de auto-hipnose (ver página 323).

1. Imagine que você está na clareira de uma floresta. Ao seu redor, só grandes árvores. Você se sente em harmonia com a natureza. Está envolvido na sua luz dourada, sabendo que ninguém pode feri-lo, nada pode perturbá-lo e que você está seguro.
2. Você se senta na relva e vê outra cálida luz dourada a distância, entre as árvores. Você sabe que é um amigo que você conheceu em alguma outra vida, em algum outro lugar, e agora espera que ele venha até você. Chame-o baixinho em sua imaginação para que ele se aproxime. Quando a luz dourada chegar mais perto, pergunte o nome dele e depois faça-lhe a pergunta que quiser. Depois de ter recebido a resposta, ou apenas sentir a presença de um guia, agradeça-lhe e volte à consciência normal. Para fazer isso, faça bem devagar a contagem regressiva a partir do número 10, contando um número a cada inspiração e expiração. Quando chegar ao 1, abra os olhos. Agora termine batendo o pé duas vezes no chão. Este é um sinal tradicional para qualquer entidade espiritual que ainda possa insistir em ficar mesmo depois de terminada a sessão, mostrando que ela deve retornar ao seu mundo.
3. Em seguida, anote o nome do espírito ou divindade num papel e o mantenha dobrado e em segurança numa gaveta. Quanto mais você pronunciar o nome dele, mais poderoso ele se tornará para você, e mais fácil será entrar em contato com o seu guia espiritual, que está lá no mundo invisível para apoiá-lo. A qualquer momento você pode chamar esse guia para ajudá-lo. Além disso, você também pode usar um talismã associado ao seu espírito ou divindade.
4. Se você costuma viajar ao campo ou à praia, escreva o nome do seu guia espiritual na areia com seixos ou pedras. Nesses lugares há tanta energia espiritual em todas as rochas, flores, árvores, e na essência da própria natureza, que muitas vezes é mais fácil nos comunicarmos com os nossos guias ali.

Tipos de guias

Além de anjos, divindades e guias espirituais, há uma série de outros espíritos com os quais podemos entrar em contato. Em muitas civilizações, o contato com os espíritos de animais específicos, mestres ascensionados, professores, ancestrais e mesmo plantas, rochas e árvores, fadas e elementais tem sido visto como a chave para a cura, proteção e conforto nesta vida. Confie nos seus guias espirituais. Toda vez que precisar tomar uma decisão importante, eles vão estar ao seu lado.

CAPÍTULO 6: EXPERIÊNCIA E CURA

Animais de poder

Os animais de poder são evocados para ajudar e proteger os xamãs e sacerdotes durante as suas jornadas espirituais. O poder de um guia animal é uma energia natural fortalecedora, e o animal que escolhemos muitas vezes simboliza nossos desejos, caráter e jornada de vida. Consulte a lista da página 346 de guias animais e o que eles representam, para ver se algum deles desperta algo em você.

GUIAS ESPIRITUAIS, DIVINDADES E MESTRES ASCENSIONADOS

Mestres espirituais

Muitos guias espirituais representam qualidades arquetípicas ou simbólicas que podem precisar de expressão na sua vida. Muitas vezes é por isso que eles entram em seu mundo como pessoas. Você pode achar que o seu guia espiritual é um artista, uma mulher sábia, um guerreiro, um professor, um curandeiro, um monge, ou um músico. Geralmente, o guia surgiu na sua vida para lhe mostrar um caminho que você precisa seguir ou para guiá-lo numa determinada maneira que é mais adequada na sua situação de vida atual. Ele também pode lhe dar respostas para perguntas específicas e depois seguir em frente. Então um outro guia se aproxima de você, para ajudá-lo de uma maneira diferente. As mensagens ou respostas desses guias podem vir até você através de sonhos ou da meditação.

Mestres ascensionados

Os mestres ascensionados (ver também página 281), guias e mestres espirituais eram normalmente professores, gurus ou pessoas muito esclarecidas quando viviam neste planeta. Eles são espíritos que alcançaram algum tipo de "ascensão" e agora estão a

Esquerda: A exposição ao mundo natural permite um contato mais fácil com os guias espirituais.

Direita, acima e abaixo: Escolha o seu guia animal e deixe a energia simbólica deles ressoar em você.

CAPÍTULO 6: EXPERIÊNCIA E CURA

GUIAS ANIMAIS

Cavalo – liberdade, movimento

Cobra – cura, transformação

Touro – riqueza, criatividade

Carneiro – realização, sucesso

Lebre – poder parapsíquico, renovação

Coruja – sabedoria

Veado – independência

Cervo – romance

Raposa – diplomacia

Lobo – aprendizagem, caminhos na vida

Cão – proteção, parentesco

Falcão – orgulho, visão de longo alcance

Acima: O garanhão selvagem representa a liberdade e a libertação.

serviço da humanidade. Entre eles estão figuras bem conhecidas, tais como Jesus, a Virgem Maria, Buda, Krishna e Abraão, e outros mestres bem conhecidos como White Eagle, Kwan Yin e São João, o discípulo de Jesus.

Os mestres ascensionados não se limitam a ajudar apenas um indivíduo. Geralmente trabalham com mais de uma pessoa por vez. Em outras palavras, se você se deparar com um mestre ascensionado, saiba que você não é o único que ele está ajudando.

Guias ancestrais

Um guia ancestral é aquele que teve algum tipo de parentesco com você. Ele pode, por exemplo, ter sido o seu avô que faleceu quando você era criança ou alguém que tenha tido algum tipo de relacionamento com a sua

GUIAS ESPIRITUAIS, DIVINDADES E MESTRES ASCENSIONADOS

família muito tempo atrás. Muitas pessoas veem esses guias como "espíritos guardiões". Os guias ancestrais não se limitam a "laços de sangue". Também podemos descobrir que o nosso guia espiritual é alguém de uma família diferente que faleceu recentemente e voltou para nos ajudar e confortar.

Acima: Os mestres ascensionados incluem figuras religiosas lendárias ou históricas que se tornaram ícones devido à sua fé, como Krishna.

CAPÍTULO 6: EXPERIÊNCIA E CURA

ESCRITA AUTOMÁTICA

A escrita automática é frequentemente utilizada para fazer contato com guias espirituais, que em geral transmitem informações através da escrita manual do canalizador. Também conhecida como psicografia, é uma forma simples e eficaz de acesso a informações do mundo espiritual.

Acima: A palavra escrita é poderosa, e mais ainda quando procede do mundo dos espíritos.

Se você é canhoto, tem uma boa chance de fazer o seguinte exercício de aquecimento "sem pensar". Isso porque as pessoas canhotas têm o lado direito do cérebro mais desenvolvido, e é ele que controla o lado esquerdo do corpo. O lado direito do cérebro é também a sede da imaginação e da intuição. Então, se você é destro (controlado pelo lado

ESCRITA AUTOMÁTICA

esquerdo do cérebro), o exercício a seguir pode ser mais desafiador. Mas o objetivo dele é ensiná-lo a desviar a sua mente da escrita do lado direito do cérebro, que é lógico, e voltar seu cérebro para o mundo misterioso da escrita espelhada.

De acordo com pesquisas científicas, a capacidade de escrever de trás para a frente, muitas vezes conhecida como escrita espelhada, está nos genes da pessoa. Apenas cerca de uma em 6.500 pessoas é capaz de escrever de trás para a frente sem pensar, e há uma chance de 90 por cento de que essa pessoa seja canhota. Leonardo da Vinci era famoso por escrever seus textos com a escrita espelhada, como uma forma de código para que ninguém mais pudesse ler sua obra.

A prática da escrita espelhada vai abrir uma nova dimensão na sua escrita e permitir que você fique pronto para o momento em que a sua mão começar a escrever sem que você faça qualquer esforço para enviar sinais cerebrais para ela, uma vez que será um espírito que estará fazendo isso ou simplesmente o universo enviando informações através da sua mão.

Exercício da escrita espelhada

Pegue uma folha de papel e uma caneta. Sente-se confortavelmente em algum lugar calmo e reserve alguns instantes para relaxar. Comece escrevendo o seu nome de trás para a frente, começando do lado direito da página (ou seja, inverta a escrita, de modo que, em frente a um espelho, ela possa ser lida normalmente). Se você só conseguir escrever uma letra por vez, em letras de forma ou separadas uma das outras, não faz mal. Se você conseguir juntar as letras ao escrever, de modo que fluam livremente, você estará muito mais em sintonia com uma forma parapsíquica de escrita. Algumas pessoas acham isso mais fácil do que outras; muitas têm grande dificuldade, como se o cérebro delas não processasse a reversão da imagem. Os canhotos geralmente têm uma vantagem.

Depois de ter tentado a escrita espelhada, tente a escrita intuitiva, que se aproxima um pouco mais da escrita automática.

Escrita intuitiva

Pegue uma caneta e comece a escrever normalmente da esquerda para a direita, em seguida desvie sua atenção – leia um livro, faça um telefonema, veja televisão, por exemplo – enquanto deixa a mão continuar escrevendo, mas sem ter consciência do que está sendo escrito. Não se preocupe com linhas, espaçamento, posicionamento na página, apenas continue a escrever enquanto você faz outra coisa. Dê uma olhada no que você escreveu depois de alguns minutos. Pode parecer muito estranho, só garranchos ou algo simplesmente sem sentido, mas se você olhar de perto pode ver padrões ou símbolos emergindo, ou mesmo palavras em que não tinha conscientemente pensado.

CAPÍTULO 6: EXPERIÊNCIA E CURA

Acima: Rabiscar aleatoriamente ajuda você a canalizar ideias, bem como mensagens de espíritos.

ESCRITA AUTOMÁTICA

Exercício de escrita automática

Agora você vai praticar escrita automática "de verdade". Primeiro, pense numa pergunta para a qual você gostaria de ter uma resposta. Faça-a simplesmente – não pergunte nada do tipo "será que devo fazer tal coisa" nem ofereça múltiplas escolhas.

1. Prepare o seu local para rituais. Pode ser uma mesa, escrivaninha ou sofá. Relaxe e acenda uma vela ou queime incenso, se quiser.
2. Diga em voz alta três vezes: "O que eu escrevo virá até mim através do meu eu superior, em contato com a sabedoria divina". Isso também irá impedir espíritos negativos de influenciar as informações enquanto você ainda é um iniciante no trabalho parapsíquico.
3. Num estado pacífico e calmo, com os olhos fechados, coloque a caneta no papel e deixe que sua mão comece a escrever. Palavras, frases ou parágrafos inteiros podem aparecer. Às vezes símbolos, garranchos, rabiscos e aparentes bobagens. Muitas vezes, a sua escrita será ilegível, terá erros de ortografia ou pontuação. Depois de cerca de cinco minutos, você pode sair desse estado, dizendo: "Um, dois, três, eu vou acordar". Em seguida, examine o que você escreveu. Se houver uma resposta para a sua pergunta, ela pode ter sido transmitida de maneira muito simbólica, mas você saberá.

Uma palavra de cautela

Algumas mensagens podem ser escritas em línguas desconhecidas para você ou assinadas por entidades que você não conhece. Você pode receber informações que não solicitou. Se em qualquer momento se sentir desconfortável, você precisa perguntar que entidade está presente e por que ele ou ela está escrevendo através de você. Se você não obtiver uma resposta positiva, bata o pé no chão duas vezes e diga para o espírito se afastar.

Acima: Use a sua intuição para interpretar o texto que vier do mundo espiritual.

CAPÍTULO 6: EXPERIÊNCIA E CURA

CANALIZAÇÃO E MEDIUNIDADE

Aprender a canalizar espíritos, ideias e símbolos de outros planos da realidade requer autoconfiança e crença em si mesmo.

Canalização

A canalização é uma maneira de se abrir para as forças espirituais ou divinas do universo. Você se torna um canal para informações, ideias, sentimentos, experiências e até mesmo para o poder divino ser expresso na Terra. No entanto, como você é meramente um canal, pouco sabe da informação recebida.

A canalização conecta você com forças divinas ou universais, abrindo-o para um nível espiritual da consciência. Isso pode ser feito por meio de ideias arquetípicas, imagens visuais, meditação, percepção parapsíquica ou uma capacidade maior de ouvir mensagens.

Antes de tentar a canalização, é importante que você saiba um pouco mais sobre mediunidade e canalização, e também sobre o que é conhecido como "cura pela fé".

Mediunidade

Os médiuns são capazes de se comunicar com espíritos e receber mensagens espirituais. Um dos objetivos desse trabalho é provar a sobrevivência da alma após a morte e ajudar as pessoas de luto a conviver melhor com a sua perda.

Embora os médiuns sejam sensitivos, nem todas as pessoas que se dizem sensitivas são capazes de transmitir mensagens de espíritos.

Tipos de mediunidade

A mediunidade mental é a comunicação com espíritos através da telepatia. O médium ouve, vê e/ou recebe intuitivamente as mensagens espirituais. Diretamente ou com a ajuda de um guia espiritual, o médium acessa essa informação e passa para o consulente.

Direita: Existem várias tradições espiritualistas em que as pessoas acreditam que podem ser curadas pelo poder divino.

CANALIZAÇÃO E MEDIUNIDADE

Na mediunidade de transe, o médium permanece em um estado alerta, mas alterado de consciência, durante a sessão de comunicação. O espírito ou espíritos usam o médium como um canal e, muitas vezes, para falar e até mesmo produzir escrita automática através do corpo do médium.

Leonora Piper (1857-1950) foi uma das médiuns de transe mais famosas da história do Espiritualismo. Entre os guias espirituais que se comunicavam através dela estavam Martin Luther, Henry Longfellow, Abraham Lincoln e George Washington.

Mediunidade e cura espiritual

Os médiuns normalmente sentem, veem ou ouvem os espíritos e fazem contato com eles para ajudá-los a fazer sua passagem ou para confortar os vivos. Acredita-se que alguns médiuns também tenham o dom da cura, promovida através de seus guias espirituais. Essa cura costuma ser realizada por meio da imposição de mãos no corpo ou na cabeça. No entanto, de acordo com as várias tradições, isso também pode envolver imersão na água ou o uso de cristais e outros instrumentos ritualísticos.

Canalização suave

A maneira mais simples de aprender a canalizar é primeiro usar uma técnica de meditação para relaxar e se centrar. Depois disso você está pronto para se abrir para o universo e fazer perguntas específicas. Isso pode ser feito por pensamentos ou, o que é mais comum, em voz alta. Em algum momento, pode ser que você comece a receber mensagens de um espírito que revelará o seu nome e dará a informação necessária.

Pode ser preciso várias tentativas antes de fazer qualquer contato, mas a crença, a confiança e o autoconhecimento são todos eles qualidades importantes que permitirão que o canal se abra entre a sua presença física e a interligação da sua alma com o universo.

Se você tiver qualquer dúvida ou preocupação com respeito à canalização, procure se informar com alguém que já a pratique ou seja experiente no assunto para ajudá-lo no início.

Algumas pessoas "ouvem" os seus guias ou entes queridos em espírito falarem com elas em seus pensamentos. Isso é um pouco como telepatia.

Outras os "veem" com o olho da mente e os olhos fechados. Ainda existem aquelas que têm apenas uma sensação de que eles estão por perto ou a intuição de que estão ali. Se você estiver aberto para receber a luz do universo, o mundo espiritual estará aberto para você também. Você não tem que "ver" fisicamente o seu guia ou ente querido para saber que ele está presente.

Experimente diferentes abordagens e fique aberto aos sinais que o espírito ou espíritos lhe dão. Você pode ouvi-los responder às suas perguntas ou, no caso de ancestrais, ter uma visão deles fazendo algo que costumavam fazer no passado. Você também pode descobrir que, se pedir algum tipo de sinal de um ente querido, ele pode de fato aparecer de um jeito inesperado, alguns dias depois. Inicie um diálogo com seus guias e entes queridos, porque eles podem ouvi-lo. Mesmo se você não conseguir ouvi-los ou vê-los, fale com eles de qualquer maneira e mais cedo ou mais tarde você poderá ouvi-los e vê-los, também.

Antes de você começar

Encontre um lugar tranquilo e confortável em sua casa ou ao ar livre, onde não será perturbado. Use o ritual tradicional de "defumação" (queime lentamente uma trouxinha de sálvia branca) antes de começar sua sessão. Isso irá limpar o cômodo, eliminar energias indesejadas e provocar uma sensação de relaxamento. Uma iluminação suave ou velas

CANALIZAÇÃO E MEDIUNIDADE

Acima: Acender velas e incenso ajuda a criar o ambiente propício para o trabalho de canalização.

proporcionam uma atmosfera relaxante e elevam a vibração do espaço para dar as boas-vindas à energia espiritual.

Você pode falar em voz alta ou em sua mente, mas comece fazendo perguntas.

Antes de começar o ritual, repita "Que só o amor entre neste lugar, que só o amor deixe este espaço".

Peça a um espírito de luz para proteger o portal entre o mundo espiritual e o material, de modo que os únicos espíritos que possam entrar sejam aqueles que sejam amorosos

CAPÍTULO 6: EXPERIÊNCIA E CURA

CANALIZAÇÃO E MEDIUNIDADE

Esquerda: A canalização pode ser mais eficaz se feita com um grupo de amigos com interesses semelhantes.

e tenham boas intenções. Você pode pedir a proteção de Jesus ou de santos, anjos, divindades ou qualquer outra figura religiosa com que se identifique.

Depois dessa fase de abertura, sente-se por um instante com os olhos fechados e relaxe.

Ritual de canalização

Seu guia espiritual (ver página 220) é um amigo que incentiva e apoia você, quer se trate de um antepassado, divindade, mestre ascensionado ou guia animal. Quando você canalizar pela primeira vez, estará convidando esse espírito iluminado para irradiar seu amor, luz e energia para seu campo áurico. Portanto, se você se sentir alegre, entusiasmado ou com uma boa conexão, então você está no caminho certo.

1. Escolha um lugar calmo e silencioso, no qual não será interrompido. Comece realizando os rituais de proteção nº um, dois e três (ver páginas 317-320). Se você tiver amigos canalizando com você, peça a eles para realizar os rituais, também.

2. Decida quanto tempo deseja que a sessão dure, pois assim, quando você quiser que o espírito ou espíritos partam, você terá uma ideia clara desse tempo na sua mente. Muitas vezes, é útil colocar um relógio sobre a mesa.

3. Você vai precisar de quatro velas para invocar a proteção da energia universal. Coloque-as em quatro áreas do cômodo – Leste, Sul, Norte e Oeste. Acenda as velas, em seguida coloque as mãos juntas, como em oração, feche os olhos e diga para a vela colocada no Leste: "Dou as boas-vindas à energia do Leste que vai me curar e proteger". Depois ande ao redor do cômodo e faça o mesmo com as outras três velas. Se estiver num grupo de canalização, cada pessoa precisa realizar o mesmo ritual.

4. Se você estiver com amigos, iniciem a sessão sentados em círculo entre as quatro velas e juntem as mãos (soltem as mãos depois de um minuto de meditação silenciosa). Se você estiver sozinho, sente-se numa cadeira confortável no centro do cômodo, entre as quatro velas. Agora feche os olhos e respire lentamente para acalmar a sua mente.

5. Em seguida, diga em voz alta ou mentalmente a seguinte invocação positiva e um convite para o seu guia espiritual: "Guia Espiritual, eu/nós lhe dou/damos

CAPÍTULO 6: EXPERIÊNCIA E CURA

as boas-vindas e invoco/invocamos o seu amor, para cura, conforto e orientação". Então, mantenha o foco sobre o que você gostaria de saber, fazendo perguntas ao seu guia espiritual. Faça perguntas simples para que elas sejam feitas com clareza. Por exemplo, você pode perguntar o seguinte: "Quem é você? Qual é o seu nome? Com que finalidade está na minha/nossa vida? Há alguma mensagem para mim/nós? Você é o guia com quem eu/nós vou/vamos aprender a canalizar, ou você está aqui para me/nos preparar para outro guia? Posso/podemos canalizar com você ou um outro guia vai me/nos ensinar? Por que você veio até mim/nós neste momento?" Não se preocupe se não acontecer nada a princípio. Continue tentando. Se você não conseguir entrar em contato com nenhum espírito ou com outros guias, termine a sessão e tente novamente outra hora.

6. Termine a sessão pontualmente. Agradeça ao seu guia, dizendo: "Obrigado, amigo espiritual, pelo seu amor, paz e bênçãos".
7. Para limpar a energia, bata o pé no chão duas vezes. Depois, gradualmente saia do seu estado meditativo com a contagem de 10 a 1 a cada expiração. Por fim, deixe a sua luz dourada de proteção e regresse à consciência normal.
8. Nos dias seguintes, você pode se sentir muito mais intuitivo e confiante, devido ao seu contato parapsíquico.

Canalização e CPMs

De acordo com a pesquisa da comunicação pós-morte induzida (CPMs ou ADCs na sigla em inglês) realizada pelos Guggenheim (ver página 24), são várias as ações recomendadas para induzir a comunicação pós-morte.

Você pode praticar estes passos a qualquer hora do dia. Pode atuar como uma ponte para o mundo espiritual ou se estiver passando por um processo de luto.

CANALIZAÇÃO E MEDIUNIDADE

RECOMENDAÇÕES SOBRE A CANALIZAÇÃO

- Sempre imagine e invoque uma luz dourada de amor ao seu redor.

- Se você quiser formar um grupo de canalização com alguns amigos, comecem acendendo velas, sentados em círculo, dando as mãos e fazendo uma oração, afirmação ou invocação positiva. Você também pode cantar ou entoar uma canção favorita para evocar energia positiva.

- Anote ou memorize uma oração de intenção e uma bênção para orientação e proteção, para usar antes de começar a sessão.

- Quando você invocar seu guia espiritual, mantenha a intenção focada. Faça perguntas básicas para começar. Você é homem ou mulher? Com que propósito você está na minha vida? Qual é o seu nome? Você tem mensagens para mim?

- Não deixe nenhum espírito assumir o controle. Você pode dizer: "Vá embora, você não é bem-vindo aqui" a qualquer momento que quiser.

- Seja sempre educado e agradeça ao espírito qualquer resposta.

- Não peça ao espírito para tomar decisões por você.

- Não se preocupe se não acontecer nada.

- Saiba quanto tempo você deseja que a sessão dure e respeite esse tempo.

- Para sair da sessão a qualquer momento, ou para encerrar qualquer contato espiritual, bata o pé duas vezes no chão antes de dissipar o brilho dourado em torno de você.

- Depois de uma sessão, faça uma refeição ligeira, beba um chá ou faça uma caminhada para aterrar sua energia.

1. Sempre peça aos céus um sinal de que seu ente querido falecido continua existindo. Você pode receber em seguida algum tipo de sinal, uma coincidência significativa ou experiência simbólica, provando que isso é verdade.

Esquerda: Se convidar espíritos amorosos para fazer parte da sua vida, você vai receber a cura espiritual ou o apoio de que precisa.

CAPÍTULO 6: EXPERIÊNCIA E CURA

CANALIZAÇÃO E MEDIUNIDADE

2. Todos os dias, ore por ele e outros que tenham sido afetados pelo falecimento dele, inclusive você.
3. Se você perdeu alguém recentemente ou não consegue superar a morte de um ente querido, a meditação pode ajudá-lo a relaxar e dissipar sentimentos negativos que possa ter. Ela reduz a depressão, facilita seu dia a dia e acelera o processo de cura. Exercícios de relaxamento profundo também permitem que você entre em contato com o seu eu interior e a sua intuição. Você pode até conseguir se comunicar com seu ente querido enquanto está meditando.

Esquerda: Ao induzir uma comunicação pós-morte, você está construindo uma ponte para o mundo espiritual. Se um ente querido falecido estiver do outro lado da ponte, ele pode encontrar você no meio do caminho.

CAPÍTULO 6: EXPERIÊNCIA E CURA

CURE A SI MESMO E OUTRAS PESSOAS

Às vezes precisamos ajudar os outros a se recuperar de uma perda, a se curar emocionalmente, acreditar no mundo espiritual ou se reconectar com a própria alma.

Cura a distância

A cura parapsíquica é a capacidade de curar outras pessoas, canalizando seus poderes parapsíquicos através de uma oração, afirmações de cura, visualização, telepatia, psicometria, ou mesmo por meio de um ritual ou talismã. Você não tem que colocar suas mãos em ninguém. Não precisa nem conhecer a pessoa. Essa é uma forma de cura a distância, na qual você envia, por meio do seu poder parapsíquico, energias de cura para alguém específico. Você está simplesmente canalizando psiquicamente a força vital do universo e dirigindo-a para a pessoa necessitada.

Com a crença absoluta no poder dessa força vital, você pode enviar amor e energia de cura diretamente a uma pessoa, ativando o poder de cura natural que ela mesma tem.

Quando enviar boas vibrações, é útil ter um roteiro com que começar, para focar os pensamentos. Tente usar o roteiro a seguir:

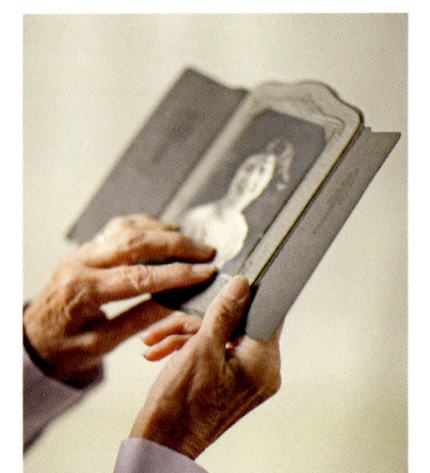

Roteiro de cura a distância

Esta energia de cura vai ficar com você/comigo durante o tempo que for necessário.

O amor está em toda a minha/sua volta e só vai me/te beneficiar.

Eu acredito na força vital que cura.

Tenho o poder de curar eu mesmo e as outras pessoas.

Podemos ser curados porque somos filhos do universo e merecemos o amor do guardião da nossa alma.

CURE A SI MESMO E OUTRAS PESSOAS

A cura da alma

Alice Bailey (1880-1949) foi uma influente escritora de ensinamentos ocultos. No seu livro *Esoteric Healing*, ela canaliza o mestre ascensionado Djwal Khul. A cura era uma parte importante de seus textos filosóficos. Ela acreditava que a principal função da cura esotérica era curar a alma e que todas as doenças eram resultado de uma vida espiritual deficiente.

Como você já deve ter notado ao longo deste livro, a alma está ligada à imaginação, ao feminino, às paixões, à arte e a tudo o que é criativo, emocional e espiritual. Isso significa que a alma precisa estar em equilíbrio com o corpo e o espírito, que nós tendemos a favorecer, nutrir e proteger em detrimento dela.

Os conselhos a seguir vão ajudar a sua alma a recuperar o equilíbrio.

Cura da alma

Todos os dias, dedique pelo menos meia hora a uma paixão ou algo que lhe traga prazer, além daquelas coisas que você pode fazer para "agradar" a mente, o corpo ou o espírito. O que agrada o corpo é o exercício físico, a boa alimentação e os hábitos saudáveis; a mente pode ser desenvolvida com exercícios para o cérebro, a leitura, os estudos e palavras cruzadas, resolução de problemas etc.; o espírito é beneficiado quando você consegue provar a si mesmo que fez a coisa certa, quando participa de um debate saudável, consegue resolver um problema, conquista um novo amor e tem sucesso profissional.

Acima: A paixão por alguma coisa na vida aproxima você do propósito da sua alma.

Esquerda: A cura a distância pode ajudar entes queridos a amar a si mesmos.

CAPÍTULO 6: EXPERIÊNCIA E CURA

A cura da alma consiste em mergulhar nas profundezas do seu próprio ser, onde está a origem das suas paixões. Entregar-se a uma paixão é perder-se em si mesmo, ocupando-se de algo a ponto de nem saber qual a hora do dia, porque você está em "outro mundo", ou "abstraído de si mesmo" ou sentindo-se espiritualmente elevado. Paixão é descobrir que você tem uma "alma". É redescobrir sua conexão com o universo e irradiar amor para o mundo e para cada alma neste mundo ou no Outro. É sentir tamanha harmonia com o que você está criando que você nem sequer sabe que horas são ou em que mundo está.

Se você não sabe quais são as suas paixões, então pode começar a explorar as possibilidades e fazer uma lista das cinco

CURE A SI MESMO E OUTRAS PESSOAS

melhores maneiras pelas quais você pode ter mais prazer na sua vida. Depois, siga uma dessas paixões diariamente. Sua paixão pode ser juntar-se a um novo grupo espiritual, pintar ou escrever um romance ou poesias, compor músicas, meditar, estar em comunhão com a natureza ou dançar descalço sobre a grama pela manhã.

Seja o que for, prometa a si mesmo que você não vai mais negligenciar a sua alma, pois assim a vida após a morte, e tudo o que ela representa, também não vai negligenciar você.

Abaixo: Sentir-se em comunhão com o universo significa curar a sua alma.

CAPÍTULO 6: EXPERIÊNCIA E CURA

ESCRIAÇÃO

A palavra "escriação" deriva de uma antiga palavra do inglês que significa "distinguir vagamente" ou "revelar" e tem a mesma raiz latina da palavra "descrever". Olhando para uma superfície plana, brilhante como um espelho, ou uma bacia de água, o praticante lê e interpreta símbolos e padrões para determinar o futuro.

Um dos mais famosos praticantes de escriação foi o cúmplice de John Dee, o mago elisabetano Edward Kelly (1555-1597), que usava um tipo especial de espelho negro, ainda popular entre muitos pagãos de hoje em dia. Cristais pequenos, transparentes e brilhantes; pedras; vidros; espelhos ou bacias com água podem ser usados na escriação, bem como a conhecida "bola de cristal". Tigelas cheias de tinta ou sangue eram utilizadas pelos antigos feiticeiros egípcios, enquanto, de acordo os mitos da antiga Pérsia, a Taça de Jamshid continha um elixir da imortalidade em que os praticantes de escriação podiam ver as sete camadas do universo pelas quais eles faziam adivinhações.

Ondulações, ou a luz refratada na água, e os padrões que formam são interpretados e as leituras muitas vezes são consideradas mensagens do mundo espiritual.

Direita: A refração da luz na água é uma mensagem simbólica do mundo espiritual.

ESCRIAÇÃO

MELHORES OBJETOS PARA A ESCRIAÇÃO

- Bola de cristal
- Crânio de cristal
- Espelho negro ou prateado
- Espelho de hematita
- Copo com água
- Bacia com água, talvez colorida com tinta
- Chama de uma vela
- Brasas do fogo
- Fumaça
- Superfície d'água
- Nevoeiro ou névoa sobre a água

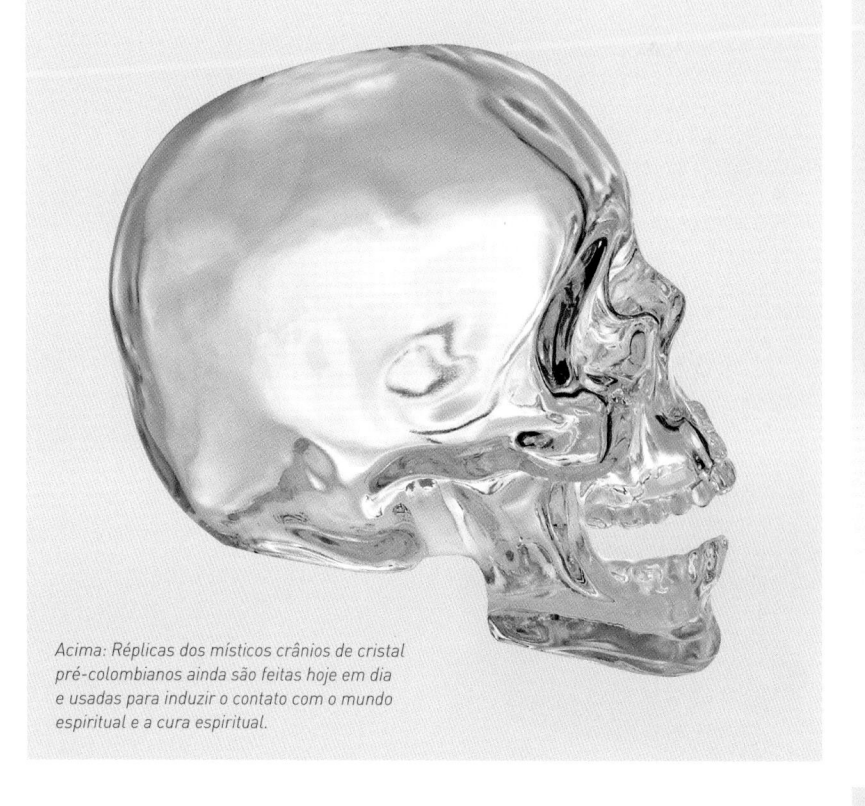

Acima: Réplicas dos místicos crânios de cristal pré-colombianos ainda são feitas hoje em dia e usadas para induzir o contato com o mundo espiritual e a cura espiritual.

CAPÍTULO 6: EXPERIÊNCIA E CURA

Consagração do seu espelho

É importante que, antes de usar um objeto de escriação pela primeira vez, você o consagre. Para isso vai precisar de uma vela branca, um copo com água, uma pequena tigela com sal e um incenso. Cada um desses objetos corresponde a um dos quatro elementos astrológicos e as quatro direções da bússola:

- O sal corresponde ao Norte e à Terra.
- O incenso corresponde ao Leste e ao Ar.
- A vela corresponde ao Sul e ao Fogo.
- A água corresponde ao Oeste e à Água.

1. Coloque uma tigela ou um copo com sal no Norte do seu cômodo, o incenso no Leste, uma vela no Sul e uma bacia com água no Oeste.

2. Em primeiro lugar, pegue uma bola de cristal ou espelho nas mãos e volte-se para o Norte, ficando de pé sobre o sal. Diga em voz alta, "Espíritos do Norte e da Terra, consagro este cristal/espelho e o carrego com a sua energia sagrada".

3. Volte-se para o Leste e segure o espelho sob a fumaça do incenso. Diga em voz alta: "Espíritos do Leste e do Ar, eu consagro este cristal e o carrego com a sua energia sagrada".

4. Repita essa afirmação no Sul e, por último, no Oeste.

5. Para ativar o espelho, fique diante do seu lugar sagrado ancestral, o local que você designou para o ritual de proteção espiritual nº três (ver página 320). Ainda segurando o espelho, diga "Pelos poderes do Sol, da Lua, das estrelas, meus antepassados, os espíritos da Terra, do Ar, do Fogo e da Água, todas as energias negativas estão agora se dissipando, e este espelho está consagrado para que eu o use com respeito e graça".

Esquerda: Sempre consagre seu espelho de escriação antes de usar, para livrar o objeto de qualquer energia espiritual negativa.

ESCRIAÇÃO

Ritual de escriação

Quando começar a examinar os padrões e as imagens no seu objeto de escriação, você tanto pode ter literalmente uma visão, uma intuição ou perceber palavras e imagens simbólicas na sua mente. Mantenha uma folha de papel e caneta ao seu lado para fazer anotações quando notar qualquer coisa ou desenhar qualquer forma que tenha visto.

1. Primeiro faça os três rituais de proteção espiritual (ver páginas 317-320).
2. Em seguida, sente-se calmamente diante do cristal ou espelho e medite sobre o que vê diante de si. Se você está fitando um espelho, provavelmente vai achar difícil não ver o seu próprio reflexo. Neste caso, ou olhe para ele lateralmente ou olhe para além do seu reflexo.
3. Faça a si mesmo uma pergunta simples, algo cuja resposta você não saiba. Por exemplo, "Como será o meu dia hoje?" Ou seja mais específico; por exemplo, "Será que o meu patrão estará de bom humor amanhã?"
4. Se você divisar quaisquer formas ou padrões emergindo, quer se tratem de sombras, formas, luzes estranhas ou esferas, escreva-as ou desenhe-as sobre o papel. Se palavras ou imagens vierem à sua mente, anote-as também. Você pode não ver nada, mas tem um palpite ou algum sentimento com relação à resposta. Não se apresse e não espere resultados imediatos.

Você pode receber um sinal do seu anjo da guarda, do seu guia espiritual ou de um espírito ancestral, mas, aconteça o que acontecer, a escriação pode abrir os seus sentidos parapsíquicos para o poder dos símbolos: a linguagem secreta da Alma do Mundo.

Direita: Até mesmo a chama de uma vela pode servir para a escriação, e quaisquer formas ou padrões visuais que emergirem devem ser registrados.

CAPÍTULO 6: EXPERIÊNCIA E CURA

PSICOMETRIA

Quando se trabalha com o mundo espiritual, não é apenas a mente ou o espírito que precisam ser energizados, mas o corpo também. Muitos médiuns entram em contato com o espírito de entes queridos segurando objetos que têm valor sentimental para o cliente ou que um dia pertenceram ao falecido.

Ao fortalecer a energia do seu corpo sutil e entender que esse canal deve estar livre de detritos psicológicos, você é capaz de utilizar a psicometria para entrar em contato com o mundo espiritual. Para isso só é preciso que você se abra para a energia eletromagnética parapsíquica deixada em objetos físicos pela pessoa a quem pertenceram.

Sua aura

O termo "aura" é uma palavra do grego antigo que significa "brisa" ou "ar". Esse é um dos sistemas do seu corpo sutil, embora também interaja com a energia sutil do universo. A aura humana está vinculada a portais chamados chakras, e seu campo áurico é composto de cores vibratórias, assim como os chakras.

Nutrindo a sua aura você pode impulsionar seu poder de interagir com os reinos espirituais e também sentir a força eletromagnética encontrada em objetos, pessoas e na natureza.

A sua aura precisa de fortalecimento?

Responda sim ou não a cada uma dessas afirmativas. Para cada sim, marque um ponto.

- Eu sou muito inibido.
- Eu não gosto de pessoas olhando para mim.
- Eu não gosto de ficar sozinho.
- Eu sempre digo sim sem pensar.
- Sempre espero muito dos outros.
- Eu sempre atraio pessoas que acabam me machucando.
- Eu tenho muitas ideias, mas não consigo colocá-las em prática.
- Nas festas, eu me escondo nos cantos.
- Fico com ciúmes se o meu parceiro olha para alguém.
- Fico irritado quando estou preso num engarrafamento.

Direita: A energia do seu corpo sutil, que inclui a sua aura, pode ser fortalecida para entrar em sintonia com a energia do universo.

PSICOMETRIA

Se você marcou de 8 a 10 pontos, está precisando fortalecer a sua aura. Se a sua pontuação for de 5 a 7, você precisa fazer pouco trabalho para fortalecer sua aura. Uma pontuação de 3 a 4 indica que sua aura está em boa forma. Mantenha-a assim. Se a sua pontuação for de 1 a 2, sua aura é vibrante. Cuide para que ela se mantenha sempre assim.

CAPÍTULO 6: EXPERIÊNCIA E CURA

Exercício de fortalecimento da aura

Para fortalecer a sua aura, realize este exercício simples por cerca de cinco minutos todos os dias. Mesmo que você tenha uma "aura forte", ainda assim é uma boa ideia promover a energia saudável do corpo sutil.

1. Segure um pedaço de cristal de quartzo branco em cada mão, sente-se confortavelmente e respire profunda e lentamente. Concentre-se em suas mãos e no poder dos cristais vibrando dentro delas. Sinta a energia permear todo o seu corpo

PSICOMETRIA

Esquerda: Sentindo a energia vibracional dos cristais, você vai aprender a sentir a energia dos objetos e captar seus campos de energia.

2. Ainda com os cristais nas mãos, faça a seguinte afirmação: "Eu amo minha aura, porque eu me amo".

Como a psicometria funciona

Quando você abre a energia do seu corpo sutil para a energia universal, aprende a ler os padrões de energia que foram deixados dentro e em torno dos objetos. As energias sutis do corpo ficam impregnadas nos objetos e lugares, assim como o pelo do seu gato gruda no sofá. Se sua aura está em forma, você tem mais facilidade para captar essa energia e aprender a interpretar as mensagens parapsíquicas.

Objetos como anéis, joias, fotos e roupas são normalmente os mais utilizados na psicometria, porque são objetos pessoais, mas se você perceber que fica chateado quando segura um objeto de um ente querido falecido, não se force a continuar.

Quando manipulamos ou tocamos alguma coisa, deixamos uma "pegada" espiritual nesse objeto. Nossa energia sutil também acaba se misturando com os resquícios do campo energético de outras pessoas. Por isso a história do objeto pode revelar coisas que não são relevantes para você. Quando você entra em sintonia com essas energias, é um pouco como ouvir um rádio no qual

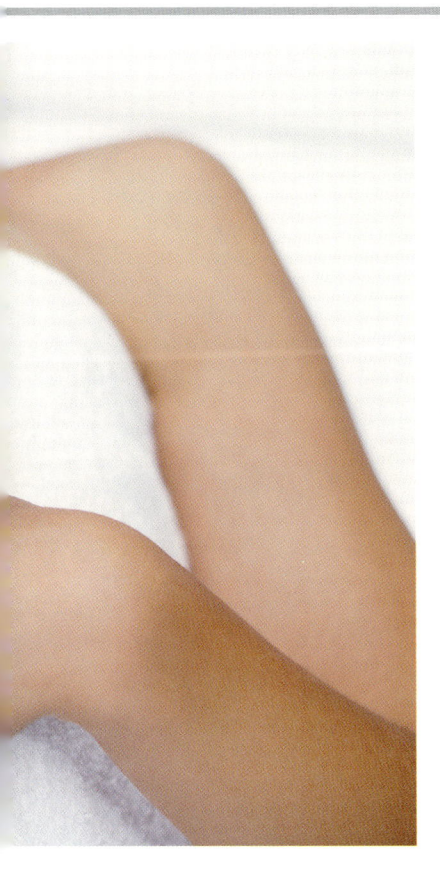

até que ela se funda com o seu campo áurico, alimentando a sua energia e fazendo com que você se sinta em comunhão com o universo. Concentre-se na fusão e reposição dessa energia espiritual durante vários minutos para fortalecer a sua aura.

CAPÍTULO 6: EXPERIÊNCIA E CURA

várias frequências estão competindo para serem ouvidas ao mesmo tempo. Você tem que aprender a sintonizar a frequência com a energia certa. Ouça a sua intuição para interpretar as vibrações energéticas que você pode ver, ouvir, imaginar ou descobrir.

Exercício

Relaxe e feche os olhos. Imagine que você está lendo um livro, enquanto o rádio está ligado ao fundo. Sua mente consciente está focada no que você está lendo, contudo sua mente ainda está captando e registrando a informação que vem do rádio. Você não tem conhecimento disso até que uma palavra, frase o som se destaca para você. Imagine que você se afasta do livro e repete a palavra, frase ou som que notou. Ao imaginar isso, a energia do seu corpo sutil se liga com uma energia que significa algo para você.

Prática de psicometria

1. Peça a um amigo para lhe emprestar um objeto pessoal, como um relógio, anel, roupa ou até mesmo o celular. Pegue esse objeto nas mãos, feche as mãos ao redor dele e feche os olhos. Depois de um tempo você pode achar que começa a ver uma imagem ou ouvir palavras. Não tente processar isso de uma só vez ou muito rapidamente.
2. Você pode ver ou sentir algo tolo ou se sentir feliz ou triste. Mencione ao seu amigo essas imagens ou pensamentos. Se não obtiver nenhuma resposta, não se preocupe. Obviamente você sabe alguns fatos sobre a vida dele. Mas começar com pessoas que você conhece vai ensiná-lo a "ler" as energias associadas com essa pessoa, até que você consiga sintonizar objetos que pertencem a uma pessoa falecida. Pratique na casa de outras pessoas também. Toque paredes, móveis e objetos para ver o que sente. Os espíritos irão guiá-lo.
3. Depois que você já estiver acostumado a "sentir" objetos e captar uma presença espiritual, você pode começar a fazer a essa presença espiritual perguntas diretas e se comunicar num nível mais profundo. Essa presença pode não ser necessariamente o "dono" do objeto. Pode ser alguém que está perto do falecido e também desencarnou, ou alguém que possuía o objeto antes da pessoa em que você está pensando. Mas, seja qual for o caso, a maioria das "pegadas espirituais" será "sentida" – embora algumas serão úteis para você e outras não. À medida que você estiver mais confiante, vai começar a saber quais mensagens ignorar e a quais dar importância.

Direita: Objetos que pertenciam a uma pessoa falecida carregam uma pegada espiritual da energia da alma.

PSICOMETRIA

CAPÍTULO 6: EXPERIÊNCIA E CURA

NOS CONFINS DO UNIVERSO

A maioria dos trabalhos parapsíquicos é realizada num estado alterado "básico" de consciência. Esse estado geralmente é meditativo, embora abranja uma consciência maior de si mesmo. Mas, se queremos fazer uma viagem astral ou entrar em contato com outros reinos, devemos estar preparados para mudanças mais profundas ou dramáticas de consciência. A seguir, vamos dar uma olhada em como você pode chegar nos confins do universo.

Viagem astral

Quando a alma deixa o corpo para visitar outros reinos, isso é conhecido como viagem astral, que depende tanto da sua capacidade de atingir primeiro um nível completo de total relaxamento e depois um estado de auto-hipnose. A viagem astral pode ajudá-lo a entender que o mundo físico não é o único, e que a sua alma está livre para retornar ao corpo quando quiser. É você que, usando a sua imaginação, vai descobrir a conexão com os "espaços e lugares intermediários" (ver página 295). É esse o poder que estará sempre com você à medida que continuar a nutrir a sua alma nesta jornada de vida.

Uma técnica que você pode tentar com segurança é a Técnica do Corpo de Luz da Golden Dawn. A Golden Dawn era uma sociedade oculta ativa no Reino Unido durante o final do século XIX e início do século XX. Dedicada à prática de magia e ao desenvolvimento espiritual, a Golden Dawn exerceu uma grande influência nas artes ocultas no Ocidente desde então.

A proeminente teosofista Annie Besant escreveu que o "duplo etérico" pode se separar do corpo físico. "Quando separado do corpo, ele fica visível para o clarividente como uma réplica exata do corpo, unido a ele por um fio delgado". Mais recentemente, o parapsicólogo Jose Silva (1914-1999), fundador do Método Silva, alegou ter desenvolvido um programa que treina pessoas para entrar em estados cerebrais de consciência alterada, o que permite a elas se projetar mentalmente

Direita: Viajar para outros reinos é como andar da praia para o mar: você ainda é você mesmo, mas o ambiente muda.

NOS CONFINS DO UNIVERSO

CAPÍTULO 6: EXPERIÊNCIA E CURA

com uma intenção específica. De acordo com Silva, uma vez que a mente é projetada, a pessoa pode visualizar objetos ou locais distantes e se conectar com uma inteligência superior para pedir orientação.

Rituais da Golden Dawn

Para estes rituais, tudo que você precisa é da sua imaginação para sair do corpo físico e viajar para o reino parapsíquico.

1. Comece sentando-se numa cadeira confortável, num ambiente em que não será perturbado. Então, relaxe, feche os olhos e entre num estado calmo, de meditação, ou use o exercício de auto-hipnose (ver página 323), se já o tiver praticado. Algumas pessoas preferem tentar a viagem astral logo após acordar, ainda na cama, e quando ainda estão num estado e sonolência. Você também pode querer experimentar

Abaixo: Pratique olhar para si mesmo no espelho de uma nova maneira. Em vez de ver o que sempre vê, comece a construir uma nova imagem de si mesmo.

NOS CONFINS DO UNIVERSO

a viagem astral quando estiver no campo e em harmonia com a natureza, contanto que ninguém o interrompa! Durante um período de uma semana, realize esta breve prática de visualização durante cerca de cinco minutos por dia.

2. Visualize seu corpo parado do outro lado do cômodo onde você está sentado, como se estivesse olhando para um reflexo seu num espelho. Tente "ver" a si mesmo em detalhes – as cores de seus olhos, suas roupas, sua pele, seu cabelo, sua expressão. Observe a sua aparência sem julgamento. Leve o tempo que quiser para construir a figura imaginária de você mesmo. Faça este exercício diariamente até conseguir "se imaginar" com facilidade do outro lado do cômodo.

3. Durante a semana seguinte, realize o exercício a seguir todos os dias, em vez do exercício anterior. No seu estado alterado de consciência, imagine-se andando em determinados lugares que conhece. Imagine-se caminhando para o trabalho, numa cafeteria ou padaria do seu bairro, no shopping, na sua casa, na casa de um amigo. Visualize-se em todos esses lugares e comece a ter uma noção dos detalhes e das experiências em cada um desses lugares. Que cheiro tem cada ambiente? Quem o frequenta? É ocupado e barulhento ou é silencioso? Certifique-se de que "você" está presente em cada um deles. Quando estiver confortável com essa cena imaginária, avance para a próxima fase.

4. Agora, em vez de ver a si mesmo apenas como uma imagem no espelho, "torne-se" a imagem no espelho. Projete sua mente na imagem que você criou fora de si mesmo. Isso é chamado de "corpo de luz". Essa prática pode funcionar instantaneamente para você ou não. Se não funcionar, não se preocupe – continue praticando os exercícios até sentir que está conseguindo.

5. Se isso não funcionar para você, imagine que está olhando para fora através dos olhos do "corpo de luz" do seu novo eu. Isso é muito difícil de descrever, mas você vai saber que conseguiu quando sua mente estiver na imagem de si mesmo.

Quanto à sua "imagem no espelho", essa imagem pode ir a qualquer lugar que você quiser que ela vá. Você pode atravessar paredes, o oceano, o mundo todo, até o cosmos. Quando você for capaz de se projetar nessa imagem, vai poder projetar esse novo "você" em qualquer lugar, e experimentar esse outro eu. Você pode muitas vezes sentir como se uma parte de você estivesse, literalmente, fora de seu corpo.

Esta é uma maneira, e a mais segura e suave, de vivenciar uma viagem astral. Se você quiser ir adiante, há muitos professores de métodos mais complexos e profundos. Por favor, certifique-se de verificar as qualificações deles primeiro.

CAPÍTULO 6: EXPERIÊNCIA E CURA

XAMANISMO

Fundado em 1984 pelo ex-arqueólogo Michael Harner, o "xamanismo universal" desde então se tornou popular no Ocidente. Segundo Harner, "O que é realmente importante no xamanismo é que existe outra realidade que você mesmo pode descobrir... Não estamos sozinhos".

Duas realidades

De acordo com Harner, dependendo do nosso estado de consciência, somos capazes de perceber duas realidades. Primeiro, há o "estado ordinário de consciência" (EOC), no qual se percebe a "realidade comum" (RC). Aqueles no "estado xamânico de consciência" (EXC) são capazes de entrar em contato com a "realidade não ordinária" (RNO).

Na realidade não ordinária, os praticantes do xamanismo veem, tocam, cheiram e ouvem os espíritos. Alguns são auxiliares pessoais ou guias que fornecem ajuda na cura e na adivinhação.

Os praticantes xamânicos modernos acreditam que cada animal tenha uma alma e espírito guardião. A maior parte do trabalho do xamã moderno é resolver problemas e trabalhar com a natureza, restaurar o equilíbrio e a harmonia da Terra e do universo. Isso envolve um profundo respeito pelo planeta e por seus habitantes num nível espiritual.

Ritual xamânico

Sente-se num lugar tranquilo e confortável. Realize os seus rituais habituais de aquecimento e proteção espiritual nº um, dois e três (ver páginas 317-320).

1. Você vai agora visualizar a si mesmo muito longe, entre as constelações. Você pode ver a noite escura e o cintilar das estrelas ao seu redor. Enquanto flutua através do universo, você vê uma luz prateada que logo o envolve como uma nuvem. Ali dentro, é quente e reconfortante. Quando esse manto prateado envolve você, a luz enche cada célula do seu corpo da cabeça aos dedos dos pés. Deixe que esse manto prateado o cubra e preencha por um tempo até você perceber que está invisível agora.

Direita: Os xamãs modernos acreditam que cada animal, seja lebre ou cavalo, tenha a sua própria alma.

XAMANISMO

Fique mais um pouco na sua invisibilidade, imaginando que retorna à Terra e anda por uma rua, onde ninguém pode vê-lo. Agora imagine-se num mundo invisível em que o amor, a luz, a beleza e a alma dos seus entes queridos podem ver você e você pode vê-los.

2. Para retornar ao mundo da visibilidade, volte para a Terra e gradualmente imagine que você está tirando o manto de luz prateada e vendo-o desaparecer no ar à medida que se torna visível novamente.

3. Volte aos poucos para o seu estado normal de consciência através da contagem lenta de 10 a 1 a cada expiração. Quando tiver terminado, abra os olhos e relaxe, voltando à realidade.

Imaginar que você é invisível é o primeiro passo para a compreensão desse "outro mundo" do xamã. Sua imaginação, ao longo deste livro e de seus muitos rituais e exercícios, é a chave para desbloquear a porta para a "realidade não ordinária".

Recuperação da alma

No xamanismo, quando uma pessoa não está psicologicamente bem, é porque um fragmento da sua alma – a verdadeira essência de quem ela é – se perdeu. A maioria de nós pode passar a impressão de que está perfeitamente bem, mas, se parte da alma está faltando, muita coisa pode dar errado na sua vida. A perda da alma também ocorre quando passamos por algum trauma, seja

CAPÍTULO 6: EXPERIÊNCIA E CURA

XAMANISMO

por negligência, algum tipo de privação ou o fim de um relacionamento amoroso.

Para ajudá-lo a recuperar a parte da sua alma que pode estar perdida, realize o ritual a seguir.

Ritual de recuperação da alma

1. Primeiro, feche os olhos e relaxe. Certifique-se de ter realizado os rituais de proteção parapsíquica nº um, dois e três (ver páginas 317-320) e quaisquer outros rituais de preparação parapsíquica da sua escolha, tais como acender velas ou criar uma atmosfera que seja reconfortante para você.
2. Agora imagine-se numa bela clareira em meio a uma floresta, com a luz solar brilhando através de um dossel de folhas. O céu é azul, os pássaros cantam e flores silvestres preenchem esse paraíso com um aroma inebriante. Os bosques em torno de você estão cheios de cor e vida, e os espíritos da natureza lhe dão as boas-vindas nesse seu mundo. Mas uma árvore se destaca entre as outras. Seu tronco é antigo e retorcido, seus ramos balançam com o vento.
3. Sob essa árvore há um círculo de pedras, cada uma delas com uma inscrição diferente. Você se levanta e vai até o círculo e senta-se dentro dele. Estendendo a mão, pega uma pedra do círculo e fecha os olhos.
4. Enquanto segura a pedra, você diz: "Esta é a parte da minha alma que eu devo levar para casa comigo, esta é a parte da minha alma que se perdeu há muito tempo e há muito eu espero encontrar". Diga isso para si mesmo quatro vezes. Coloque a pedra no seu bolso imaginário, sabendo que você encontrou parte da sua alma.
5. Enquanto você percorre o círculo de pedra, agradeça aos espíritos e almas por permitir que você encontrasse parte de si mesmo. Atravesse a clareira. Prepare-se para voltar à normalidade.
6. Depois que você sair dessa visualização, anote as palavras que falou em voz alta numa folha de papel. Agora dobre o papel e o mantenha em segurança num lugar especial, sagrado. Encontre um pequeno cristal ou pedra para representar a pedra da sua imaginação e coloque-o sobre o papel. Você vai descobrir gradualmente que essa pedra de cura, representando os fragmentos perdidos da sua alma, começará a trazer sua alma à vida novamente.

Esquerda: Técnicas de visualização como esta, em que você se imagina numa floresta, podem ajudá-lo a entrar em contato com a sua alma.

CAPÍTULO 6: EXPERIÊNCIA E CURA

OS PRIMÓRDIOS DO SEU EU ETERNO

Como você viu, a imaginação e a intuição são as chaves para destravar as portas para o conhecimento do mundo espiritual; elas são também as chaves para compreender a jornada da alma e viver com consciência espiritual ou parapsíquica.

Se a sua alma individual é um pequeno fragmento da Alma do Mundo, que liga você a tudo, então você também vai perceber que a sua imaginação é o "trabalho" da alma.

Os primórdios do seu Eu Eterno é perceber que a morte não é o oposto da vida, apenas o oposto de um nascimento físico. Antes de você nascer, você teve muitas outras vidas, era uma centelha de alma entre essas vidas, e depois desta vida sua alma continuará existindo pela eternidade.

Ser capaz de compreender que o plano espiritual ou "invisível" é apenas os "espaços entre as coisas" permite que você entenda que a vida após a morte permeia esta vida, assim como esta vida se funde com o outro mundo. Se você se der ao trabalho de perceber a sua vida de uma maneira diferente, você vai começar a se ligar com a casa da sua alma também.

Direita: Se está em paz com o mundo e está em paz consigo mesmo, isso significa que você está conectado com a Alma do Mundo dentro de você.

OS PRIMÓRDIOS DO SEU EU ETERNO

Ao saber que sua alma é tanto individual como também parte do todo, você pode começar a compreender o antigo filósofo grego Heráclito, que disse que "Nós somos imortais mortais, morrendo a vida um dos outros, vivendo a morte uns dos outros".

E, por fim, ou talvez eu devesse dizer, como um passo para um novo começo e uma nova maneira de "ver", devemos também manter em nosso coração as palavras do poeta, artista e místico Khalil Gibran:

"Eu existia desde toda a eternidade e eis que estou aqui; e eu existirei até o fim dos tempos, pois o meu ser não tem fim".

GLOSSÁRIO

Aaru Antigo paraíso celeste egípcio, governado pelo deus da vida após a morte, Osíris. Acreditava-se que esse "Campo de Juncos" ficava no Oriente, onde o Sol nasce, e era um reino pós-morte de eterna bem-aventurança, para onde iam as almas depois de passar por uma série de testes arriscados.

Animismo A crença no poder sobrenatural que flui através do universo material. Essa essência espiritual permeia tudo, desde pedras, árvores ou montanhas, até o ser humano. Esse conceito está na raiz de muitos sistemas de crença, entre eles o neopagão, o xamânico e o dos povos indígenas.

Atman Palavra sânscrita que designa o "Eu interior". No hinduísmo, é considerado a essência espiritual do "Eu". Tanto é o eu verdadeiro da pessoa quanto, simultaneamente, o eu transcendente, conhecido como Brahman, a realidade imutável além deste mundo, a força espiritual do universo.

Ba Na antiga mitologia egípcia, uma das várias partes da alma de um indivíduo. O *ba* era a parte da alma que tornava a pessoa única e, como tal, era semelhante à personalidade dela. O *ba* era descrito como a cabeça de uma pessoa presa ao corpo de um pássaro, para que ela pudesse voar rapidamente para o Reino dos Mortos.

Consciência cósmica A enorme rede interligada de consciências individuais, que forma uma consciência coletiva que abrange todo o cosmos.

Corpo sutil Enquanto a energia sutil pode ser equiparada à FORÇA VITAL que flui através de todas as coisas, o corpo sutil é a nossa estrutura espiritual, composto de vias energéticas invisíveis, tais como os chakras. Essas energias, embora pertençam ao corpo individual, estão em sintonia com as frequências vibracionais do próprio universo.

CPM (Comunicação Pós-Morte) Experiência que envolve a comunicação direta com espíritos. Esse termo pode designar o contato com espíritos presos à Terra, antepassados, ou parentes, amigos e conhecidos que já morreram.

Dualismo da alma Crença entre algumas culturas, como a chinesa, dos inuit e dos povos urálicos, segundo a qual o indivíduo tem duas almas. Uma está ligada ao corpo; a outra é livre para deixá-la quando quiser.

GLOSSÁRIO

Duat Na antiga mitologia egípcia, Duat, o Reino dos Mortos, é o lugar onde as almas chegam pela primeira vez antes de serem testadas para ver se merecem passar para Uuru, o paraíso celestial. É também a região através da qual o deus solar Rá viajava do Oeste para o Leste durante a noite.

EFC (Experiência Fora do Corpo) Experiência que envolve a sensação de flutuar para fora do corpo e, às vezes, de perceber o corpo físico a partir de um lugar fora de si mesmo. Muitos escritores de cunho espiritualista acreditam que as EFCs são a prova da capacidade da alma para desprender-se do corpo e visitar locais distantes.

EHE (Experiência Humana Excepcional) Experiência anômala espontânea. O termo abrange encontros parapsíquicos, místicos ou outros, tais como experiências fora do corpo ou relacionadas à morte. As EHEs têm o potencial de transformar a vida do indivíduo, dependendo de como o sujeito se relaciona com a experiência ou o modo como ele a utiliza.

Energia quântica A palavra "quantum" refere-se a uma pequena partícula de alguma coisa, neste caso, uma unidade elementar de energia. Esses fragmentos infinitamente pequenos de energia existem às vezes como partículas e às vezes como ondas. Essa energia preenche o espaço ou vazio, conectando a tudo e a todos. Assemelha-se à energia universal ou FORÇA VITAL.

EQM (Experiência de Quase Morte) Experiência pessoal associada à morte iminente. Os relatos registrados incluem distanciamento do corpo, levitação, sentimentos de paz, calor, felicidade, uma luz receptiva e a experiência de dissolução absoluta do eu. Tais experiências são relatadas com mais frequência após anunciada a morte clínica do indivíduo ou quando ele está muito perto da morte.

Espiritualismo Termo genérico para designar várias tradições provenientes do movimento espiritualista de meados do século XIX nos Estados Unidos e na Europa. O dogma principal do Espiritualismo é a crença de que a alma humana vive após a morte do corpo, e os espíritos têm a capacidade e o desejo de se comunicar com os vivos.

Força vital Também conhecida em várias tradições orientais como *mana*, *chi* e *prana*, trata-se de uma energia espiritual ou universal presente em todas as coisas.

FVE (Fenômeno das Vozes Eletrônicas) Sons detectados em gravações eletrônicas,

GLOSSÁRIO

que normalmente se assemelham à fala ou sons vocais, mas não são resultado de uma gravação intencional. Esses sons são usados atualmente por parapsicólogos para investigar relatos e experiências espirituais ou paranormais. Também conhecido como Transcomunicação Instrumental.

Hades O Mundo Inferior, na antiga mitologia grega. O Hades era um reino exclusivamente para os mortos e invisível aos vivos. Composto de vários níveis e dividido por rios, fogo e até mesmo campos verdejantes, passou a ser associado a fugas heroicas e mitos dramáticos. O deus Hades era o governante do Mundo Inferior, na mitologia grega. Filho de Cronos e Reia, ele tinha três irmãs, Deméter, Héstia e Hera; e dois irmãos, Zeus, o senhor dos céus, e Posêidon, regente dos oceanos. Os irmãos compunham coletivamente os seis deuses do Olimpo originais.

Karma Palavra sânscrita que significa "ação", "trabalho" ou "feito", refere-se à ideia de que a ação de um indivíduo influencia o seu futuro, tanto nesta quanto em futuras vidas. Boas ações contribuem para um bom karma e felicidade futura, enquanto as más contribuem para o mau karma e o sofrimento futuro.

Leituras de vidas passadas Assim como nas leituras para ver o futuro, os praticantes "leem" as vidas passadas do sujeito usando métodos tais como tarô, astrologia, clarividência ou canalização. As leituras de vidas passadas não envolvem hipnose e se destinam a ajudar a curar questões da vida presente.

Neopaganismo Termo genérico usado para designar uma ampla gama de grupos religiosos e indivíduos que seguem crenças pagãs pré-cristãs, tradições ocultas e abordagens da NOVA ERA. Ele também descreve aqueles que tentam resgatar antigas religiões étnicas, e agora inclui os seguidores da WICCA.

Nova Era Movimento espiritual predominantemente ocidental, que se desenvolveu durante a segunda metade do século XX. Baseando-se em tradições tanto orientais quanto ocidentais, o movimento combina campos da psicologia, ensinamentos de autoajuda, saúde holística, parapsicologia e física quântica, entre outras coisas.

Orbes Esferas de luz que supostamente contêm a energia que emana de qualquer tipo de consciência, entre eles espíritos que ainda não fizeram sua passagem ou aqueles

GLOSSÁRIO

que estão tentando fazer contato com encarnados. Considerada a consciência ou FORÇA VITAL daqueles que já habitaram um corpo físico, os orbes são às vezes atribuídos a um espírito preso à terra ou ao local onde viveu, devido a uma questão não resolvida ou necessidade de resolução de um evento traumático.

RVP (Regressão a Vidas Passadas), terapia de. Técnica que utiliza a hipnoterapia para recuperar lembranças de vidas passadas e ajudar o sujeito a entrar em acordo com questões problemáticas desta vida. A crença do sujeito em reencarnação é um elemento importante dessa terapia em particular.

Teosofia Filosofia esotérica cujos seguidores buscam a compreensão dos mistérios da existência e da natureza, particularmente em relação ao divino. Também refere-se ao conhecimento ou sabedoria oculta que propicia a iluminação e a salvação do indivíduo.

TVP (Terapia de Vidas Passadas) Termo genérico que descreve várias terapias destinadas a descobrir as causas profundas de doenças e problemas contidos na mente inconsciente. Entre as TVPs estão a terapia de RVP (REGRESSÃO A VIDAS PASSADAS) e a LEITURA DE VIDAS PASSADAS.

Vedas De uma palavra sânscrita que significa "conhecimento", os Vedas são um grande corpo de antigos textos sagrados indianos originários de cerca de 1.500 a.C. Os mais antigos textos do hinduísmo foram supostamente revelados diretamente pelo deus da criação, Brahma.

VEV (Vida Entre Vidas), Regressão à Técnica terapêutica criada pelo hipnoterapeuta dr. Michael Newton. Trata-se de um método de regressão hipnótica profunda, que permite a um indivíduo ter acesso a um estado de consciência em que pode recordar a sua vida espiritual durante o período entre vidas.

Wicca Bruxaria pagã contemporânea desenvolvida na Inglaterra durante a primeira metade do século XX e trazida ao conhecimento público em 1954, pelo ocultista e bruxo inglês Gerald Gardner. Trata-se de uma religião que se baseia num conjunto diversificado de antigas crenças pagãs e conceitos herméticos mais recentes, tanto em sua estrutura teológica quanto nas práticas ritualísticas. Agora é um termo genérico para um número crescente de tradições pagãs tanto da Europa quanto dos Estados Unidos.

ÍNDICE REMISSIVO

A

Aborígine, mitologia 223
Abraão 346
acadiana, mitologia 211
África 97-9
Afrodite 128-9
Aken 210
Akka 216
Alexander, Eben *Proof of Heaven: A Neurosurgeon's Journey into the Afterlife* 29
alfa, estado 26
Allatu 211
Alma do Mundo 14, 118-19, 122, 136, 154, 158, 166, 175, 212, 299, 384
 auto-hipnose 323-5
 Espiritualismo 162
 poder parapsíquico 294, 296
 rituais de proteção espiritual 316-21
 Teosofia 157, 162, 166, 175, 212, 294, 297, 299, 384
almas 6, 13-15, 63, 115, 116
 Antigo Egito, 73-5, 124-5
 atman 136
 companheiros de alma 328
 cristianismo 146-9
 cultivo da alma 123
 cura da alma 363-5
 dois pássaros amigáveis 119
 dualismo da alma 120-1
 espírito 122-3
 Espiritualismo 162
 essência eterna 116-17
 evolução da alma 68-71
 festas religiosas 147-8
 função cerebral 170
 glândula pineal 23-4
 gnosticismo 145
 hermetismo 153-5
 islamismo 150-1
 jainismo 136-7
 judaísmo 140-3
 Jung, Carl Gustav 165-6
 mitologia boliviana 195
 mitologia japonesa 225-7
 neurociência 168-9
 Pitágoras 129
 recuperação da alma 381-3
 reinos da alma 158-9
 taoismo 139
 viagem da alma 34, 199
almas gêmeas 166-7, 281, 329
 exercício para encontrar a sua alma gêmea 331
alquimia 152-3
alucinógenos 31, 113, 287
Amaethon 193
Ammit 74, 221
Ammu 97
Amurru 211
Anaxímenes 127
ancestrais 64, 97, 148, 149, 191, 194, 232
 espaço sagrado 319-21
 guias ancestrais 346-7
Angel Academy 275
 anjos da guarda e *daimons* 336-8
 anjos mais conhecidos 336
 Arcanjo Miguel 272, 276, 277
 Cura com anjos 262
Angra Mainyu 189
Aníbal 49
Anima Mundi 118, 158, 166
animismo 64-5
anjos 261-2
Ankou 221
Annwn 192-3
Antigo Testamento 122, 141, 186, 187
Antroposofia 46
Anúbis 177, 221
Apaches 94
após a morte, comunicação (CAM) 24-5, 233-5
 canalização e CAMs 358-61
 CAMs crepusculares 26-9
 CAMs nos sonhos 29
 características 25-9
 visitas de espíritos 235
Aquino, Santo Tomás de 88, 133, 148-9, 152
Arawn 192, 193
Aristarco 298
Aristóteles 135, 148, 151
Arthur, rei 193
Asclépio 35
Associação Americana de Psicologia 322
asteca, mitologia 94, 147, 196-7, 219

ÍNDICE REMISSIVO

atman 71, 136
Atwater, H. M. H. *Beyond the Light* 248
auras 39, 283, 370
  exercício de fortalecimento da aura 372-3
  sua aura precisa de fortalecimento? 370-1
Aurora Boreal 222
auto-hipnose 322, 323
  exercício de auto-hipnose 323-5
Avicena (Ibn Sina) 151
Azrail 222

B
babilônica, mitologia 211
Bacon, *sir* Francis 281
Bailey, Alice *Esoteric Healing* 363
banshees 225
Bantu 64, 194
Barbour, Julian 54
Barnumbirr 223
Baron Samedi 219
Bede, reverendo *Visão de Drythelm* 18
Belet-Seri 211
Bell, Elizabeth 60
Berger, Hans 26
Besant, Annie 281
beta, estado 26
Biblioteca de Nag Hammadi 90
Big Bang 53, 54
Blackmore, Susan 31
Blake, William 102, 104, 265-6
Blanke, Olaf 32
Blavatsky, Helena P. 40, 157, 158, 280, 281
Boirac, Emile *L'avenir des sciences psychiques* 327
boliviana, mitologia 195
Bonaparte, Napoleão e Josephine 49
Bon Festival 149
Botkin, Allan 233
Brahma 67
Brahma Kumaris 160-1
Brahman 136
Braid, James 322
Britten, Emma Hardinge 107
bruxa de Endor 186
budismo 38, 67, 68, 83, 92, 168, 170, 218, 224, 281, 346
  budismo Mahayana 93
  budismo Theravada 92-3
  reencarnação 72
Byrne, Lorna *Angels in My Hair* 261

C
Cabala 100-1, 141-2
Campos de Asfódelos 127, 184
Campos Elíseos 81, 127, 175, 184
canalização 15, 251, 278-81, 352
  antes de começar 354-5
  canalização e CAMs 358-61
  canalização em grupo 105
  canalizadores famosos 284-5
  exercício de canalização suave 354
  grade 283
  guias espirituais 281
  mestres ascensionados 281-2
  recomendações sobre a canalização 359
  ritual de canalização 357-8
  seres celestiais 282
Caronte 183, 212
Casa Branca 106
cátaros 91
Cayce, Edgar 38, 158-9
celta, mitologia 66, 192-3, 224, 225
Centro de Estudos da Consciência 282
Cérbero 183
Cernunnus 111
Céu e Inferno 104, 111, 149, 152, 174-5
  budismo 92-3
  cátaros 91
  cristianismo 88, 146-7
  Espiritualismo 162
  hinduísmo 83, 136
  islamismo 150-1
  jainismo 136
  judaísmo 86-7
  mitologia dos nativos americanos 94-5
  taoismo 139
  vodu 98
  zoroastrismo 84
chakras 39, 283
chi 39
China, antiga 36, 51, 120
Chitragupta 83
Chuang Chou 36

ÍNDICE REMISSIVO

ciência 14, 15-17, 156, 168-9
  energia do corpo sutil 40
cirurgia espiritual ou parapsíquica 289, 290
clarividência 57, 58, 107, 296, 306, 310
  desenvolva a sua clarividência 310
Colombo, Cristóvão 281
Conant, sra. 18
Confucionismo 139
consciência cósmica 55
Cooper, Diana 261
corpo astral 40, 198
corpo causal 40
corpo etérico 40
corpo mental 40
corpo sutil, energia do 39-40
  o corpo sutil e a ciência 40
  psicometria 370-4
Cottonwood Research Foundation, Novo México 23
crenças 63, 296-7
  como acreditar 298
  exercício da crença 299
  exercício do ver para crer 300-1
  reafirme a sua crença 318
Crichton, Michael *Travels* 34
cristianismo 67, 88, 128, 141, 168, 175, 182, 261, 281, 336
  almas 146-9
  cátaros 91
  Gnosticismo 88-91, 145
  visões angelicais 261-77
Cronos 211
Crookes, William 55, 107
Crowley, Aleister 199
cura 362-5
cura pela fé 353

D

daimons 127, 129-30, 131, 166, 270, 336-8
Dante, *Divina Comédia* 187-8, 205-7, 214
Davis, Andrew Jackson 200
Deacon, Gladys 241-2
Dee, John 366
déjà-vu 327-8
Delibalta, Ahmet 242-3
delta, estado 26
Deméter 212
dervixes 168, 169
Dia de Finados 147-8
Dia de Todos os Santos 147, 220
Dionísio 174
Dis 187-8
Dis Pater 214
distância, cura a 362
divindades 342
  encontre o seu guia espiritual ou divindade escolhida 343
Di Zang 218
DMT (dimetiltriptamina) 23
dogons, mitologia dos 97-8
Doyle, Arthur Conan 102, 107
DRMO (Dessensibilização e Reprocessamento de Movimentos Oculares) 233
Druidas 65
Duat 73, 77, 176-9
Duke University, Carolina do Norte 20
Dumuzi 202, 203
Durga 217
Duryodhana 208-9
Duzakh 189
Dyer, Wayne 295

E

Eastern Air Lines 236
Eckankar 34, 161
Edison, Thomas 41
Egito, Antigo, 67, 68, 175, 210, 221-2, 261
  Aaru, o Campo de Juncos 74, 75, 77, 177-8
  almas 73-5, 124-5
  alquimia 152-3
  Hatsheput 77
  Livro dos Mortos 75, 76, 176-7
Ehrsson, Henrik 32
elementais 226
Emerson, Ralph Waldo 102
Emma-O 218
Empédocles 129-30, 131
Empusa 225
encontre o seu anjo da guarda 339-40
Eneias 183, 184
energia 11
Enki 203
Epona 223
Er 18, 204-5
Érebo 183
Ereshkigal 180, 202-3, 210
Erínias 183-4
Erlik 217
Eros 128-9
escriação 366
  consagração do seu espelho 368-9
  melhores objetos para escriação 367
  ritual de escriação 369
escrita automática 348-9
  escrita intuitiva 349

ÍNDICE REMISSIVO

exercício de escrita automática 351
exercício de escrita espelhada 349
uma palavra de cautela 351
eslava, mitologia 213-14
Espiritismo 63, 109-10
espíritos 122-3, 224-7
  espíritos ofendidos 181
  Grécia, antiga 126-7
  mundo espiritual 123
espíritos da natureza 6, 126
espirituais, mestres 345
Espiritualismo 15, 41, 71, 105-7, 162
  Heindel, Max 107-8
essência 116-17
estigmas 270
estoicos 127
Eterno, Eu 384-5
etrusca, mitologia 214
Eurídice 12-14
Evans, Linda 284
Ewe, mitologia 121
exercício de som 307
Experiência Humana Excepcional (EHE) 20-1
Experiências de Quase Morte (EQMs) 248-51

F

fantasmas 78, 94, 95, 121, 147, 224-7
  Festival dos Fantasmas 149
  terra dos fantasmas 194
  Voo 401 236
fenômeno das vozes eletrônicas (FVE) 41
  pesquisas sobre FVE 41-2
fenômenos parapsíquicos 55
  parapsicologia 55-8
  provas parapsíquicas forenses 59-60
Fenwick, Peter e Elizabeth 24
Ficino, Marsilio 118-19
  Corpus Hermeticum 153
Fiore, Edith 21-3
física 50-1
  mecânica quântica 51-3
  o tempo é uma ilusão 54
Flight Safety Foundation 236
folclore espanhol 220-1
folclore francês 221
fon 121
Fora do Corpo, Experiências (EFCs) 17, 20, 21, 29, 30, 55, 244
  EFCs induzidas 30-1
  pesquisa sobre EFCs 31-4
  Senhorita nº 2 244-7
força ódica 39
Ford, Henry 49
fotografia Kirlian 39
Foundation for Shamanic Studies 289
Fox, Margaret 105
Freud, Sigmund 36
  A Interpretação dos Sonhos 36-7
Fuller, John G. *The Ghost of Flight 401* 236
Função cerebral 17, 24, 168
  Experiências fora do corpo (EFCs) 31-2
  frequências das ondas cerebrais 26
  teoria quântica da consciência 170
Fúrias 183-4, 188

G

Gad Eden 87, 141
Galileo Galilei 298
Garbandal, Espanha 270-5
Gardner, Martin 284
gaulesa, mitologia 223
Geena (Gehinnom) 86-7, 186, 188
Gênios 216
Ghede 219
Gibran Khalil 385
Gilgamesh 180-1
glândula pineal 23-4
Gnosticismo 90-1, 144-5
Golden Dawn 376
grade 283
Graham, Billy *Angels, God's Secret Agents* 266-9
Grande Deusa 65
Grécia, Antiga 12, 35, 67, 220, 223-4, 225, 336
  almas 126-35
  filosofia e misticismo 82
  metempsicose 69-71
  vida após a morte 78-82, 211-12
  zoroastrismo 84
Green, Celia 31
Gregório, o Grande *Diálogos* 18
Gress, Robin 289
guarayo, mitologia 195
Guerra Civil Americana 105-6
Guggenheim, Bill e Judy *Hello From Heaven* 24-5, 233
guias animais 344-5, 346

ÍNDICE REMISSIVO

guias espirituais 6, 220-4, 281
  animais de poder 344-5
  encontre o seu guia espiritual 343
  guias ancestrais 346
  mestres ascensionados 345
  mestres espirituais 345
  tipos de guias 343-4
Gurdjieff, G. I. 157
Gwydion 193

H

Hades 12, 79-81, 127, 175, 182, 188, 211-12, 214
Halloween 111, 147
Hameroff, Stuart 170
Harner, Michael 286, 289, 380
Hatsheput 77
Havgan 192
Hécate 183-4, 212, 225
Heim, Albert 18
Heindel, Max 107-8
Hemingway, Ernest 251, 251-3
  Adeus às Armas 252
Hendrix, Jimi 282
Heráclito 120, 385
Hermes 220, 223
Hermes Trismegisto 153
Hermetismo 153-5, 156
Hesíodo 79, 81, 82, 126, 182
Hillman, James 122, 166
hinduísmo 71, 119, 136,170, 175, 208-9, 217-18
  Brahma Kumaris 160-1
  hinduísmo vedântico 39-40, 67, 71, 83, 174

Hine-nui-te-pō 217
hipnose 322
Homer 78-9, 82, 126, 182,183, 184
Hopis 94
Hórus 178
Huitzilopochtli 95

I

Iâmblico 153
Ibn Sina (Avicena) 151
Ilíada 184
inca, mitologia 95-6, 216-17
Indra 174, 208, 209
Innana 202-3
intuição 55, 306, 311
inuit, mitologia 64, 71,112, 120, 223
iroqueses 94
Ísis 178
islamismo 67, 150-1, 222
Izanami 218

J

Jabme-Akka 216
jainismo 136-7
James, William 55
japonesa, mitologia 218, 225-6
Jatav, Durga 257-9
Jesus 72, 281, 346, 355
Jizo 224
Joana d'Arc 263
João de Deus 290
Josephson, Brian Davidson 57
Journal of the Society for Psychical Research 41
judaísmo 86-7, 128, 141, 146, 336
  Cabala 100-1, 141-2

Jung, Carl Gustav 37, 65,102, 164-5, 232, 248
  experiência de quase morte (EQM) 251

K

Kali 217-18
Kant, Immanuel 155
Kardec, Allan 109, 110
karma 45, 68, 71-2, 92, 93, 225
Keats, John 123, 166
Kelly, Edward 366
ki 180
Kilic, Erkan 242-3
Klemp, Harold 34
Knight, J. Z. 281, 284-5
koshas 40
Krishna 208, 209, 346
Kubler Ross, Elisabeth *On Death and Dying* 269-70

L

lamelas 130
Lao-Tzu *Tao Te Ching* 139
lapões, mitologia dos 216
Lares 216
Leadbeater, Charles W. 200, 281
Leary, Timothy 171
Lebe 97
Lemminkäinen 175
Lennon, John 49
Leonardo da Vinci 349
Liebeault, Ambroise-Auguste 322
Lincoln, Abraham 106-7
Lincoln, Mary Todd 106-7
Livro de Taliesin 192
Livro dos Mortos (egípcio) 75, 76, 176-7

ÍNDICE REMISSIVO

Livro dos Mortos (tibetano) 23
Lockheed 236
Loft, Bob 236
luz 53

M

Ma'at 74, 177, 221
Mabbinogion 192
Maclaine, Shirley 284
Maçonaria 226
MacRae, Alexander 41-2
Madre Teresa 238
Mahabharata 208-9
maia, mitologia 94, 207-8
mana 39
Manes 214-15
maoris 67, 216
Marduk 67
matéria 11
matéria escura 40
McElroy, Margaret 281
Médici, Cosmo de 152
meditação 312
   exercício de meditação 312
   os benefícios da meditação 313
médiuns 15, 18, 59, 60, 105, 107, 199, 251, 352
   Bruxa de Endor 186
   mediunidade e cura pela fé 353
   tipos de mediunidade 352-3
memória 168
Mercúrio 223
meridianos 39
Mesmer, Franz 109
Mesopotâmia 180-1, 210
mestres ascensionados 281-2, 346
metempsicose 69-71
Michelangelo 261
Mictecacihuatl 147-8, 196, 219
Mictlan 196, 197
Mictlantecuhtli 196, 219
Miguel 272, 276, 277
Miru 216
Missão de Ensino 282
mistérios de Elêusis 82
Moisés 153
monoteísmo 67
Moody, Raymond 57
   Life After Life 18, 332
Mormo 225
Morrison-Mays, Alice 254
Morrissey, Dianne 254-7
Muldoon, Sylvan 30

N

Nammu 180
National Spiritualist Association of Churches 41
nativos americanos, mitologia dos 69, 94-6
Nêmesis 81, 184
Neoplatonismo 152, 153, 198, 336
Nergal 211
Newton, Michael 47, 238
Ninazu 211
Ninhursag 180
Nommo 97
nórdica, mitologia 69, 175, 190
Nossa Senhora do Carmo 272-5
Nova Era 65, 167
Novo Testamento 122, 128, 186, 188
Livro do Apocalipse 38, 88, 146

O

Odilo de Cluny 147
Odin 212
Odisseia 79, 81, 183, 184
Olam Ha-Bá 86
Olsen, Gary 34
Ono, Yoko 49
orbes 29, 261
Orcus 214
Orfeu 12-14, 127
órficos, mistérios 82, 120
Orígenes 88
Órion 184
Osíris 74-5, 178, 210
   culto a Osíris 179
Outro Mundo 66-7

P

Padre Pio 270
palingenesia 69
Paracelso 226
paraíso *ver* Céu e Inferno
paranormal 17
parapsicologia 11, 17, 55-8
Parnia, Sam 17
Pasricha, Satwant 257
Patton, George S 49
Penrose, *sir* Roger 170
Perséfone 81, 128, 182, 212
Pérsia, Antiga 84, 189, 366
Persinger, Michael 32, 57
Perun 213
PES 55, 296, 306
pesquisa parapsíquica 15-16
Piper, Leonora 353
Pitágoras 82, 91, 129, 270

ÍNDICE REMISSIVO

plano astral 198-9
  Céu 201
Platão 18, 82, 91, 116, 139, 153, 158, 204, 270
  Alegoria da Caverna 131-5
  almas gêmeas 166
  Carruagem de Platão (Fedro) 134
  Demiurgo 118
  teoria das formas 116-17
Pletão, Gemisto 152
Plotino 118-19, 198
Plutão 214
Plutarco 18, 129, 153
pneuma 127-8
poder parapsíquico 294, 296, 306-7
  clarividência 309
  crença 296-7
  meditação 312-13
  sexto sentido 311
  sons 307
  toque 308
  visão 308
  visualização 314-15
  você tem poderes parapsíquicos? 295
polinésia, mitologia 191, 217
politeísmo 66
poltergeist, atividade 29
Popol Vuh 207-8
Porfírio 153
Posêidon 211
Post, Amy e Isaac 105
precognição 58
proteção parapsíquica 302, 316
  acessando o mundo espiritual com segurança 305
  exercício da bolha protetora 304-5
  exercício de aterramento 303
provas parapsíquicas forenses 58-60
psicometria 370
  como a psicometria funciona 373-4
  exercício 374
  prática da psicometria 374
  sua aura 370-3
psicopompos 220-4
psique (alma) 81, 82, 127
Psiquê 128-9
Purgatório 147, 149, 187
Puthoff, Hal 51
Pwyll 192

Q

quântica, mecânica 51
  luz 53
  nível subatômico 53
Quase Morte, Experiências de (EQM) 11, 17, 18, 21-3, 29, 200, 248
  características clássicas 22
  Cayce, Edgar 248-51
  controvérsia 23-4
  Hemingway, Ernest 251-3
  Jatav, Durga 257-9
  Jung, Carl Gustav 251
  Morrison-Mays, Alice 254
  Morrissey, Dianne 254-7
  Yensen, Arthur E 254
quetamina 31

R

Rá 76, 210
Raktabija 217
Ramayana 175

Redfield, James *Celestine Prophecies* 282
Redução Objetiva Orquestrada (Orch-OR) 170
reencarnação 6, 43-5, 48, 57, 68
  budismo 72
  Cabala 100
  estudos de caso 238-42
  evolução da alma 68, 71
regressão espiritual 48
Reia 211
relatos históricos 18
Reno, J. B. 55, 57
Repo, Don 236
Rijnstate Hospital, Arnhem, Holanda 17
rituais de proteção espiritual 316
  ritual nº dois 318
  ritual nº três 319-21
  ritual nº um 317-18
Roberts, Jane 281, 284
Roda da Vida 45
romana, mitologia 214-15, 224
Rosenkreuz, Christian 108
Rosicrucianismo 108
Ruhani Satsang 34
Rumi 174, 294
Ryden, Vassula 269

S

Sacks, Oliver 168
Sagan, Carl 55
sagrado, espaço 319-21
Samhain 111, 147
samsara 70, 71
Samuel 186
sânscrito 225

ÍNDICE REMISSIVO

Santa Cecília 262-3
Santa Companha 220-1
Santa Teresa de Calcutá 275
Sant Mat 199
São Francisco de Assis 270
São João 38, 88
São Pio de Pietrelcina 275
Saul 187
Schwartz, Gary 57
Scientific American 41
Sêmele 174
seres celestiais 282
sessões 105, 106, 107
Seth 178
sexto sentido 296, 306
   exercício para desenvolver o 311
Sheol 186-7
Shiva 217
Sidgwick, Henry 55
símbolos 328
Singh, Kirpal 34
Sioux 94
Sísifo 82
sobrenatural 17
Sociedade Americana de Pesquisas Psíquicas 55
Sociedade Teosófica 40, 107, 157, 281
Sócrates 204
sombras 127, 186-7
Sombras, Povo das 226
sonhos 35-8, 166, 183, 184, 328
   CPMs de estado onírico 29
   Yoga dos sonhos 38
sopro de vida 127
Spiritualist Church 105, 353
Steiner, Rudolf 46, 266, 267

Stevenson, Ian 45, 238-9, 241, 243, 258, 259
Stockhausen, Karlheinz 282
Stony Brook University, Nova York 17
Strassman, Rick 23
sufismo 69, 168
suméria, mitologia 180-1, 182, 202-3, 210
Summerland 111, 200-1
Sunday Express 239
Supay 216-17
Swedenborg, Emanuel 102-4
   Spiritual Diary 34
   The Delights of Wisdom Pertaining to Conjugal Love 265

T

tábuas Ouija 41
Tamoi 195
Tane 217
Tântalo 81-2
taoismo 51, 119, 139
Targ, Russell 55
Tart, Charles 55, 57, 244, 247
Tártaro 127, 183-4
Técnica do corpo de luz 30, 376-9
telepatia 55, 58
tempo 54
Teosofia 46, 157-8, 199, 201, 281, 282
Teresa d'Avila 263, 265
Thugs 217
Tirésias 184
Tlaloc 197
Tomlinson, Andy 47
Toque, exercício do 308

transmigração 68, 69-71
trepanação 168
Tucanos 112
turca, mitologia 217
Tyr 213

U

Ukhu Pacha 216
Ulgen 217
Universidade de Estrasburgo 130
University of Arizona 170
University of Virginia 238
Upanishads 39, 69
   dois pássaros amigáveis 119
Urântia, Livro de 282
Uriel 275, 336
Ushas 174

V

Valhalla 175, 190, 212-13
Valquírias 212-13
van Lommel, Pim 17, 57
Veles 213-14
viagem astral 376-9
vida após a morte 6, 11, 63, 173, 231, 293
   África 97-9
   animismo 64-5
   Antiga Grécia 78-82
   Antigo Egito, 73-7, 176-9
   budismo 92-3
   busca de provas científicas 15-17
   Cabala 100-1
   cristianismo 88-91
   descida de Dante ao inferno 205-7

ÍNDICE REMISSIVO

do politeísmo ao monoteísmo 66-7
Er 204-5
hinduísmo 83
Innana e Ereshkigal 202-3
islamismo 150-1
jornadas pela vida após a morte 202
judaísmo 86-7
nativos americanos 94-6
reencarnação e karma 68-72
relatos históricos 18
vida após a morte como sofrimento 186-8
Xibalbá 207-8
Yudhisthira 208-9
zoroastrismo 84
Vida entre Vidas, Regressão a (VEV) 47, 48, 200, 238
vidas passadas 6, 43-5, 326
check list da experiência de vidas passadas 327
companheiros de alma 328-9
exercício suave de regressão a vidas passadas 332-5
leituras de vidas passadas 48
lembranças de experiências de vidas passadas 326-8
novas abordagens à RVP 47
regressão a vidas passadas (RVP) 47-8
símbolos 328
terapias de vidas passadas 45
vida entre vidas, regressão à (VEV) 47, 48
vidas passadas de celebridades 49
Virgem Maria 272-5, 346
Virgílio 82, 126, 281
Virtue, Doreen 262
Visão, exercício de 308
Vishnu 72
visões 270
Garbandal, Espanha 270-5
visualização 314
visualização de cores 314-15
Vizaresh 189
vodu 98, 219
von Reichenbach, Carl 39
Voo 401 236

W

Wambach, Helen 47
Life Before Life 48
Reliving Past Lives 48
Weiss, Brian 47
White, Rhea A. 20
Wicca 63, 65, 111, 200, 226
Wiseman, Richard 55-7

X

xamãs 15, 63, 64, 65, 112-13, 278-81, 286-7
duas realidades 380
Gress, Robin 289
João de Deus 290
obra contemporânea 287-9
recuperação da alma 381-3
ritual de recuperação da alma 383
ritual xamânico 380
Xavier, Chico 290
Xibalbá 94, 207-8
Xolotl 196

Y

Yama 83
Yensen, Arthur E 253, 254
Yudhisthira 208-9

Z

Zaduszki 147
Zero, Campo do Ponto 51
Zeus 211
Zohar 141
Zoroastro 67, 84
Zózimo de Panópolis 152

AGRADECIMENTOS

A Godsfield gostaria de agradecer a:

Alamy AF Archive 61; Alberto Paredes 189; Alix Minde 300; Archives du 7eme Art 285; ArkReligion.com 277; Ashley Jouhar / Cultura Creative 21; Bartek Wrzesniowski 98; blickwinkel 195; Carlos Mora 220; David Kilpatrick 35; De Agostini / Universal Images Group 183; Dmitriy Shironosov 24; Eddie Gerald 242; Everett Collection 157, 268; F1 Online 366; Free Imagination 325; Gaia Moments 20; Gavin Hellier/Jon Arnold Images Ltd 97; Gianni Dagli Orti/The Art Archive 44, 181, 214; Heritage Image Partnership Ltd 163; Imagebroker 109; Interfoto 31, 211 acima; James Brunker 216; Jean-Baptiste Rabouan 278; Lebrecht Music e Arts Photo Library 199; Lisa Ryder 13; M Flynn © Salvador Dalí, Fundació Gala-Salvador Dalí, DACS, 2014 52; Mary Evans Picture Library 107, 175; Moodboard 363; PhotoAlto 123; Radius Images 25; Richard Levine 160; Robert Harding World Imagery 191; Steve Atkins Photography 234; Tetra Images 358; The Print Collector 104, 280; Walker Art Library 7; Wavebreakmedia Ltd 358; Werner Forman Archive 368; Xavier Van Eegan 294

Bridgeman Art Library Archives Charmet 91; Árni Magnússon Institute, Reykjavik 190; Biblioteca del Centro Studi Danteschi, Ravenna 188; Bibliothèque de la Faculté de Médecine, Paris/=Archives Charmet 120, 131, 138; Bibliothèque Nationale, Paris 43; British Museum, Londres 134; Christie's Images 182; Costa/Leemage 185; De Agostini/S Vannini 125; Johnny van Haeften Gallery, Londres 172; Laing Art Gallery, Newcastle-upon-Tyne © Tyne & Wear Archives & Museums 80; Musée de la Chartreuse, Douai/Giraudon 132; Oriental Museum, Durham University 209; Coleção Particular 154; Coleção Particular/Archives Charmet 126; Coleção particular/The Stapleton Collection 81; Coleção particular/Wood Ronsaville Harlin, Inc 95; The Barnes Foundation, Philadelphia, Pennsylvania 124

Corbis 156; Alfredo Dagli Orti/The Art Archive 89; Araldo de Luca 276; Bettmann 37, 102, 118, 180, 249; David Aubrey 330; Dedi Sahputra/epa 149; Fred de Noyelle/Godong 90; Historical Picture Archive 83; Kazuyoshi Nomachi 67; Marko Djurica/Reuters 87; Michael Haegele 378; Nik Wheeler 203; Noam Armonn/Spaces Images 186; Philippe Lissac/Godong 137; Rastislav Kolesar/Demotix 144; Reuters 272; Stapleton Collection 298; Stefano Bianchetti 206

Getty Images Color Day Production 28; Adam Smith 310; AFP 166; Alfred Pasieka 39; Archive Photos 130, 155; Assembly 351; Betsie Van der Meer 304; Bloom Image 292; Bob Thomas 49 esquerda; Bridgeman Art Library 12, 79, 153; Brooke Golightly, Fine Art Photography 339; Bruno Morandi 286; Buyenlarge 74; Cristina Arias 274; Culture Club/Hulton Archive 66; David Silverman 142; De Agostini 16, 103, 135, 176, 179, 197, 205, 260, 264; Dmitri Kessel 250; Dorling Kindersley 217; Elizabeth Watt

AGRADECIMENTOS

308; Ernst Haas 72; Francois Nascimbeni 269; Graeme Purdy 65; Henrik Jonsson 297; hh5800 8; Hulton Archive 26, 36, 46, 85, 106, 129, 159, 168; Hulton Fine Art 10, 38; Javier Canale 369; John Greim 51; John Linnell 267; Johner Images 147; Jon Anderson 240; Kemie 230; Kristin Amundsen Cubanski 69; M Timothy O'Keefe 148; M Eric Honeycutt 353; Matt Kunz 256; Mondadori 252; Richard Ross 246; Robert Harding World Imagery 150; Science Photo Library 23; Sharon Dominick 34; Stephan Zabel 227; The Life Picture Collection 164; Tom Merton 317, 372; UIG via Getty Images 62, 64, 70, 76, 78, 82, 110, 111, 116, 128, 151, 171, 177, 193, 196, 204, 212

Glow Images Darren Pryce 32; Dianne Haine/TIPS 140; Heritage Images 202; Ingo Schulz 221; Martin Engelmann 288; Nordic Photos 19

NASA ESA e M J Jee (John Hopkins University) 40

Octopus Publishing Group Frazer Cunningham 303, Polly Wreford 320

Shutterstock Andrzej Grzegorczyk 194; Blue67design 350; Capitain Yeo 316; Chuck Rausin 367; Creativa 318; Daisy Daisy 170; Daniel M. Nagy 224; David Parker 54; Deborah Benbrook 192; Elena Dijour 326; Eliks 42; Evdokimov Maxim 344; Hein Nouwens 211 abaixo; Hung Chung Chih 93; Iravgustin 382; Jeremy Walker 56; Malija 14; Mikhail Zahranichny 73; Mirian Maslo 58; mountainpix 77; nienora 117; pashabo 121; Pavel Vakhrushev 2; Paul Prescott 347; Romas Photo 258; Severjn 364; Victorian Traditions 337; Vladimir Volodin 232; Zurijeta 237; Zvonimir Atletic 262

SuperStock Album/Oronoz 96; Martin Siepmann /image/imagebroker 169; Wolfgang Kaehler 113; age fotostock 167, 222; Biosphoto 381; Cusp 239; De Agostini 108, 210; Fine Art Images 146, 158; Fine Art Photographic Library 213; Huntington Library 266; Juniors 119; Photononstop 271; Stefan Auth/imagebroker 215; SuperStock 261; The Art Archive 49 abaixo à direita; tolokonov 201; Universal Images Group 49 acima à direita, 174, 218

Thinkstock a-wrangler 299; Balasz Kovacs 114; Bratovanov 50; Comstock 315, 341; Cucumberov 377; Digital Vision 329; Dorling Kindersley 208; Eyecandy Images 306; George Doyle 332; Hakkiarslan 283; Happyhappy101 384; Hemera Technologies 375; Holly Kuchera 345 acima; Ioana Drutu 255; James Thew 334; JGI 319; Jupiterimages 355; Klagyivik 47; luvemakphoto 27; Mari Art 346; Maria Kazanova 324; Michele Princigalli 302; Miss Elli 313; Mkaminskyi 371; NA 291; NicoElNino 348; Photos.com 265; SanderStock 228; Sergey Anatolievich Pristyazhnyuk 309; Stockbyte 311; Stockbyte/Jupiter Images 338; suksaeng 4; Takashi Takeuchi 223; Thomas Northcut 362; Wavebreakmedia Ltd 17, 322; Wolfsburg1984 360; Wzfs1s 345 abaixo

TopFoto Charles Walker 101, 198; The Granger Collection 200; Topham Picturepoint 225